WILLIAMS-SONOMA

VERDURAS, CORTES DE CARNE PASTELES

RECETAS Y TEXTO
FRAN GAGE / DENIS KELLY / MARLENA SPIELER

EDITOR GENERAL
CHUCK WILLIAMS

FOTOGRAFÍA
MAREN CARUSO/ NOEL BARNHURST

TRADUCCIÓN
LAURA CORDERA L.
CONCEPCIÓN O. DE JOURDAIN

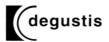

ÍNDICE GENERAL

VERDURAS

CONTENIDO

OTOÑO

INVIERNO

PLATOS PRINCIPALES

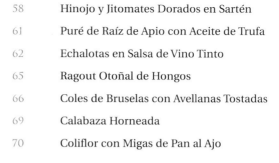

ANTES DE COMENZAR

Cada región del mundo tiene su propia riqueza de vegetales frescos de granja. Si busca localmente verduras cultivadas en el periodo álgido de la temporada o las cultiva usted mismo en su jardín, será grandemente recompensado en su mesa. Es para mí un gran placer poder compartir las recetas de este capítulo con los cocineros de América Latina. Hojee las páginas de este capítulo y encontrará recetas que muestran cómo sacar el mejor provecho a lo que nos ofrece cada temporada capturando el ánimo de cada una de ellas.

Incluida en cada receta, encontrará una nota informativa que subraya una técnica o término en particular, ahondando en sus conocimientos sobre la cocina, mientras que al mismo tiempo, el la última parte de este capítulo cubre todos los términos básicos de la cocina con verduras. También hemos incluido sugerencias para sustituir ingredientes en caso que éstos difieran a los disponibles localmente. Deseo que este capítuo le inspire a preparar comidas frescas y sanas usando todos los maravillosos tipos de vegetales que puede encontrar en los mercados de su país. ¡Buen Provecho!

LAS RECETAS CLÁSICAS

Estas recetas de vegetales de hoy y siempre han logrado colocarse como clásicas por dos buenas razones: su sencillez y versatilidad. Desde los chícharos frescos con hierbabuena hasta el cremoso puré de papa se presentan en forma clara logrando que cada platillo complemente una gran variedad de menús; desde una sencilla cena familiar para cualquier día de la semana hasta aquellas ocasiones especiales.

ZANAHORIAS GLASEADAS

CORTE JULIANA
Cuando una receta pide por corte juliana o cerillo, utilice un cuchillo de Chef o Mandolina (página 114) para cortar vegetales, carne, queso u otros ingredientes en forma larga y angosta a lograr tiras delgadas. Muchas recetas solicitan el tamaño exacto, pero lo comúnmente usado es de 5 cm (2 in) de largo por 3 mm (⅛ in) de ancho y grueso. Para cortar en juliana cualquier alimento, primero corte las piezas al largo deseado, después corte cada pedazo al ancho deseado. Y por último amontone las rebanadas y corte a lo ancho en tiras delgadas.

Corte las zanahorias en juliana de 7.5 cm (3 in) de largo y 6 mm (¼ in) de ancho y grueso *(vea explicación a la izquierda)*.

En una olla profunda o freidora, derrita la mantequilla a fuego medio. Añada las zanahorias, el azúcar, jengibre, sal y pimienta y rectifique la sazón. Mezcle y cocine de 1 a 2 minutos. Agregue agua a cubrir las zanahorias, suba el fuego, tape hasta que hierva y las zanahorias tomen un color naranja brillante, aproximadamente 5 minutos. (No agregue demasiada agua ya que tardarían demasiado en cocerse y se volverían pegajosas).

Destape y continúe su cocción a fuego medio alto, hasta que toda el agua se evapore, durante 5-7 minutos más. Continúe cocinando por unos minutos más, hasta que las zanahorias se caramelicen en la mezcla de mantequilla y azúcar. Decore con el perejil, si lo usa, y sirva inmediatamente.

Variación: Esta receta se puede hacer de la misma forma utilizando nabos, colinabo, cebollas, chirivías, etc., ajustando los tiempos de cocción.

RINDE 4 PORCIONES

750 g a 1 kg (1½-2 lb) de zanahorias peladas

3-4 cucharadas (45-60 g/1½-2 oz) de mantequilla sin sal

2-3 cucharadas de azúcar

⅛ cucharadita de jengibre en polvo o al gusto

Sal y pimienta recién molida

1 cucharada de perejil picado (opcional)

CHÍCHAROS FRESCOS CON HIERBABUENA

16 cebollas cambray

4 cucharadas (60 g/2 oz) de mantequilla sin sal

Sal y pimienta recién molida

1 cucharadita de azúcar

1 kg (2 lb) de chícharos limpios de su vaina (aproximadamente 2 tazas/315 g/10 oz)

1 lechuga "Boston" o romana pequeña rebanada y picada

1 cucharada de perejil fresco picado (italiano)

1 cucharada de hierbabuena fresca picada o una pizca seca y molida (ver nota)

Coloque en una olla agua a sus ¾ partes de capacidad y deje hervir. Añada las cebollas cambray y blanquee por un minuto. Escurra y sumerja en agua fría durante 5 minutos para detener la cocción. Escurra por segunda vez y deseche la cáscara que se retirará con facilidad. Utilice un cuchillo mondador corte las raíces y los rabos.

En una sartén de fondo grueso, derrita la mitad de la mantequilla a fuego medio bajo. Agregue las cebollas y fría hasta que tomen un color dorado pálido y se hayan suavizado, aproximadamente 8 minutos. Espolvoree con sal y pimienta y con la mitad del azúcar y mezcle bien.

Añada los chícharos, lechuga, perejil, hierbabuena y el resto del azúcar. Combine y sazone con sal y pimienta. Agregue agua a cubrir los chícharos. Aumente el fuego a medio alto y deje hervir. Reduzca el fuego a dejar muy bajo; tape y deje cocer a fuego lento hasta dejarlos tiernos, de 5 a 8 minutos.

Escurra y coloque sobre un platón caliente. Agregue el resto de la mantequilla, mezcle a cubrir parejo y sirva inmediatamente.

Nota: En vez de la hierbabuena puede utilizar también de 1 a 2 cucharadas de albahaca fresca picada o perejil liso ó 1 cucharadita de tomillo y mejorana frescos picados.

RINDE 4 PORCIONES

DESVAINAR CHICHAROS

Para retirar los chícharos de su vaina, sostenga la vaina sobre un tazón grande y hondo, apriete la vaina ligeramente para abrir por la mitad; corra su dedo pulgar a lo largo para desprender los chícharos, colocándolos en el tazón. Pele justo antes de cocerlos para prevenir que se sequen. Si no consigue chícharos frescos en el mercado, un buen sustituto son los congelados que tardan más o menos lo mismo para su cocción.

PURÉ DE PAPAS

CONOCIMIENTO DEL PURÉ DE PAPA
Hay muchas formas para cocinar papas y hacer puré. En esta receta las papas se cuecen con piel para prevenir que se ablanden, después se pelan antes de prensarse. Algunas personas prefieren el puré de papa con pequeños trozos de papa, otros lo prefieren muy terso. Para hacerlo con pedazos pequeños utilice el prensador de papas, Para lograr una textura más tersa use un pasapurés o un prensador eléctrico o empiece con un prensador manual y termine con un batidor globo. Nunca utilice el procesador de alimentos ya que su fuerza hace que las papas tomen una textura elástica.

Coloque las papas enteras en una olla grande y cubra con agua dejando hasta 5 cm (2 pulgadas) más. Añada pizcas de sal y de azúcar. (El azúcar ayuda a sacar el sabor natural de las papas, sin aumentar el grado de dulzor en el resultado final del platillo.) Deje hervir a fuego alto. Reduzca a calor medio; tape y cocine hasta que estén suaves, durante 25-35 minutos, dependiendo del tamaño. Cheque el cocimiento con un tenedor; las papas se podrán picar fácilmente. (No deje hervir hasta que se desmoronen, ya que será difícil colarlas y al prensar el puré quedaría aguado.)

Escurra las papas y, cuando pueda sostenerlas con las manos, pele. Regrese a la olla a calor bajo y mueva la olla para secarlas ligeramente, retire del fuego. Con la ayuda de un prensador de papa o una batidora eléctrica, prénselas (vea explicación a la izquierda). O, si prefiere, puede pasarlas por un pasapurés colocado sobre la olla.

Vuelva a colocar la olla sobre calor bajo y añada la mantequilla, trabajando con la ayuda de una cuchara o un batidor. Integre ¼ de taza de leche caliente o más si es necesario, sazone con sal y pimienta. Sirva inmediatamente o pruebe las siguientes variantes.

Puré de Papa al Ajo: Al calentar la leche añada 1 ó 2 dientes de ajo rebanados. Cuele posteriormente para retirar el ajo antes de utilizar la leche.

Puré de Papa al Pesto: Reduzca la cantidad de leche a 2 ó 3 cucharadas. Integre batiendo de ¼ a ½ taza (60-125 ml/2-4 fl oz) de pesto (página 111) al gusto.

Puré de Papa al Roquefort: Añada 125 g (¼ lb) de queso Roquefort o Azul desmoronado; 1 diente de ajo machacado y exprima jugo de limón al gusto al prensar las papas. Sirva con perejil o cebollín picado.

RINDE 4 PORCIONES

4 a 5 papas "Russet", "Yukon" o papas blancas grandes aproximadamente 1 a 1.25 kg (2-2½ lb)

Sal y pimienta recién molida

Una pizca de azúcar

4 cucharadas (60 g/2 oz) de mantequilla sin sal o al gusto

¼–½ taza (60-125 ml/2-4 fl oz) de leche, crema espesa o media crema caliente

EJOTES VERDES CON ALMENDRAS TOSTADAS

Sal y pimienta blanca recién molida

Una pizca de azúcar

1 kg (2 lb) de ejotes verdes tiernos cortados del tallo (vea nota)

3 cucharadas de mantequilla sin sal

⅓ taza (45 g/1½ oz) de almendras fileteadas (hojuelas)

Coloque en una olla grande, agua a sus ¾ partes de capacidad y hierva. Añada pizcas de sal y de azúcar y los ejotes verdes. Cueza hasta que los ejotes tomen un color verde brillante y estén tiernos, de 1 a 2 minutos. El tiempo dependerá de la madurez y tamaño de los ejotes.

Escurra y coloque en un recipiente con agua helada. (Si el agua no está suficientemente fría, agregue unos cubos de hielo.); esto suspenderá la cocción y dejará los ejotes crujientes y de un color verde brillante. Deje en esta agua fría por unos minutos. Cuele y coloque sobre un trapo de cocina limpio para absorber el exceso de humedad.

En una sartén grande, derrita la mitad del azúcar a fuego medio. Cuando forme espuma, agregue las almendras y saltee a dorar de 3 a 4 minutos. No permita que las almendras ni la mantequilla se quemen.

Cuando las almendras estén doradas, añada el resto de la mantequilla. En el momento que derrita, agregue los ejotes y cubra completamente mezclando, de 2 a 3 minutos. Sazone con sal y pimienta blanca y sirva inmediatamente.

Nota: Para recortar los ejotes, retire el tallo y hebras que pudiera tener la vaina. La punta puede dejarse intacta.

Variación: Si lo desea, añada de 1 a 2 echalotas picadas a las almendras justo después de freír.

RINDE 4 PORCIONES

PARCIALMENTE HERVIDO O MEDIA COCCIÓN Y SUSPENSIÓN DE COCIMIENTO
En esta receta los ejotes fueron parcialmente hervidos en agua y después súbitamente introducidos en agua helada para detener el proceso de cocimiento para fijar el color y la textura. La inmersión en agua hirviendo suaviza su textura sin cocerlos completamente, mientras que el baño en agua fría preserva el color brillante y detiene el cocimiento. El baño de agua también conserva la frescura de los ejotes por varios minutos hasta estar listos para recalentar en la salsa. Este tipo de cocimiento es una excelente manera para preparar otros vegetales para ensalada.

ESPINACAS SALTEADAS
CON PASAS Y PIÑONES

Coloque las uvas pasas en un refractario con agua hirviendo a cubrir. Tape y deje hidratar durante 10 minutos. Escurra y reserve.

Mientras tanto, si desea, tueste los piñones calentándolos en una sartén gruesa sobre fuego medio, moviéndolos a que se doren y aromaticen, de 2 a 4 minutos. Vigile continuamente ya que se pueden quemar con facilidad. Una vez tostados pase a un plato.

En una sartén, caliente el aceite de oliva a fuego medio. Agregue la cebolla y saltee a dorar, de 5 a 8 minutos. Añada el ajo y saltee por un minuto más. Retire la sartén del fuego y reserve.

Coloque las hojas de espinaca con la poca agua que quede en sus hojas en una olla, a fuego medio alto; tape y cueza hasta que las espinacas se marchiten y tomen un color verde brillante, de 1 a 2 minutos. Retire del fuego y cuele sobre un cedazo, presionando con la parte trasera de una cuchara para quitar el exceso de humedad. Cuando la espinaca este fría y pueda manejarla, pique finamente. (Si utilizó hojas de espinaca pequeña, omita el picado.)

Coloque las espinacas drenadas, las pasas, los piñones en la sartén con la cebolla y ajo y vuelva al fuego medio. Combine hasta que las espinacas y cebollas estén bien calientes, de 1 a 2 minutos. Sazone con sal y pimienta al gusto. Sirva caliente o a temperatura ambiente.

Variación: En vez de las uvas pasas negras puede utilizar pasas amarillas (sultanas) o moscatel grandes y hojuelas de almendras en vez de piñones.

RINDE 4 PORCIONES

¼ **taza (45 g/1½ oz) de uvas pasas**

¼ **taza (37 g/1¼ oz) de piñones**

2 cucharadas de aceite de oliva extra virgen

1 cebolla amarilla o blanca finamente picada

1 diente de ajo picado

1 kg (2 lb) de hojas de espinaca sin tallo lavadas

Sal y pimienta negra recién molida o pimienta de cayena

PIÑONES

Busque piñones sin cáscara y ovales en vez de los redondos y gordos. Los primeros básicamente de origen europeo, tienen un sabor delicado, mientras que los de origen asiático logran un sabor más fuerte. Cómprelos en tiendas o mercados concurridos ya que, por su alto contenido de grasa, son sumamente perecederos. Almacene todas las nueces en recipientes contra aire, en lugares frescos sin luz por períodos de tiempo cortos, o en refrigeración o congelación para períodos largos.

BRÓCOLI CON SALSA HOLANDESA

PARA LA SALSA HOLANDESA:

2 yemas de huevo

Una pizca de sal

Una pizca de pimienta de cayena

Jugo de ½ limón, (aproximadamente 1½ cucharada) o al gusto

2 cucharadas de mantequilla fría cortada en trozos pequeños

½ taza (125 g/4 oz) de mantequilla derretida tibia

Una pizca de sal

Una pizca de azúcar

1 cabeza grande de brócoli ó 2 pequeñas (ver nota) aproximadamente 1 kg (2 lb), cortadas en flores pequeñas

Para preparar la salsa holandesa, coloque los huevos a baño maría *(vea explicación a la derecha)*, batiendo hasta que espumen. Añada la sal, pimienta de cayena, 1 cucharada de jugo de limón y la mitad de la mantequilla fría en trozos. Coloque la olla encima de otra olla con agua sin que ésta toque el agua, baje el fuego. Continúe batiendo hasta que la mezcla espese ligeramente y la mantequilla se derrita, aproximadamente 5 minutos. Si la mezcla se cuece demasiado rápido, retire del calor y continúe batiendo y añada más trozos de mantequilla fría si los llegará a necesitar.

Vierta la mantequilla derretida, gota a gota, batiendo cada vez que añada, hasta que se absorba completamente. Ya que la mezcla esté emulsionada y espesa, empiece a agregar la mantequilla más rápidamente, primero una cucharada y después otra, batiendo cada vez.

Retire del calor la olla de arriba y coloque el resto de la mantequilla cortada en trozo, bata a integrar. Pruebe y añada el resto del jugo de limón, si es necesario. Rectifique la sazón con sal y pimienta de cayena. La salsa se puede mantener tibia durante 30 minutos, sobre la olla con agua sin prender la flama. Mezcle ocasionalmente para mantener unida la salsa.

Coloque una cacerola a sus ¾ partes de capacidad con agua a hervir. Agregue dos pizcas de sal y azúcar y el brócoli, deje hervir hasta que éste tome un color verde brillante y esté tierno pero crujiente, de 1 a 2 minutos. Escurra.

Sirva bañado con la salsa holandesa.

Nota: La salsa holandesa contiene huevos parcialmente cocidos; para mayor información refiérase a la página 113. Si siente duro el tallo del brócoli, puede pelarlo con un rallador de verduras o un cuchillo mondador antes de cortarlo.

RINDE 4 PORCIONES

HERVIDOR DOBLE O BAÑO MARÍA

Es una olla doble usada para cocinar suavemente. Consiste en 2 ollas, una en la cual se coloca agua y sobre ella se pone otra, la cual no debe tocar el agua. La olla o cacerola con agua no debe hervir. El ajuste perfecto entre una y otra asegura que el agua o vapor no se mezclará con el ingrediente a cocinar. Si no cuenta con este artículo, puede utilizar un refractario que embone perfectamente sobre una olla o cacerola.

DAUPHINOISE AL GRATÍN

Corte las papas a lo ancho en rodajas de 3 mm (⅛ in) de grosor. Puede hacerlo a mano con un cuchillo filoso o con la mandolina o, si las desea menos perfectas use el procesador de alimentos. Coloque en un tazón grande. Añada agua fría a cubrirlas, deje remojar por lo menos de 15 minutos a una hora.

Coloque la rejilla en la parte superior del horno y precaliente a 165ºC (325ºF), Ponga una charola de horno en la rejilla inferior para recoger cualquier residuo. Frote con el diente de ajo partido la base y orillas de un molde refractario poco profundo con capacidad de 2 l (2 qt). Engrase después con las 2 cucharadas de mantequilla a temperatura ambiente.

Escurra las rodajas de papas y seque con toallas de papel de cocina. Corte las cuatro cucharadas de mantequilla en pedazos pequeños. Coloque una capa de papas en el molde preparado, espolvoree con sal y pimienta y distribuya los pedazos de mantequilla y los dientes de ajo picados si los utiliza. Repita la operación en capas hasta terminar con todas las papas, reservando un poco de la mantequilla para colocar sobre el gratín. Debe dejar un espacio de 12 mm (½ pulgada) entre la orilla del platón y las papas. Esparza la crema homogéneamente sobre las papas al igual que los trozos de mantequilla restante y espolvoree con sal y pimienta.

Cubra el gratín con papel aluminio y hornee de 30 a 40 minutos hasta que las papas estén transparentes y la crema burbujeante. Destape y vuelva al horno por 30 minutos más, hasta lograr una capa crujiente y las papas estén suaves, rectifique el cocimiento con un cuchillo. Si el gratín se secara, bañe con su propio líquido ocasionalmente mientras se hornea. Sirva el gratín inmediatamente en el mismo refractario.

Para servir: Después de hornear el gratín espolvoree por encima perejil picado y pimientas rosadas, para lograr un decorado lleno de color tipo confeti.

RINDE 4 PORCIONES

EL CLÁSICO GRATÍN
Este gratín de papas es originario de la región de Dauphine al Este de Francia. Es fácil de preparar, pero hay ciertos trucos que seguir. El primero, es remojar y después secar perfectamente las rodajas para retirar el exceso de almidón, evitando una consistencia chiclosa. Debe utilizarse una generosa cantidad de sal igual que la mantequilla y crema que deben ser de muy buena calidad. El queso no es necesario ya que el crujiente de las papas dominaría el sabor. Escoja un platón de cerámica artesanal para reflejar el carácter propio del platillo.

5 papas grandes tipo "Russet", aproximadamente 1.25 kg (2½ lb) peladas

3 a 5 dientes de ajo picados, más 1 diente partido a la mitad (opcional)

4 cucharadas (60 g/2 oz) de mantequilla sin sal , más 2 cucharadas a temperatura ambiente

sal y pimienta recién molida

1½ taza (375 ml/12 fl oz) crema espesa

PRIMAVERA

La primavera llega llena de tonos verdes: manojos de espárragos y montones de guisantes ingleses dulces y crujientes, chícharos en vaina, robustas alcachofas y jóvenes cebollas finas. Pero la variedad no termina ahí. Para darle color a la mesa, los cocineros incluyen papas de cambray rojas, blancas y amarillas; rábanos crujientes de color rojo, púrpura y colores pastel; así como setas en tonos marrones.

SETAS MEZCLADAS CON MANTEQUILLA DE AJO Y PIÑONES

SETAS SILVESTRES
Muchas veces vemos el término setas silvestres en algunas recetas, en menús, etc., pero por lo general una descripción más exacta sería setas exóticas, ya que la mayoría de las setas silvestres que comemos actualmente son cultivadas. Entre las variedades no cultivadas hoy en día están las morillas con sabor perfumado, la favorita de la primavera y los chanterelles del otoño, los porcini (cepes), Matsutakes y Black Trumpets. Todas las demás variedades maravillosas de oysters, shiitakes, portobellos y cremini son cultivadas con éxito.

Precaliente el horno a 230ºC (450ºF). Quite cualquier tronco duro de los hongos y resérvelos para hacer sopa o consomé. Corte las setas más grandes en pedazos de modo que sean del mismo tamaño que las setas pequeñas. Acomódelas en una sola capa dentro de una sartén grande para asar.

En un tazón, usando una cuchara o batidor globo, combine la mantequilla, ajo, sal y pimienta al gusto. Espárzala sobre las setas o salpique las superficies con cucharadas pequeñas. Rocíe el vino uniformemente.

Hornee hasta que empiecen a crispar y broncearse, alrededor de 15 minutos. Sáquelas del horno, añada los piñones y vuelva a meterlas al horno para continuar asándolas hasta que estén cocidas y ligeramente doradas, alrededor de 10 minutos. El tiempo total de cocción depende de los tipos de setas usadas; algunas variedades tomarán más tiempo que otras. Rectifique la sazón.

Pase a un plato caliente y agregue el cebollín. Sirva de inmediato.

Variación: Las almendras blanqueadas se pueden utilizar en lugar de los piñones en esta receta. Tuéstelas y úselas como lo haría con los piñones.

RINDE 4 PORCIONES

500g (1 lb) de mezcla de setas frescas (tales como: Morel, Portobello, Shiitake, Ostra, Cremini y White Button) cepilladas

4 a 6 cucharadas (60 a 125 g/2-4 oz) de mantequilla sin sal a temperatura ambiente

3 a 5 dientes de ajo picados

Sal y Pimienta recién molida

2 cucharadas de vino blanco seco

⅓ taza (60 g/2 oz) de piñones

1 a 2 cucharadas de cebollín fresco picado ó perejil italiano

ESPÁRRAGOS ASADOS, CUATRO FORMAS

2 manojos (1 kg / 2lb) de espárragos, preferentemente gruesos, sin excesos y pelados si es necesario *(vea explicación a la derecha)*

2 cucharadas de vino blanco seco o vermouth seco

Sal y pimienta recién molida

3 cucharadas de aceite de oliva extra virgen

El jugo de ½ limón

Coloque la parrilla en la parte superior del horno y precaliente a 230ºC (450ºF). En un refractario grande y poco profundo mezcle los espárragos, el vino, sal y pimienta al gusto y el aceite de oliva a cubrir los espárragos uniformemente.

Ase hasta que se doren ligeramente y estén tiernas y crujientes, aproximadamente 10 minutos, haciendo cuidado de no sobre cocinarlos.

Pase los espárragos a un platón y rocíelos con el jugo del limón al gusto. Sirva de inmediato o intente cualquiera de las siguientes variantes.

Espárragos Asados con Parmesano en Lajas: Rocié el jugo del limón sobre los espárragos calientes. Usando un rallador de queso, un pelador de verduras o un cuchillo mondador; haga de 30 a 60 g (1-2 oz) de lajas de queso parmesano, pecorino romano, Asiago o queso seco Jack y coloque sobre los espárragos.

Espárragos Dorados con Pesto: Omita el jugo de limón. Rocíe los espárragos calientes con 1 ó 2 cucharadas de Pesto (página 111), o al gusto. Sirva de inmediato.

Espárragos dorados con salsa Holandesa: Rocíe los espárragos calientes con el jugo de limón y sírvalos con salsa holandesa. (página 21)

RINDE 4 PORCIONES

CORTANDO ESPÁRRAGOS
Para preparar espárragos busque la porción fibrosa en su base y recorte cada espárrago. Puede recortar la base seca y dura o sencillamente romperla al doblarla suavemente hasta que truene. Se romperá exactamente en donde termina la parte suave y empieza la parte dura. Si la piel parece gruesa y dura, use un pelador de verduras o cuchillo mondador para pelar el tallo hasta 5 cm (2 in) de la punta. Esto ayudará a que el espárrago se cueza más uniformemente.

HABAS VERDES CON JAMÓN SERRANO Y HUEVO FRITO

En una sartén grande, caliente 2 cucharadas de aceite de oliva a fuego medio. Añada la cebolla, ajo y jamón y cocine hasta que la cebolla se suavice, aproximadamente 5 minutos. Incorpore las habas verdes peladas e integre con cuidado para que no se rompan; agregue el jerez, caldo y el perejil. Cocine a fuego alto hasta que el líquido se absorba ligeramente y los sabores se mezclen, aproximadamente un minuto. Vierta otra cucharada de aceite de oliva, sazone con sal y pimienta, pase a un platón. Mantenga caliente.

En la misma sartén, caliente el resto de aceite (una cucharada). Fría el huevo hasta que la clara esté completamente blanca pero la yema no se seque, aproximadamente 2 minutos. Está bien que se forme una ligera orilla dorada alrededor de la clara que le ayudará a dar textura.

Para servir, corte el huevo en pedazos pequeños e integre a las habas verdes; la yema se mezclará con la salsa. Sirva espolvoreando con el cebollín.

Nota: El prosciutto italiano es similar al jamón serrano español. Los dos son hechos salando la pierna de puerco y colgándola a la intemperie para curarla. Tradicionalmente el jamón serrano se corta más grueso que el prosciutto; su sabor es parecido, aunque más natural. Estos productos se consiguen en tiendas especializadas o delicatessen.

RINDE 4 PORCIONES

PELANDO HABAS VERDES
Las habas verdes deben pelarse antes de cocerse. A menos que las habas sean muy pequeñas y suaves, también debe desecharse la piel que las cubre. Para retirar la piel, blanquee las habas en agua hirviendo con sal hasta que estén suaves, de 1 a 2 minutos. No sobre cueza. Escurra y enjuague bajo el chorro de agua. Pique cada haba del lado opuesto a donde estaba adherido a la vaina y exprima; la haba saldrá. Use un cuchillo mondador para retirar cualquier piel adherida.

4 cucharadas (60 ml/2 fl oz) de aceite de oliva extra virgen

1 cebolla amarilla o blanca o 3 echalotas finamente picadas

2 dientes de ajo picados

90 g (3 oz) de jamón serrano (ver nota) o prosciutto, cortado en tiras delgadas

500-750 g (1–1½ lb) de habas verdes tiernas, peladas *(ver explicación izquierda)*

½ taza (125 ml/4 fl oz) de jerez seco

½ taza (125 ml/4 fl oz) de caldo de pollo, de verduras o de lata bajo en sodio

1 cucharada de perejil (italiano) picado

Sal y pimienta recién molida

1 huevo

1 cucharada de cebollín picado

PAPAS DE CAMBRAY CON CHÍCHAROS

1 kg (2 lb) de papas de monte o cambray de tamaño uniforme

Sal y pimienta recién molida

Una pizca de azúcar

2 tazas (315 g/10 oz) de chícharos suaves (English peas)

2 cucharadas de mantequilla sin sal

2 cucharadas de aceite de oliva extra virgen

5 a 6 cebollas de cambray finamente picado incluyendo sus tallos

Coloque las papas en una cacerola grande a cubrir con agua 5 cm (2 in) por encima. Añada pizcas de sal y azúcar. (El azúcar ayuda a resaltar el sabor natural de las papas sin añadirle dulzor al resultado final del platillo). Deje hervir a fuego alto. Reduzca el fuego y cocine sin tapar de 15 a 20 minutos hasta que las papas estén suaves. Pruebe con un tenedor, el cual podrá picar fácilmente pero con algo de resistencia. (No sobre cueza o perderán su consistencia y se romperán).

Escurra. Puede dejar la cáscara. O, si desea pelarlas, enjuague con agua fría por unos minutos; ya frías, pele.

Mientras tanto, caliente agua en una cacerola a ¾ partes de su capacidad y hierva a fuego alto. Añada sal, azúcar y los chícharos; blanquee hasta que tomen un color verde brillante, aproximadamente 30 segundos. Escurra y enjuague bajo el chorro del agua fría para detener el cocimiento y fijar el color.

En una sartén gruesa, derrita la mantequilla junto con el aceite de oliva a fuego medio bajo. Agregue las cebollas de cambray y deje marchitar durante 3 minutos. Integre las papas y los chícharos y mezcle; caliente durante 5 minutos. Sazone con sal y pimienta y sirva de inmediato.

Variación: Si lo desea, sustituya los chícharos de esta receta por 2 tazas (300 g/9½ oz) de chícharos "sugar snap" ó 2 tazas (200 g/6½ oz) de chícharos nieve o chícharos chinos.

RINDE 4 PORCIONES

PAPAS CAMBRAY

Estas papas sólo se consiguen en las primeras cosechas de la primavera o a principios del verano. Su sabor terroso natural y delicioso no se compara con aquél de las que encontramos en los supermercados el resto del año. Estas papas son bajas en almidón, con piel muy delgada y carne suave y delicada. Las variedades más comunes son redondas, blancas o rojas (también llamadas creamers), papas dedo (fingerling) o cambray blancas (Yellow Finns). A diferencia de las papas maduras, las silvestres o papas cambray pueden conservarse únicamente por 2 ó 3 días antes de cocinar y comer.

CORAZONES DE ALCACHOFA EN SALSA DE PEREJIL AL LIMÓN

CORTADO DE ALCACHOFAS
Trabajando con una alcachofa a la vez, retire todas las hojas exteriores duras hasta llegar a las hojas verde pálido. Corte el tallo y, con la ayuda de un cuchillo de sierra, corte la punta. Si utiliza alcachofas pequeñas, ahueque el centro o parte velluda y amarga con la ayuda de un cuchillo mondador o una cucharita. Si se trata de alcachofas de tamaño mediano, corte en cuartos a lo largo y retire la parte central. Sumerja en un tazón con agua helada con jugo de limón para prevenir la decoloración mientras termina de cortar el resto de las alcachofas.

Si utiliza alcachofas enteras recorte todas las hojas exteriores duras y la pelusa *(vea la explicación a la izquierda)*. En una olla grande coloque agua a sus ¾ partes de capacidad y hierva. Escurra las alcachofas y añada al agua hirviendo junto con la mitad del limón y cueza parcialmente, durante 5 minutos. Escurra y reserve. (Si los corazones de alcachofa son congelados no es necesario cocerlos).

Si utiliza alcaparras saladas, sumerja en agua a cubrir por 5 minutos, escurra y seque. Si utiliza alcaparras en salmuera enjuague sobre el chorro del agua fría, escurra y seque. Coloque junto a las alcachofas y reserve.

En una sartén o freidora, caliente 2 cucharadas del aceite de oliva a fuego medio bajo. Saltee las cebollas a suavizar y dorar, de 5 a 6 minutos. Integre el ajo, perejil y alcachofas; cocine mezclando continuamente y añadiendo un poco más de aceite si lo requirieran hasta que se doren y aromaticen, aproximadamente 10 minutos. Sazone al gusto con sal y pimienta.

Añada dos cucharadas de aceite de oliva, 1 taza de caldo, las alcaparras, la ralladura de limón (si la utiliza), el jugo de limón y la albahaca. Suba a fuego alto y deje hervir. Baje a fuego medio y cueza destapado, hasta que estén tiernas y el líquido se haya espesado, durante 20 minutos. En caso de necesitar más líquido, añada más caldo.

Vierta a un platón de servicio. Sirva de inmediato caliente o a temperatura ambiente.

RINDE 4 PORCIONES

8 alcachofas pequeñas o medianas, cortadas *(ver explicación a la izquierda)* **o de 15 a 20 corazones de alcachofas congeladas**

½ limón

1 cucharada de alcaparras en salmuera (opcional)

4 a 5 cucharadas (60 a 75 ml/2–2½ fl oz) de aceite de oliva extra virgen

2 cebollas blancas o amarillas, finamente picadas

4 a 5 dientes de ajo finamente picados

3 cucharadas de perejil (italiano) picado

Sal y pimienta recién molida

1 a 2 tazas (250 a 500 ml/ 8-16 fl oz) de caldo de pollo o de verduras o de lata bajo en sodio

½ cucharadita de ralladura de limón (opcional)

1 limón, su jugo

Hojas de albahaca o menta amartajadas

EJOTES VERDES Y AMARILLOS CON MANTEQUILLA DE OLIVA A LA ECHALOTA

10 aceitunas Kalamata o al gusto, deshuesadas y picadas

1 echalota picada

1 diente de ajo picado

2 cucharadas de mantequilla sin sal a temperatura ambiente

5 a 6 hojas de albahaca fresca (opcional)

250 g (½ lb) de ejotes amarillos, cortados (ver nota)

250 g (½ lb) de ejotes verdes como "Haricots Verts", cortados

Sal y pimienta recién molida

En un procesador de alimentos, combine las aceitunas, echalota, ajo, mantequilla y albahaca si la utiliza, procese y mezcle bien. Reserve.

Cocine los ejotes separadamente, ya que los tiempos de cocción pueden variar. Coloque en una olla grande, agua con sal a sus ¾ partes de capacidad a hervir a fuego alto. Añada los ejotes amarillos a dejar tiernos, de 5 a 6 minutos o el tiempo que requieran dependiendo de su frescura y edad. Retire con la espumadera y escurra; pase a un tazón con agua helada a enfriar, mientras cuece los ejotes verdes.

Cocine los ejotes verdes en la misma olla y de la misma manera, pero disminuyendo el tiempo de cocción de 3 a 5 minutos. Cuando estén tiernos y crujientes, escurra y coloque en agua helada a enfriar.

En una sartén o una freidora, caliente 2 cucharadas de agua a temperatura media. Escurra los ejotes amarillos y verdes y agregue a la sartén a calentar. Añada la mantequilla de oliva y mezcle con los ejotes a cubrir pero que no se haya derretido. Pruebe y rectifique la sazón de sal y pimienta, agregando sal sólo si es necesario ya que las aceitunas son saladas. Vierta a un platón de servicio y sirva de inmediato.

Nota: Para cortar los ejotes, zafe el tallo del final de los ejotes y retire los hilos que se desprendan a lo largo. La cola se puede dejar intacta sin cortar.

Variación: Esta receta puede usarse como guarnición de salsa para pasta. Corte los ejotes al tamaño de un bocado (5 cm/2 in) antes de cocer, duplique la cantidad de mantequilla de oliva. Cueza 315 g (10 oz) de pasta corta, escurra y mezcle con los ejotes cubiertos con la mantequilla. Decore con albahaca fresca picada. La albahaca tailandesa es especialmente deliciosa y aromática.

RINDE 4 PORCIONES

VARIEDADES DE VAINAS DE EJOTES

A diferencia de las habas verdes, cuyas vainas se tiran, los ejotes verdes y amarillos se consumen completos tanto las semillas como sus vainas. Los "Haricots Verts" también llamados "filet beans" franceses, son delgados, de color verde oscuro y de sabor delicado y textura suave. El "Blue Lake" también es una buena opción. Los ejotes amarillos "Yellow Wax" son muy parecidos a los verdes, excepto por su color. Busque ejotes frescos y crujientes, que al romperlos truenen.

PLATO DE VEGETALES PRIMAVERA

Para preparar los nabos, pele y corte en juliana como de 7.5 cm (3 in) a lo largo y 3 mm (⅛ in) de grueso y ancho (página 10). Colóquelos en un tazón y sazone con una pizca de sal y pimienta molida, y agregue la echalota y el vinagre. Mezcle hasta integrar. Incorpore la crema sólo a cubrir ligeramente y refrigere hasta que esté lista para servir.

Para preparar los pea greens, coloque en un tazón y rocíe ligeramente con el vinagre al gusto.

Para preparar los rábanos, recorte el final de las raíces junto con las imperfecciones, dejando el follaje fresco.

Coloque la mantequilla en un tarro pequeño de barro y la sal de mar en otro.

Acomode una porción de cada verdura en platos individuales: algunos pea greens, una pila de rábanos y unas hojas de ensalada de nabos. Adorne con las cebollas de cambray, las aceitunas negras y sirva de inmediato con el pan y los tarros con mantequilla y sal para untar y rociar sobre los rábanos.

Notas: Los pea greens se encuentran en los mercados de agricultores pero si no se consiguen, el pápalo o la arúgula tierna (manojo) pueden sustituirlos. Los rábanos vienen en una gran variedad de tamaños, formas y sabores: largos y delgados; redondos y gordos; blancos, rojos, rosas o hasta negros. El rábano Daikon cortado en rebanadas gruesas, puede incluirse también en la selección de rábanos.

RINDE 4 PORCIONES

CREMA FRESCA

El sabor de la crema fresca (crème fraîche) es similar al de la crema agria pero más suave y sutil. Aunque existen marcas francesas y americanas, la crema fresca es fácil de hacer en casa: En una sartén pequeña mezcle 1 taza (250 ml/8 oz fl) de crema espesa no ultra pasteurizada con 1 cucharada de crema buttermilk (suero de leche). Coloque sobre fuego medio bajo y caliente a entibiar. No permita que hierva. Retire del fuego, cubra y deje reposar a temperatura ambiente hasta que espese, de 8 a 48 horas. Mientras más tiempo repose, se volverá más espesa y tendrá un sabor más penetrante. Enfríe de 3 a 4 horas antes de usar.

PARA LOS NABOS:

2 a 4 nabos tiernos y suaves

Sal y pimienta molida

1 ó 2 echalotas ó ¼ a ½ cebolla amarilla o blanca finamente picada

Vinagre de vino blanco u otro de buena calidad al gusto

4 a 6 cucharadas (60 a 90 ml/2-3 fl oz) de crema fresca *(vea explicación a la izquierda)*

PARA LOS PEA GREENS:

3 tazas (90 g/3 oz) de pea greens (brotes o zarcillos) recortados (vea notas)

Vinagre de vino blanco o de estragón al gusto

PARA LOS RABANOS:

24 a 32 rábanos tiernos y pequeños (vea notas)

½ taza (125 g/4oz) de mantequilla

Sal de mar al gusto

8 cebollas de cambray pequeñas con todo y rabo, picadas

20 aceitunas negras como las Nicoise

Rebanadas de pan campestre o ácido

VERANO

El mercado de agricultores en el verano es una fiesta a la vista. Maduros jitomates rojos, dorados y púrpura atraen a los compradores hacia un puesto, mientras que las brillantes calabacitas en tonos amarillos y verdes los atraen hacia otro. Estos ingredientes, junto con una generosa cantidad de pimientos y berenjenas pueden ser utilizados en preparaciones rápidas que dejan tiempo para disfrutar los largos días del verano.

ELOTE ASADO CON MANTEQUILLA DE CHILE Y LIMÓN

SELECCIONANDO EL MAÍZ

Cuando seleccione mazorcas tiernas de maíz, escoja las que tengan dientes amarillos suaves y cuya cáscara sea verde uniforme, sin manchas de color café. Los granos deben estar apretados sin espacios secos entre ellos, rectos, húmedos y espaciados de forma pareja. Cuando es fresco del jardín y muy dulce, se puede comer crudo. Pero la mayor parte del maíz tiene que ser cocinado ligeramente y apenas se haya cosechado para obtener su mejor sabor. Puede ser cocido al vapor o hervido, pero es particularmente sabroso cuando se cocina en la parrilla.

En un tazón, usando una cuchara de madera, mezcle la mantequilla y el ajo hasta integrar por completo. Agregue el chile en polvo, páprika, comino y cilantro a integrar. Rectifique la sazón con sal y pimienta; exprima el jugo de limón y vuelva a mezclar. Cubra y refrigere por lo menos 30 minutos para unir los sabores; deje reposar a temperatura ambiente 30 minutos antes de servir. Si el jugo de limón se separa al dejarlo reposar, mueva nuevamente.

Prepare el fuego en una parrilla de carbón o de gas. Mientras tanto, mezcle el aceite de oliva en un tazón pequeño, usando un tenedor, con 1 cucharada de la mantequilla de chile y limón hasta integrar por completo. Unte o barnice ligeramente sobre el maíz.

Dore las mazorcas, dando vuelta según se requiera, a cocer en forma uniforme y ligeramente quemado en algunos lugares y dorado en otros pero no demasiado quemado, de 5 a 6 minutos. El sabor de los granos de maíz debe ser dulce y su consistencia tierna, pero también debe tener un ligero sabor a quemado.

Pase a un platón y sirva de inmediato con la mantequilla de chile y limón sobrante y acompañe con sal y pimienta.

Nota: la mantequilla de chile y limón es también deliciosa en camotes o batatas asadas o doradas al fuego. O, si lo desea, unte sobre un pan de ajo y caliente sobre carbón.

Para servir: Si es su única guarnición, si son pequeñas o los comensales gustan mucho de las mazorcas tiernas de maíz, sirva 2 mazorcas por persona.

RINDE 4 A 6 PORCIONES

PARA LA MANTEQUILLA DE CHILE Y LIMÓN:

½ taza (125 g/4 oz) de **mantequilla sin sal a temperatura ambiente**

3 dientes de ajo finamente picados

½ a 1 cucharadita de polvo de chile suave, de preferencia de Nuevo México, o al gusto

Páprika al gusto

Comino molido al gusto

2 a 3 cucharadas de cilantro fresco picado

Sal y pimienta recién molida

Jugo de ¼–½ limón

1 cucharada de aceite de oliva

4 a 8 mazorcas de maíz, sin cáscara

Sal y pimienta recién molida

ENSALADA DE JITOMATE HEIRLOOM

6 a 8 jitomates heirloom, muy maduros en varios tamaños, formas y colores

¼ a ½ cucharadita de azúcar

Sal

2 cebollas de cambray, ¼ de cebolla roja o 1 echalota picada

2 dientes de ajo, finamente picados (opcional)

2 cucharaditas de orégano fresco finamente picado, o al gusto

Vinagre balsámico

Vinagre de jerez o de vino blanco

3 a 5 cucharadas (45 a 75 ml/1½–2½ fl oz) de aceite de oliva extra virgen

Pan campestre para servir

Rebane los jitomates reuniendo sus jugos en un tazón. Coloque en un platón rociándolos con azúcar y sal al gusto, cebollas de cambray, ajo (si lo usa), orégano y los jugos reunidos al ir acomodando.

Termine rociando vinagre balsámico y vinagre de jerez al gusto sobre cada uno y después bañe con aceite de oliva al gusto. Deje reposar hasta que esté listo para servir, o hasta por 2 horas.

Sirva acompañando con el pan para absorber los jugos.

Variación: Otras hierbas finas de verano se pueden usar en lugar del orégano: 1 cucharadita de tomillo fresco o romero picado, 1 cucharada de perejil fresco, ó de 2 a 3 cucharadas de albahaca fresca picada.

RINDE 4 PORCIONES

FRUTAS Y VEGETALES HEIRLOOM

Las variedades heirloom son frutas y vegetales que fueron cultivados en una época pero que dejaron de tener el favor de los grandes productores porque no se almacenaban o enviaban adecuadamente. Sin embargo, muchos de ellos tienen un sabor superior por lo que las mejores variedades se han vuelto a introducir a pequeña escala en los mercados y tiendas de abarrotes que manejan vegetales. Los jitomates heirloom, disponibles en una gran variedad de tamaños, sabores y colores —amarillos, naranjas, rayados— son una de las glorias del verano. Los vendedores de los mercados de agricultores a menudo ofrecen una pequeña porción de cada tipo como prueba antes de que usted haga su elección final.

ESCALIVADA

ESCALIVADA

Un platillo clásico de Cataluña, en la parte Sureste de España la "escalivada" toma su nombre de "asada", aunque a menudo es rostizada, como en esta receta. Las verduras de la estación se cortan en piezas grandes, se colocan en un platón rústico de cerámica con abundante aceite de oliva y se se asan. Salen del horno suaves pero mantienen su forma. Sirva acompañando de carnes o pescados asados, mezclados con pasta o simplemente tómelos con pan crujiente. Lo que sobre de este delicioso platillo puede picarse y comerse revuelto con huevo o colocándolos sobre una pizza.

Precaliente el horno a 200º C (400º F). Corte la berenjena redonda en 8 piezas iguales o cada una de las berenjenas asiáticas en 4 partes iguales. Parta los pimientos en cuartos a lo largo y retire las semillas. Mezcle las berenjenas y los pimientos en una sartén para asar. Separe las cabezas de ajo en dientes. Reserve 2 dientes de ajo y agregue los otros, sin pelar, a la sartén con los vegetales. Quite el tallo a las calabacitas y parta cada una en 2 ó 3 piezas. Corte los tallos y la parte superior de las hojas y cualquier tronco dañado del hinojo y pártalo en cuarterones a lo largo. Agregue las calabacitas, hinojo, cebollas y jitomates a la sartén. Espolvoree con azúcar y sazone con sal y pimienta. Rocíe con el aceite de oliva y vinagre. Combine bien todos los ingredientes.

Ase los vegetales, volteándolos una o dos veces para que se doren parejo, a suavizar, aproximadamente 40 minutos. Evite voltearlos demasiadas veces pues perderían forma y características.

Cuando estén tiernos, retírelos del horno y páselos a un tazón. Pele y pique finamente los dientes de ajo y distribuya sobre los vegetales junto con el perejil y el romero. (Para evitar romper los vegetales, no mueva la mezcla en este momento.) Sirva caliente o a temperatura ambiente, asegurándose que las porciones incluyan algo de cada vegetal. Cada comensal podrá exprimir los dientes de ajo enteros y untarlos en piezas de pan.

RINDE 4 PORCIONES

1 berenjena redonda (aubergine) sin tallo ó
2 berenjenas asiáticas (delgadas), sin tallo

3 pimientos (capsicums) 1 rojo, 1 amarillo y 1 verde

2 cabezas de ajo

4 calabacitas (courgettes) ó 2 calabacitas y 2 calabazas "crookneck" amarillas

1 bulbo de hinojo

2 cebollas moradas, partidas en cuarterones a través del tallo

3 a 4 jitomates partidos a la mitad a lo ancho

Azúcar para espolvorear

Sal y pimienta recién molida

¼ taza (60 ml/2 fl oz) de aceite de oliva extra virgen

Vinagre de jerez o de vino blanco o tinto al gusto

2 cucharadas de perejil italiano picado

1 cucharadita de romero fresco picado

Pan campestre para acompañar

CALABACITAS CON PIMIENTOS ROJOS ROSTIZADOSY CEBOLLÍN

2 pimientos rojos (capsicums)

2 dientes de ajo picados (opcional)

3 a 4 cucharadas de cebollín fresco picado

5 a 8 hojas de albahaca fresca, finamente rebanada

2 cucharadas de aceite de oliva extra virgen

Vinagre balsámico

Sal y pimienta recién molida

Una pizca de azúcar (si hierve las calabacitas)

4 calabacitas jóvenes, tiernas (courgettes), aproximadamente 500 g (1 lb) cortadas en cuadros del tamaño de un bocado

Precaliente el asador (parrilla). Ponga los pimientos en una charola para hornear y ase (rostice), volteando según sea necesario, hasta que se levanten ampollas y se doren por todos lados, de 10 a 15 minutos. O si lo desea, usando pinzas o un tenedor grande, tome los pimientos uno, a la vez, sobre la flama del quemador de la estufa y voltee conforme se necesite hasta que estén dorados y con ampollas en forma uniforme. Pase los pimientos quemados a una bolsa de plástico y cierre, o si prefiere a un tazón cubierto. Déjelos enfriar. Retire los pimientos y quite la piel quemada. Rebane a lo largo y retire y deseche los tallos y las semillas.

Pique finamente los pimientos y póngalos en un tazón de servicio. Añada el ajo, si lo usa, el cebollín y albahaca al gusto y el aceite de oliva. Rectifique la sazón y agregue vinagre, sal y pimienta al gusto. Reserve.

Llene una olla con ¾ partes de agua y hierva. Agregue pizcas de sal y azúcar y las calabacitas y hierva rápido hasta que estén tiernas y crujientes, como 5 minutos. Escurra bien. Si lo prefiere, hierva agua en una vaporera, coloque las calabacitas en una rejilla para cocinar al vapor sobre el agua, cubra y cueza al vapor hasta que estén tiernas y crujientes, de 3 a 4 minutos. Retire de la parrilla.

Agregue las calabacitas a la mezcla de pimientos y mezcle bien. Sirva de inmediato.

RINDE 4 PORCIONES

VINAGRE BALSÁMICO

El verdadero vinagre balsámico, elaborado con las uvas blancas Trebbiano en la región italiana de Emilia-Romagna, es añejado en una serie de barriles elaborados de diferentes maderas por lo menos durante 12 años y muchas veces durante más tiempo. Sólo entonces puede llamarse "aceto balsámico tradizionale". Debido a su profundo sabor, el vinagre balsámico verdadero se usa con moderación como condimento en platillos terminados, como en esta receta. Los vinagres balsámicos menos añejados o los balsámicos de alta calidad de los supermercados están más ampliamente disponibles y son adecuados para cocinar.

BERENJENAS SALTEADAS

Coloque la berenjena en un tazón grande y bajo y espolvoree con la pimienta de cayena y la pimienta negra al gusto. Si no está ya salada, sazone al gusto. Mezcle para cubrir bien.

Caliente una sartén gruesa y grande a fuego medio. Cuando empiece a humear, agregue de 3 a 4 cucharadas de aceite de oliva. Después añada la berenjena y dore, moviendo solo una o dos veces y agregando más aceite de oliva, como sea necesario, para evitar que se queme. Si mueve demasiado hará que la berenjena se vuelva muy blanda. Cuando esté casi tierna y bien dorada, después de 15 minutos, agregue las echalotas, ajo y perejil. Mezcle todo y cocine hasta que las echalotas estén suaves, solo unos minutos.

Pruebe y ajuste la sazón. Sirva caliente o a temperatura ambiente.

Para servir: Utilice como guarnición de cordero asado. Los cubos de berenjena salteada, crujientes y dorados por fuera y sin embargo tiernos en su interior, también pueden transformar un plato de spaghetti sencillo con salsa de jitomate en un manjar siciliano, llamado pasta a la Norma. Simplemente distribuya los cubos alrededor de la orilla del platón y sirva.

Variación: Para un sabor del Medio este o de Marruecos, espolvoree con ½ cucharadita de comino molido sobre la berenjena dorada al final de su cocimiento. Justo antes de servir, integre ¼ de taza (10 g/⅓ oz) de cilantro fresco picado.

RINDE 4 PORCIONES

VARIEDADES DE BERENJENAS

La berenjena de globo con la que están más familiarizados los cocineros, es normalmente grande, en forma de huevo o pera, con piel delgada, brillante de color púrpura oscuro. Actualmente se pueden encontrar muchas otras variedades. La berenjena angosta de Asia tiene una piel color lavanda o púrpura oscura y es más pequeña que la de globo. Otros tipos pueden ser aún más pequeños y tienen piel jaspeada de color blanco, rosa o verde. El color de la piel no altera el sabor.

500 g (1 lb) de berenjenas (aubergine), cortadas en cubos de 2 cm (¾-in), saladas y escurridas si son grandes (página 108)

Pizca de pimienta de cayena

Sal y pimienta recién molida

4 a 5 cucharadas (60 a 75 ml/2–2½ fl oz) de aceite de oliva extra virgen o según se necesite

4 echalotas ó 1 cebolla amarilla, finamente picada

3 a 4 dientes de ajo, picados

3 cucharadas de perejil fresco italiano picado

PIMIENTO HORNEADO CON JITOMATES

6 pimientos (capsicums) *(vea explicación a la derecha)*, sin semillas y cortados en tiras o piezas de tamaño de un bocado

375 g (12 oz) de jitomates cereza, sin tallo

4 a 5 dientes de ajo, picado grueso

¼ taza (60 ml/2 fl oz) de aceite de oliva extra virgen

2 cucharadas de vinagre de vino tinto ó 2 cucharaditas de vinagre balsámico y 2 cucharaditas de vino tinto

2 cucharaditas de orégano, mejorana o tomillo fresco finamente picado

1 cucharadita de azúcar o al gusto

Sal y pimienta recién molida

2 cucharadas de hojas de albahaca fresca, cortadas o finamente desmenuzadass

Precaliente el horno a 200ºC (400ºF). En un tazón grande, mezcle los pimientos, jitomates, mitad del ajo, el aceite de oliva, la mitad del vinagre, el orégano, azúcar, sal y pimienta al gusto. Integre bien y coloque en una sola capa sobre una charola para hornear grande.

Ase las verduras como por 20 minutos. Retire del horno, voltee para que se doren en forma uniforme y regréselas al horno. Continúe asando hasta que los pimientos estén ligeramente quemados en las orillas y los jitomates estén suaves y tiernos y hayan empezado a formar una salsa, aproximadamente 10 minutos más.

Retire del horno y espolvoree con el ajo sobrante al gusto y el vinagre restante. Deje enfriar a temperatura ambiente. Adorne con la albahaca justo antes de servirlos.

Para servir: Este platillo viene de Apulia, en el Sureste de Italia y es delicioso tanto a temperatura ambiente como caliente. Sirva como guarnición con carnes asadas o salchichas doradas, mezcle con pasta o colóquelo dentro de un emparedado crujiente. También es un buen aperitivo acompañando con un poco de queso cremoso de cabra.

RINDE 4 PORCIONES CON CANTIDAD SOBRANTE

VARIEDADES DE PIMIENTO

Los pimientos vienen en una variedad de colores. Pueden usarse en cualquier combinación, mientras que se incluyan algunos rojos en la mezcla. Los pimientos rojos son simplemente los que están en la etapa madura de los pimientos verdes, habiendo crecido considerablemente más dulces con el tiempo extra que estuvieron expuestos al sol. Los dulces pimientos amarillos y naranja pasan también por una etapa verde, mientras que los pimientos púrpura son agrios como sus primos verdes.

CALABAZAS DE VERANO CON SABORES DEL SUROESTE

En una sartén para freír, caliente el aceite de oliva a fuego medio. Agregue las calabazas y saltee hasta que tomen color ligeramente, como 1 minuto. Después agregue los jitomates, cebolla, ajo, chile, comino y sal al gusto. Eleve la temperatura a media alta y cocine a que estén tiernas y crujientes, unos minutos más.

Retire del fuego e incorpore el jugo de limón, moviendo. Pruebe y ajuste la sazón. Pase a un platón, espolvoree con el cilantro y sirva de inmediato.

RINDE 4 PORCIONES

CALABAZAS DE VERANO

Las calabazas que crecen durante el verano tienen una piel delgada y son tiernas, se cocinan rápidamente y son sumamente versátiles. Pruébelas salteadas, fritas, hervidas, cocidas al vapor o asadas. Cualquier calabaza de verano o una combinación de ellas puede usarse en esta receta: calabacitas verdes o doradas, "Straightneck" o "Crookneck", amarillas, "Sunburst" amarillas, "Pattypan" color verde limón o la rayada "Cocozelle". Busque calabacitas pequeñas o medianas, pues las grandes pueden ser amargas y blandas.

2 cucharadas de aceite de oliva extra virgen

4 calabazas de verano pequeñas o medianas, recortadas y cortadas en rebanadas de aproximadamente 3mm (1/8 in) de espesor

2 jitomates maduros medianos o grandes, pelados (página 108) o sin pelar, picados

1 cebolla morada picada

2 dientes de ajo picados

1/4 chile verde fresco, picado o al gusto

1/4 cucharadita de comino molido o al gusto

Sal de mar

Jugo de 1/2 limón (1 cucharada) o al gusto

1 cucharada de cilantro fresco picado

OTOÑO

En el Otoño, conforme los días se vuelven más cortos y el frío comienza a sentirse, podemos encontrar los anaqueles llenos de vegetales que se sembraron bajo el sol caliente del verano. Los cocineros llevan a casa coliflores de cabezas blancas como la nieve, bulbos de hinojo con sus tallos imitando plumas, y calabazas de cáscara dura en un surtido de exóticos colores, formas y tamaños. Las siguientes recetas presentan lo mejor del surtido maravilloso de esta temporada.

HINOJO Y JITOMATES DORADOS EN SARTÉN

SARTÉN PARA ASAR
Una sartén para asar, generalmente de aluminio anodizado o hierro fundido, es un utensilio maravilloso para dorar carnes, pescados o vegetales cuando el clima frío no permite cocinar al aire libre. Los rebordes de la base de la sartén dejan las marcas características de la parrilla, lo cual da un ligero sabor ahumado a los alimentos cocinados. Hay sartenes para asar de diversas formas y tamaños, incluyendo las redondas, rectangulares y cuadradas. Por su tamaño pueden colocarse sobre por lo menos uno o dos quemadores.

Corte los tallos superiores y cualquier tallo externo dañado de los bulbos de hinojo. Rebane a lo largo de 6 a 12 mm (¼–½ in) de grosor y colóquelos en un tazón. Espolvoree el hinojo con sal y bañe con la mitad del aceite de oliva. Reserve.

Espolvoree las partes cortadas de los jitomates con el azúcar, sal al gusto y el resto del aceite de oliva.

Coloque una sartén para dorar a calor alto hasta que esté bien caliente. Trabajando en tandas (o usando 2 cacerolas para dorar), coloque los jitomates poniendo su parte redonda hacia abajo y acomodando las rebanadas de hinojo a un lado. (La sartén para dorar puede y debe estar muy caliente, por lo tanto prenda el extractor de su cocina o abra una ventana para eliminar el humo. Si las verduras están en peligro de quemarse, reduzca el calor a medio alto). Cuando los jitomates y el hinojo se hayan dorado del primer lado, después de aproximadamente 1 a 2 minutos, voltee para dorarlos ligeramente por el segundo lado. Continúe cocinando, moviendo las verduras a las partes más frías de la sartén y volteándolas a menudo hasta que el hinojo esté ligeramente traslúcido y algo suave y los jitomates estén totalmente calientes y un poco cocinados alrededor de las orillas pero aún firmes. El tiempo total de cocción debe ser de 5 a 6 minutos.

Pase el hinojo y los jitomates a un platón. Espolvoree con el ajo, jugo de limón y albahaca. Sirva de inmediato o deje enfriar para servir a temperatura ambiente.

Para servir: Haga el doble y sirva lo que sobre como botana o corte el hinojo cocido y jitomates en cuadros pequeños y mezcle con spaghetti delgado y un puñado de aceitunas.

RINDE 4 PORCIONES

2 bulbos de hinojo, aproximadamente 315 g (10 oz) cada uno

Sal

1 cucharada de aceite de oliva extra virgen o al gusto

4 jitomates partidos transversalmente

Una pizca de azúcar

1 diente de ajo, finamente picado

1 cucharadita de limón fresco, o al gusto

10 hojas grandes de albahaca fresca finamente desmenuzadas o rasgadas (2 a 3 cucharadas)

PURÉ DE RAÍZ DE APIO
CON ACEITE DE TRUFA

3 cucharadas de mantequilla sin sal

3 echalotes picadas

2 dientes de ajo picados

1 a 2 raíces de apio (celeriacs), aproximadamente 500 g (1 lb) peladas y picadas en cuadros *(vea explicación a la derecha)*

1 taza (250 ml/8 fl oz) de caldo de pollo o verduras, como se requiera

½ taza (125 ml/4 fl oz) de crema espesa o crema fresca (crème fraîche) (página 38)

Una pizca de nuez moscada recién rallada

Sal y pimienta recién molida

1 cucharadita de aceite de trufa, de preferencia negra o al gusto (vea nota)

En una sartén gruesa y grande para cocinar derrita 2 cucharadas de mantequilla sobre calor medio. Agregue las echalotes y ajo y saltee ligeramente a suavizar, de 1 a 2 minutos. Agregue la raíz de apio y saltee hasta que esté suave y se cubra con mantequilla, de 5 a 7 minutos.

Vierta suficiente caldo para cubrir la raíz y cocine sin tapar sobre calor medio hasta que esté tierna, como 15 minutos. El caldo debe evaporarse completamente. Si amenaza con quemarse, agregue un poco más de caldo; si parece demasiado blanda al final, eleve el calor a calor alto durante un minuto o dos, o lo suficiente para evaporar casi todo el líquido, dejando solo unas cuantas cucharadas.

Retire del fuego y deje enfriar ligeramente, después pase a un procesador de alimentos y haga un puré uniforme, agregando crema si se necesita. Añada el resto de la crema y mezcle hasta integrar. Vierta el puré de vuelta a la sartén sobre calor medio bajo y sazone con la nuez moscada y sal y pimienta al gusto. Caliente por completo e incorpore la cucharada restante de mantequilla.

Retire del calor y vierta el aceite de trufa. Sirva de inmediato.

Nota: El aceite de trufa se obtiene agregando láminas de trufa al aceite de oliva, infundiendo así el aceite con la esencia de la trufa. El aceite de trufa blanca generalmente proviene del Norte de Italia, mientras que el de trufa negra es francés. Se puede encontrar en muchas tiendas de abarrotes para gourmets.

Variación: Transforme el puré en una sopa agregándole 4 tazas de caldo (1 l/ 32 fl oz) y 2 tazas de crema (500 ml/ 16 fl oz).

RINDE 4 PORCIONES

RECORTANDO LA RAÍZ DE APIO

La raíz de apio también conocida como "celeriac" es la parte burda y llena de bulbos del apio (aunque no es la misma que la que produce el apio conocido generalmente). La carne de la raíz tiene una consistencia parecida a la de la papa y un sabor fuerte a apio y se come cruda o cocida. Para prepararla pele y retire la piel burda con un cuchillo mondador. Las raíces más jóvenes muchas veces tienen una piel más delgada y se puede utilizar un pelador de verduras. Una vez que se pele y se corte la raíz, cocínela de inmediato o agréguele jugo de limón para prevenir que se decolore.

ECHALOTAS EN SALSA DE VINO TINTO

PELANDO LAS ECHALOTAS
Usted necesitará pelar una gran cantidad de echalotas para este platillo, lo que requiere mucho tiempo. Aquí presentamos una forma fácil y eficiente que también funciona para las pequeñas cebollas: Recorte los tallos y ponga a hervir una olla grande con tres cuartas partes de agua. Agregue las echalotas y blanquee por 2 minutos. Escurra, póngalas en agua fría y déjelas en el agua por 5 minutos. Escurra una vez más. La piel debe poder retirarse con facilidad cuando se apriete suavemente la echalota. Tal vez usted necesite de un cuchillo mondador para retirar por completo la piel.

En una sartén pequeña para saltear derrita la mitad de la mantequilla sobre calor bajo. Cuando espume agregue las echalotas y saltee hasta que estén ligeramente suaves y cubiertas en forma uniforme con la mantequilla, de 6 a 8 minutos.

Añada 2 tazas (500 ml/16 fl oz) del vino, el caldo, el vinagre, azúcar y el estragón (si lo usa), eleve la temperatura a alta y hierva. Reduzca la temperatura a media y deje hervir sin cubrir, moviendo ocasionalmente, hasta que las echalotas estén cocinadas por completo y casi translúcidas, de 10 a 15 minutos. El líquido deberá estar espeso y en forma de miel. Si se cocina demasiado y se vuelve demasiado oscuro, estará amargo, así que ajuste la temperatura si parece que se está reduciendo demasiado rápido. Agregue la ½ taza restante del vino y continúe hirviendo a fuego lento durante unos minutos más hasta que se vuelva una salsa concentrada; debe haber de ½ a ¾ de taza (125 a 180 ml/4-6 fl oz) de líquido.

Retire la sartén del calor y agregue la mitad restante de la mantequilla, agitando rápidamente con un tenedor o batidor pequeño para incorporar la mantequilla y darle a la salsa un brillo agradable. Salpimiente al gusto y sirva de inmediato.

Para servir: Este platillo sencillo es una excelente guarnición para el filete o salmón asado.

Variación: Puede usar cebollas pequeñas como las cebollas perlas o cebollas de cambray, de preferencia rojas, en lugar de las echalotas.

RINDE 4 PORCIONES

3 cucharadas de mantequilla sin sal

500 g (1 lb) de echalotas, recortadas y peladas

2½ tazas (625 ml/20 fl oz) de vino tinto seco

1 taza (250 ml/8 fl oz) de caldo de verduras o pollo o caldo enlatado bajo en sodio

¼ taza (60 ml/2 fl oz) de vinagre balsámico

½ cucharadita de azúcar

1 cucharadita de estragón fresco picado al gusto, (opcional)

Sal y pimienta recién molida

RAGOUT OTOÑAL DE HONGOS

1 kg (2 lb) de hongos frescos combinados como "Chanterelle", "Oyster", "Black Trumpet", "Shiitake", "Cremini" y "White Button"

2 cucharadas de mantequilla sin sal

1 cebolla morada, finamente picada

Sal y pimienta recién molida

½ taza (125 ml/4 fl oz) de vino blanco seco

1 taza (250 ml/8 fl oz) de caldo de verduras o pollo o consomé enlatado bajo en sodio

15 g (½ oz) de hongos secos "porcino" (cepes), cortados en piezas pequeñas

½ taza (125 ml/4 fl oz) de crema espesa, o la que se requiera

Nuez moscada recién rallada al gusto

1 cucharada de cebollín fresco o perifollo

Cepille y limpie los hongos (vea explicación a la derecha) y córtelos conforme se necesite para que estén aproximadamente del mismo tamaño. En una sartén para freír grande, derrita a calor medio la mantequilla. Agregue la cebolla y saltee hasta que estén suaves, como 3 minutos. Añada los hongos, eleve la temperatura a media alta y saltee a dorar ligeramente en algunos lugares, de 3 a 5 minutos.

Sazone al gusto con sal y pimienta y agregue el vino. Eleve la temperatura a nivel alto y cocine hasta que el vino casi se evapore, aproximadamente 3 minutos. Agregue el caldo y los hongos secos, reduzca a calor medio y cocine hasta que los hongos frescos estén tiernos y los hongos secos se hayan rehidratado, aproximadamente 10 minutos más.

Incorpore la ½ taza de crema y la nuez moscada, rectifique la sazón. Añada más crema conforme se requiera para hacer una salsa ligera pero cremosa. Pase a un platón caliente, adorne con el cebollín y sirva de inmediato.

Nota: vea la página 26 donde encontrará información acerca de las variedades de hongos.

RINDE 4 PORCIONES

LIMPIANDO HONGOS

Para limpiar hongos cepíllelos con un cepillo suave o una toalla de cocina húmeda. Es mejor que sumergirlos en agua, puesto que son porosos y absorben el líquido como una esponja, lo cual afectará la consistencia y el sabor de cualquier platillo. No cepille los hongos demasiado fuerte pues si lo hace quitará la delgada piel exterior que cubre los botones. Lo único que desea es aflojar cualquier tierra o arena. Para acelerar el proceso de limpieza, enjuague el cepillo con agua fría después de limpiar cada hongo.

COLES DE BRUSELAS
CON AVELLANAS TOSTADAS

VARIACIÓN CON
CASTAÑAS
Cambie las avellanas por 375 g
(¾ lb) de castañas, ½ taza
(125 ml/4 fl oz) de leche y 2
echalotas, picadas. Corte una X
en un lado de cada castaña,
deposítelas en agua hirviendo y
hierva 7 minutos. Escurra, retire
las cáscaras duras y la piel
interior color crema. Regrese a
la sartén con la leche y agregue
agua a cubrir. Hierva a fuego
lento hasta que estén tiernas,
como 15 minutos. Escurra. Saltee
las echalotas en la mantequilla
a suavizar, aproximadamente 3
minutos. Agregue las castañas
y las coles y continúe según
las instrucciones.

Corte o retire las hojas exteriores secas de las coles. Recorte cualquier hoja café y rebane la parte final del tallo. Corte una pequeña X como de 3 mm (⅛ in) en forma profunda en cada tallo.

Hierva una olla con tres cuartas partes de agua. Agregue sal y azúcar; agregue las coles y hierva hasta que estén de color verde claro y tiernas, como 5 minutos. Escurra, enjuague bajo el chorro de agua fría y deje escurrir una vez más.

En una sartén para freír gruesa y seca ase las avellanas a calor medio, moviéndolas para que tomen un color uniforme, hasta que sus cáscaras se quemen en ciertos lugares y empecen a abrirse y a separarse en hojuelas, como 10 minutos. Colóquelas en una toalla de cocina limpia y enrolle. Frote las avellanas entre ellas dentro de la toalla y retire las cáscaras. No se preocupe si quedan algunos pedazos de cáscara. Pase a una tabla de picar y píquelas toscamente; usted quiere una mezcla de avellanas de diferentes tamaños, unas partidas a la mitad otras en piezas más pequeñas.

Regrese a la sartén a calor medio bajo y tuéstelas ligeramente de 30 segundos a 1 minuto más. Agregue la mantequilla y déjela derretir. Sazone con sal y pimienta y agregue las coles, moviendo para cubrirlas con la mantequilla y las avellanas a calentarlas completamente, como 5 minutos. Rocíe con el jugo de limón y sirva caliente o a temperatura ambiente.

RINDE 4 PORCIONES

1 kg (2 lb) de coles de Bruselas

Sal y pimienta recién molida

Una pizca de azúcar

taza (75 g/2½ oz) de avellanas con cáscara

½ taza (125 g/4 oz) de mantequilla sin sal

Algunas gotas de jugo de limón

CALABAZA HORNEADA

1 calabaza de invierno de color naranja, como la "Butternut" o calabaza para hornear *(vea explicación a la derecha)* aproximadamente 1.25 kg (2½ lb)

3 ó 4 dientes de ajo picados grueso

2 cucharadas de aceite de oliva extra virgen

1 cucharadita de vinagre balsámico o al gusto

½ cucharadita de azúcar

¼ cucharadita de chile en polvo puro pero suave, de preferencia de Nuevo México, o polvo de chile mezclado

¼ cucharadita de tomillo seco, desmenuzado ó 1 cucharadita de tomillo fresco picado

Sal y pimienta recién molida

Precaliente el horno a 180ºC (350ºF). Usando un cuchillo grande y afilado, corte la calabaza a la mitad a lo largo a través de su tallo. Si la piel es demasiado dura use un mazo de cocina para pegarle al cuchillo una vez que esté bien fijo en las cuñas de la calabaza. Retire las semillas y las fibras y deseche. Corte cada calabaza a la mitad a lo largo una vez más cortando en las cuñas.

Coloque los cuartos de calabaza con la parte que cortó hacia arriba en una charola para horno suficientemente grande para acomodar las piezas sin que se toquen. En un tazón pequeño mezcle el ajo, aceite, vinagre, azúcar, polvo de chile y tomillo. Barnice la calabaza con la mezcla y sazone al gusto con sal y pimienta. Cubra la charola firmemente con papel aluminio.

Hornee a que esté tierna cuando se pique, pero no demasiado blanda, de 30 a 40 minutos. Destape, eleve la temperatura a 200ºC (400ºF) y regrese al horno. Continúe rociándola hasta que la calabaza esté ligeramente caramelizada, dorada en ciertos puntos y bastante suave cuando se pique con un tenedor, de 10 a 15 minutos más.

Pase los cuartos de calabaza a platos individuales y sirva de inmediato.

Variación: En vez de polvo de chile, o además de, rocíe comino pues da un sabor del Medio Este a este platillo.

Para servir: Acompañe como una guarnición caliente al pollo o pavo rostizado, o como botana a temperatura ambiente. Con los sobrantes se puede hacer puré y utilizarse como relleno de ravioles o canelones.

RINDE 4 PORCIONES

CALABAZAS DE INVIERNO

Las calabazas de invierno tienen una piel dura, carne espesa, sabor fuerte y consistencia densa, así como una gran duración. Vienen en muchas formas, colores y tamaños. Dentro de las variedades más conocidas, con carne color naranja, está la calabaza "Butternut", color crema; la "Kabocha" con piel verde oscura con líneas verde limón; la "Acorn", de piel acanalada y de color verde oscuro; y la "Hubbard" con piel irregular verde grisáceo o verde oscuro. Cualquiera de estas variedades es adecuada para esta receta. O, si lo desea, use una calabaza pequeña para cocinar como la "Sugar Pie" que tiene una consistencia agradable y un sabor a calabaza dulce.

COLIFLOR CON MIGAS DE PAN AL AJO

MIGAS DE PAN FRESCO
Usted puede comprar pan
molido, pero también las
puede hacer fácilmente
utilizando pan de días
anteriores. Use una baguette
o pan estilo campestre.
Recorte las cubiertas y corte
en rebanadas grandes. Ponga
en un procesador de alimentos
y mezcle hasta que obtenga
las migas del tamaño deseado.
O, si lo desea, prepare las
migajas a mano, usando la
costra para detener y
desmenuce el pan en los
hoyos grandes de una caja
para rallar o desmenuzar.
Deseche la costra.

Llene una olla grande con tres cuartas partes de agua y hierva. Agregue una pizca de sal, azúcar y la coliflor y hierva hasta que esté suave, como 5 minutos. No cocine de más. Escurra y enjuague bajo el chorro de agua fría y deje escurrir. Si lo prefiere, hierva agua en una vaporera, colocando las piezas de coliflor sobre la rejilla sobre el agua. Tape y cocine al vapor hasta que estén tiernas y crujientes, también como 5 minutos. Retire de la rejilla, enjuague bajo agua fría y deje escurrir.

En una sartén para freír grande, caliente a fuego medio de 4 a 5 cucharadas (60 a 75 ml/2–2½ fl oz) de aceite. Cuando el aceite esté caliente, agregue las migas y mueva constantemente hasta que queden uniformemente tostadas, doradas y crujientes, como 5 minutos. Agregue el ajo, voltee las migas una o dos veces y retírelas de la sartén. No permita que el ajo se dore; solo debe cocinarse en forma suficiente para dar sabor a las migajas.

Caliente las 2 ó 3 cucharadas sobrantes de aceite en la misma sartén a fuego medio. Agregue la coliflor y machaque y corte un poco conforme se dora ligeramente en el aceite y suavice ligeramente, como 5 minutos. No permita que la coliflor se vuelva crujiente y oscura.

Agregue las migas crujientes de ajo a la sartén y mezcle con la coliflor a fuego medio bajo, aplastando algunos pedazos y permitiendo que otros mantengan su forma, como 5 minutos. Sazone al gusto con sal y pimienta y sirva caliente.

RINDE 4 PORCIONES

Sal y pimienta recién molida

Una pizca de azúcar (si hierve la coliflor)

1 coliflor de cabeza grande, aproximadamente de 1.5 kg (3 lb) cortada en piezas del tamaño de un bocado

6 a 8 cucharadas (90 a 125 ml/3-4 fl oz) de aceite de oliva extra virgen o aceite vegetal

2 tazas (125 g/4 oz) de migajas de pan fresco *(vea explicación a la izquierda)*

3 dientes de ajo, en rebanadas delgadas o picados

INVIERNO

Al llegar el invierno, las raíces y tubérculos (betabeles, nabos de Suecia, yucas, alcachofas de Jerusalén, camotes) y las leguminosas duras encuentran su camino hacia hornos y sartenes colocados sobre la estufa, llevando un dulzor de la tierra a la mesa. Estos alimentos de invierno son invariablemente rústicos y caseros, diseñados para calentar las cenas aún en el día más frío del invierno.

BETABELES CON QUESO DE CABRA Y ENELDO

Si las ramas verdes del betabel están pegadas, córtelas dejando como 2.5 cm (1 in) del tallo. Coloque los betabeles sin pelar en una charola para hornear lo suficientemente grande. Vierta agua en a una profundidad de 12 mm a 2.5 cm (½–1 in). Cubra la charola con papel aluminio o una tapa.

Coloque la charola en el horno y caliente el horno a 190ºC (375ºF). Ase los betabeles, agregando más agua conforme se necesite para mantener su nivel original, hasta que estén tiernos y puedan picarse fácilmente con un tenedor, aproximadamente 40 minutos para betabeles pequeños, 1 hora para los medianos y 1½ a 2 horas para los grandes.

Retire la charola del horno. Deje enfriar hasta que se puedan manejar pero cuando aún estén bastante calientes, como 10 minutos. Pélelos, usando un cuchillo mondador en los lugares donde se pegue. Corte en cuarterones y retire los tallos.

Coloque en un tazón, agregue las echalotas y mezlce. Espolvoree con azúcar, sal al gusto, vinagre y jugo de limón y mezcle bien. Añada el aceite de oliva y eneldo al gusto y mezcle una vez más.

Pase con un cucharón los betabeles calientes a un platón de servicio o platos individuales. Adorne con queso de cabra desmenuzado sobre la parte superior. Sirva aún caliente o a temperatura ambiente.

RINDE 4 PORCIONES

PREPARANDO LOS BETABELES

El color intenso de los betabeles rojos se debe a un pigmento llamado betanin, que da un color rojo a cualquier cosa que toque esta verdura, por eso se dice que los betabeles "sangran". Para reducir el sangrado, no pele ni corte antes de cocinarlos. (Los betabeles dorados también son deliciosos y no sangran). Si prefiere asarlos en vez de hervirlos, el calor del horno intensifica su sabor y color, mientras que el hervirlos lo disminuye. Una vez cocinados, evite pintarse las manos de rojo y manchar las superficies de madera o plástico usando guantes de cocina y protegiendo la superficie de corte con papel de plástico o papel encerado.

6 a 8 betabeles pequeños, 4 medianos ó 3 grandes, aproximadamente 625 g (1 lb)

2 echalotas ó ½ cebolla morada picada

1 cucharadita de azúcar

Sal

1 cucharadita de vinagre balsámico

Jugo de ½ limón

1 cucharada de aceite de oliva extra virgen

1 a 2 cucharadas de eneldo fresco picado

90 g (3 oz) de queso de cabra fresco

ENSALADA DE INVIERNO DE COL MORADA Y FRUTA SECA

½ col morada, aproximadamente 500 g (1 lb), sin corazón y desmenuzada o finamente rebanada

Sal y pimienta recién molida

Vinagre de vino tinto o de pera, frambuesa o sidra

5 chabacanos secos, cortados en cuadros

5 higos dorados secos como los "Calimyrna" (Smyrna) cortados en cuadros

5 peras secas, cortadas en cuadros

5 ciruelas pasa, sin semilla y cortadas en cuadros

1 manzana dulce y jugosa como la "Granny Smith" o manzana amarilla sin pelar, sin corazón y cortada en juliana (página 10)

1 a 2 cucharadas de aceite de colza, girasol o cártamo

Varias pizcas de comino molido

½ cucharadita de azúcar o al gusto

2 a 3 cucharadas copeteadas de nuez

En un tazón mezcle la col y la sal, pimienta y vinagre al gusto y mezcle bien. Cubra y reserve por lo menos durante 2 horas a temperatura ambiente o, de preferencia, durante toda la noche en el refrigerador. Escurra todo menos 1 cucharada del líquido.

Agregue los chabacanos, higos, peras, ciruelas pasa y manzana a la col y mezcle bien. Rocíe con 1 cucharada del aceite y añada el comino, azúcar, sal y pimienta al gusto. Mezcle bien, después pruebe y ajuste la sazón agregando más aceite, vinagre, comino, azúcar, sal y/o pimienta.

Justo antes de servir, agregue las nueces y mezcle bien.

Variación: Substituya 2 cucharadas de uvas pasa doradas (sultanas) por las ciruelas pasa. Otras frutas de invierno como las peras, pérsimos "Fuyu" o semillas de granada se pueden utilizar para sustituir la manzana.

Para servir: Como guarnición de pato rostizado o asado o de ternera empanizada o chuletas de puerco.

RINDE 4 PORCIONES

SUAVIZANDO LA COL

La consistencia crujiente y el sabor fuerte de la col necesita suavizarse para algunos platillos. Una forma de hacerlo es blanquearla durante unos segundos en agua hirviendo y escurrirla rápidamente. Otra forma, como se ve en esta receta, es combinándola con el vinagre y especias, dejar reposar y escurrir antes de continuar con la receta. Esto transformará su textura fuerte en una más sedosa y su sabor fuerte en un sabor más suave. Además el vinagre convierte el matiz natural de color morado en un brillante tono escarlata.

CALABAZA HORNEADA
CON JITOMATES Y ROMERO

Pele la calabaza *(vea explicación a la izquierda)* y córtela en rebanadas de 12 mm (½ in) de espesor. En una sartén para freír gruesa y antiadherente caliente 3 cucharadas de aceite de oliva a temperatura media alta. Trabajando en tandas, saltee ligeramente las rebanadas de calabaza colocándolas en una sola capa, volteándolas una vez, hasta que estén doradas y tiernas, aproximadamente 6 minutos en total. No llene la sartén; las rebanadas pudieran caerse. Sazone con sal y pimienta, pase a un platón con una cuchara ranurada y reserve.

Regrese la sartén a fuego medio y agregue la cebolla. Saltee ligeramente, agregando más aceite si se necesita para evitar que se queme, hasta que la cebolla esté suave, aproximadamente 5 minutos. Añada el ajo al gusto y cocine a aromatizar, aproximadamente 1 minuto. Agregue los jitomates y sazone al gusto con sal, pimienta y una pizca de azúcar. Continúe cocinando sin tapar sobre calor medio, moviendo ocasionalmente con una cuchara de madera, hasta que los jitomates se desbaraten y la mezcla tenga una consistencia de salsa, de 15 a 20 minutos. Integre el romero y retire del fuego.

Precaliente el horno a 180ºC (350ºF). Acomode una capa de calabaza en el fondo de un refractario cuadrado de 28 x 30 cm (11 x 12 in) o rectangular de 33 x 23 cm (13 x 9 in) con bordes de 7.5 cm (3 in) de alto. Cubra con una tercera parte de la salsa. Repita la operación hasta tener 3 capas de calabaza y 3 capas de salsa, terminando con la capa de salsa. Rocíe con la cucharada restante de aceite de oliva.

Hornee hasta que la superficie esté ligeramente glaseada y dorada en algunos puntos y la calabaza se sienta suave al picarla con un cuchillo, de 35 a 45 minutos, revisando después de 25 minutos. Retire del horno y sirva caliente o a temperatura ambiente.

RINDE 4 PORCIONES

PELANDO LA CALABAZA
Para pelar una calabaza o una calabaza de invierno con cáscara gruesa, parta la calabaza a la mitad a lo largo con ayuda de un cuchillo fuerte de chef y retire con una cuchara las semillas y fibras. Rebane las mitades a lo largo una vez más haciendo trozos Coloque cada una con la parte de la cáscara hacia abajo sobre la tabla de picar, retire la pulpa de la piel, cortando tan cerca de ésta como le sea posible para no perder demasiada pulpa.

1 calabaza para hornear o calabaza de invierno (página 69), 1 kg (2 lb)

4 cucharadas (60 ml/2 fl oz) de aceite de oliva extra virgen, o según se requiera

Sal y pimienta recién molida

1 cebolla amarilla o blanca, picada

3 a 5 dientes de ajo picados

2 latas (375 g/12 oz) de jitomate en cubos

Una pizca de azúcar

1 a 2 cucharaditas de romero fresco picado

BRÓCOLI RABE CON TOCINO Y AJO

1 kg (2 lb) de brócoli rabe, recortado y cortado en trozos pequeños

90 g (3 oz) de tocino en cubos

3 dientes de ajo picados

2 a 3 cucharadas de aceite de oliva extra virgen

Una pizca de hojuelas de chile (opcional)

Sal

Jugo de ½ limón o al gusto

Ponga a hervir una olla con ¾ partes de agua. Agregue el brócoli rabe y cocine hasta que esté tierno pero aún brillante, aproximadamente 5 minutos. Escurra y reserve.

En una sartén para freír sobre fuego medio alto, saltee el tocino hasta que esté ligeramente crujiente, aproximadamente 5 minutos. Agregue el ajo, 2 cucharadas del aceite de oliva y las hojuelas de chile (si las usa), y saltee hasta que el ajo esté ligeramente dorado, aproximadamente 1 minuto. Incorpore el brócoli rabe y más aceite si se necesita para prevenir que se quemen e integre con la mezcla de ajo hasta que esté suave y totalmente caliente, de 1 a 2 minutos más.

Pase a un platón de servicio y sazone al gusto con sal. Agregue el jugo de limón y mezcle bien. Sirva de inmediato.

Variación: Prepare este platillo sin el tocino, deje enfriar a temperatura ambiente y sirva como ensalada. O, si lo desea, mezcle el platillo terminado con pasta recién cocida y un poco de queso ricotta. Si no encontrara brócoli rabe puede sustituir por brócoli.

RINDE 4 PORCIONES

BROCCOLI RABE

También conocido como broccoli raab, rape y rapini, esta verdura de la familia de la col, nabo, coliflor y mostaza comparte su sabor fuerte. Así como el brócoli conocido familiarmente, col y coliflor, el brócoli rabe es una verdura crucífera alta en fibra, vitaminas y minerales. Tiene tallos delgados, hojas dentadas de color verde oscuro y con pequeñas flores. Su sabor ligeramente amargo se lleva muy bien con otros sabores fuertes, como muestra esta receta del sur de Italia. Asegúrese de retirar cualquier tallo duro y hojas marchitas antes de cocinar.

ALCACHOFAS DE JERUSALÉN AL GRATIN

ALCACHOFAS DE JERUSALÉN
A pesar de su nombre, las alcachofas de Jerusalén o potinambur, no son ni de Jerusalén ni son parientes de la alcachofa. "Jerusalén" es una alteración de girasole, el nombre italiano para girasol. Nativas de Norte América y también conocidas como "Sunchokes", estos tubérculos pequeños color crema de la planta de girasol tienen un sabor dulce, terrroso a nuez que recuerda el de las alcachofas. Si usted pela o corta los tubérculos mientras están crudos, rocíelos con jugo de limón para evitar que se oscurezcan. Son maravillosos hechos al gratín, hervidos o hechos puré con papas, salteados o al vapor.

Vierta agua salada en una olla hasta llenar sus ¾ partes y hierva. Agregue las alcachofas y hierva hasta que al picarlas con un tenedor se sientan suaves, aproximadamente 15 minutos. Escurra y, cuando estén suficientemente frías para manejarlas, pélelas frotando la piel con sus dedos o retirándola con un cuchillo mondador. Rebane en rodajas de 6 mm (¼ in) de grueso.

Precaliente el horno a 200ºC (400ºF). Engrase con mantequilla un platón para gratinar oval de aproximadamente 33 cm (13 in) de largo y 23 cm (9 in) de ancho.

Cubra el fondo del platón con una capa de alcachofas, sobreponiéndolas ligeramente. Ponga una pequeña cantidad de mantequilla, espolvoree con un poco de ajo y perejil, y sazone al gusto con sal y pimienta. Repita la operación hasta que use todos los ingredientes. Vierta dos terceras partes de la crema en forma uniforme sobre la superficie.

Hornee hasta que la parte superior esté crujiente y la crema se haya espesado de 20 a 25 minutos. Retire del horno, agregue la crema restante y regrese al horno. Eleve la temperatura a 220ºC (425ºF) y continúe horneando hasta que la superficie del gratín esté dorada, crujiente y muy caliente, aproximadamente 15 minutos. Sirva de inmediato, directamente del platón.

RINDE 4 PORCIONES

1 kg (2 lb) de alcachofas de Jerusalén o potinambur (Jerusalem artichokes)

3 cucharadas de mantequilla sin sal, cortadas en piezas pequeñas

2 dientes de ajo picados

2 cucharadas de hojas de perejil fresco picado (italiano)

Sal y pimienta recién molida

1 taza (250 ml/8 fl oz) de crema espesa

TARTA DE ZANAHORIA Y COMINO

1 receta de Pasta para Tarta (página 111), parcialmente horneada en blanco (vea explicación a la derecha)

2 cucharadas de mantequilla sin sal

5 ó 6 cebollas de cambray, incluyendo sus tallos, finamente rebanadas

Sal y pimienta recién molida

½ cucharadita de azúcar

3 a 4 tazas (375 a 500 g/ 12-16 oz) de zanahorias peladas y en rebanadas delgadas

½ cucharadita de semillas de comino

2 huevos grandes o extra grandes, más 1 yema grande o extra grande

1⅓ taza(340 ml/11 fl oz) de crema espesa o media crema

Una pizca de nuez moscada recién molida o macis molido

1½ taza (185 g/6 oz) de queso Gruyere, Ennenthaler o Jarlsberg rallado grueso

Prepare la costra profunda de pasta como se indica y deje enfriar.

Para hacer el relleno, caliente una sartén para freír grande a fuego medio hasta que esté caliente pero no humee. Agregue la mantequilla. Cuando empiece a espumar, añada las cebollas de cambray y saltee hasta que se marchiten, aproximadamente 1 minuto. Sazone con sal y pimienta. Retire del calor.

Vierta agua en una olla hasta llenar sus ¾ partes y hierva. Agregue sal al gusto, el azúcar y las zanahorias y sancoche hasta que estén medio cocidas y de color naranja brillante, de 1 a 2 minutos. Escurra y deje reposar para enfriar.

En una sartén pequeña sobre calor medio, tueste las semillas de comino hasta que aromaticen y doren ligeramente, de 2 a 3 minutos. Pase a un plato y deje enfriar.

En un tazón bata los huevos enteros con la yema de huevo, crema y nuez moscada hasta integrar por completo y sazone al gusto con sal y pimienta.

Coloque la rejilla en la parte superior del horno y precaliente a 180ºC (375ºF). Coloque una charola para hornear sobre la rejilla inferior en caso de goteo.

Espolvoree la mitad del queso en forma uniforme sobre la base de la costra fría. Acomode tantas rebanadas de zanahoria como le sea posible dentro de la costra para que queden apretadas, espolvoreando con el comino y las cebollas de cambray a medida que las acomoda. Vierta la mezcla de la crema sobre las zanahorias, rellenando el molde de tarta casi hasta la orilla. Espolvoree con el queso restante sobre la superficie.

Hornee hasta que la parte superior esté dorada y el relleno firme, de 25 a 30 minutos. Retire del horno y deje reposar por lo menos 10 minutos. Si usa molde para tarta con base desmontable, coloque el molde sobre la palma de su mano y deje caer el arillo; deslice la tarta a un platón de servicio.

RINDE DE 4 A 6 PORCIONES

HORNEADO EN BLANCO

También llamado pre horneado, significa hornear por completo o parcialmente una costra de pie o tarta antes de rellenarla. Para hornear parcialmente en blanco, precaliente el horno a 200ºC (400ºF). Coloque una hoja de papel encerado sobre el molde con la pasta; debe extenderla ligeramente sobre la orilla. Cúbralo con pesas de pie (vea foto superior), arroz crudo o frijoles secos. Hornee durante 10 minutos o hasta que esté firme, retire las pesas y el papel. Pique el fondo de la costra aún suave con un tenedor y regrese al horno hasta que la costra esté firme y dore ligeramente, de 5 a 10 minutos más. Deje enfriar sobre la rejilla antes de rellenar.

RAICES DE INVIERNO ASADAS

Precaliente el horno a 220ºC (425ºF). Corte los camotes, chirivías, nabos y zanahorias en dos piezas grandes (aproximadamente de 4 cm cuadrados (1½ in). Pele las echalotas (página 62). Déjelas enteras si son pequeñas o parta a la mitad si son grandes.

Coloque los vegetales en un recipiente para asar que sea suficientemente grande para acomodarlos en una sola capa. Rocíe los vegetales con aceite de oliva y espolvoree con el ajo, el tomillo y la sal y pimienta al gusto.

Ase los vegetales, volteándolos una o dos veces para asegurar que se cocinen en forma uniforme, hasta que al picarlas con un tenedor se sientan suaves y estén doradas de las orillas, de 30 a 40 minutos. Sirva de inmediato.

RINDE 4 PORCIONES

500 g (I lb) de camote o batata pelada

250 g (½ lb) de chirivía (parsnips) pelada

250 g (½ lb) de nabo Sueco (rutabagas) pelado

250 g (½ lb) de zanahorias peladas

8 a 10 echalotas

3 cucharadas de aceite de oliva extra virgen

2 a 4 dientes de ajo picado grueso

1 a 2 cucharaditas de hojas de tomillo fresco ó ¼ cucharadita de tomillo fresco desmoronado

Sal y pimienta recién molida

NABOS SUECOS

Este miembro de la familia de las coles se parece a los nabos grandes, que a menudo se ven en los mercados. Los nabos de Suecia vienen en una variedad de colores, la mayoría son amarillos pero también hay cafés y blancos y se conocen con diversos nombres, incluyendo Suecos y amarillos. El sabor a mostaza de su densa pulpa de color amarillo se madura y se vuelve más dulce al cocinarse. Busque nabos firmes y sin manchas; los más pequeños son generalmente más tiernos y menos agrios. Después de pelarlos, rocíe con jugo de limón para evitar que se decolore.

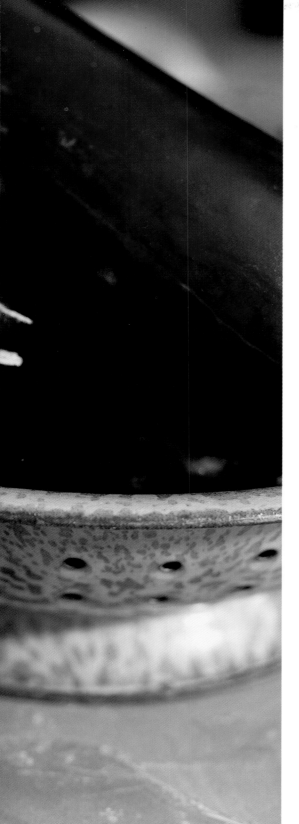

PLATOS PRINCIPALES

Actualmente los cocineros tienen acceso a vegetales más frescos y con más sabor que se consiguen en los mercados de agricultores y tiendas de abarrotes que venden verduras. Casi todo el mundo está consciente de la necesidad de comer más vegetales para estar saludable. Los platos principales aprovechan estas dos tendencias logrando unos resultados deliciosos. Las recetas que mostramos a continuación han sido tomadas de cocinas alrededor del mundo.

RISSOTO CON CALABACITAS
BUTTERNUT A LA SALVIA

ARROZ PARA RISOTTO

El arroz más conocido para el risotto es el arroz "Arborio". Tradicionalmente se cultiva en el Valle del río Po al sur de Milán, aunque actualmente también en los Estados Unidos. Entre los otros arroces excelentes para este platillo están el "Vialone" "Nano" y el "Carnaroli". Todos ellos tienen alto contenido de almidón, asegurando un platillo cremoso y, al mismo tiempo, son duros por lo que resultan firmes pero tiernos. Los norteamericanos consideran estos arroces de grano medio, aunque los italianos y otros los consideran de grano corto.

En un tazón pequeño, con ayuda de un tenedor, presione el ajo con una pizca de sal. Reserve. Parta la calabacita a la mitad y retire las semillas y las fibras. Pele las mitades (página 78) y corte una mitad en cuadros pequeños de 12 mm (½ in) y ralle grueso la otra mitad usando los hoyos grandes de un rallador de queso o en un procesador de alimentos.

Vierta el consomé en una olla, hierva sobre calor medio y ajuste el calor para mantener un hervor suave.

En una sartén grande y gruesa, derrita la mitad de la mantequilla con el aceite de oliva sobre calor medio. Agregue la calabacita en cuarterones y la cebolla y saltee hasta que se suavicen, de 5 a 7 minutos. Eleve la temperatura a media alta, añada el arroz y cocine moviendo hasta que los granos de arroz estén cubiertos con la mantequilla y el aceite y se tornen opacos, de 3 a 5 minutos.

Incorpore la salvia las ¾ taza de (180 ml/6 fl oz) de vino. Cocine, moviendo, a que evapore el vino. Integre el resto del vino y cocine una vez más moviendo a evaporar. Comience a añadir el consomé caliente en tandas de ½ taza (125 ml/4 fl oz) cada vez, moviendo hasta que casi todo el caldo se evapore antes de agregar más. Cuando el arroz esté casi tierno, después de 15 minutos, integre la calabacita rallada. Continúe cociendo, agregando más caldo y moviendo constantemente, hasta que el arroz esté firme pero suave y el centro de cada grano no esté blanco como gis, de 20 a 25 minutos en total. Incorpore el ajo triturado, la nuez moscada y la sal y pimienta al gusto. Añada más caldo caliente si es necesario.

Integre el queso Parmesano al gusto, y sirva con una cuchara el risotto en platos calientes de sopa. Divida la mantequilla sobrante en 4 partes iguales y cubra cada servicio con una porción de mantequilla y más queso Parmesano si se desea. Sirva de inmediato.

RINDE 4 PORCIONES

2 a 3 dientes de ajo picados

Sal

1 calabacita "Butternut" pequeña u otra de invierno o calabaza, aproximadamente 500 g (1 lb)

3 a 4 tazas (750 ml a 1 l/24–32 fl oz) de caldo de verduras o de pollo

4 cucharadas (60 g/2 oz) de mantequilla sin sal o al gusto

2 cucharadas de aceite de oliva extra virgen

1 cebolla amarilla o blanca picada

1½ taza (330 g/10½ oz) de arroz Arborio

5 hojas de salvia fresca, finamente cortada o al gusto

1½ taza (375 ml/12 fl oz) de vino blanco seco

Una pizca de nuez moscada recién molida

Pimienta recién molida

¾ a 1 taza (90 a 125 g/3–4 oz) queso Parmesano rallado

RATATOUILLE

2 berenjenas medianas (aubergines), aproximadamente 500 g (1 lb)

2 calabacitas (courgettes) aproximadamente 375 g (12 oz)

Sal y pimienta recién molida

½ taza (125 ml/4 fl oz) de aceite extra virgen

2 cebollas amarillas o blancas en rebanadas delgadas

1 pimiento rojo (capsicum) sin semillas y cortado en cuadros

1 pimiento verde (capsicum) sin semillas y cortado en cuadros

5 dientes de ajo picado grueso

750 g (1½ lb) de jitomates frescos, pelados y cortados en cubos (página 108), ó 2 latas (375 g/12 oz) cada una de jitomates en cubos, con su jugo

1 a 2 cucharadas de pasta de tomate o puré espeso (si usa jitomate fresco)

2 a 3 cucharadas de perejil fresco picado (italiano)

3 ramas de tomillo fresco

5 a 8 hojas grandes de albahaca fresca, finamente desmenuzada

Retire los tallos de las berenjenas. Parta en cuartos a lo largo y después en cuartos a lo ancho haciendo rebanadas de 12 mm (½ in) de espesor. Corte las calabacitas en rodajas de 6 mm (¼ in) de espesor. Espolvoree ligeramente ambas con sal. Deje reposar durante 30 minutos; limpie el exceso de sal con toallas de papel o deséchela.

En una sartén para freír caliente 2 cucharadas de aceite de oliva sobre calor medio alto. Agregue las cebollas y saltee hasta que estén casi suaves, aproximadamente 5 minutos. Añada los pimientos y la mitad del ajo y cocine sobre fuego medio bajo hasta que los pimientos se hayan suavizado aproximadamente 7 minutos. Pase a una sartén u horno alemán.

Regrese la sartén a fuego medio alto y vierta 2 cucharadas más del aceite de oliva. Añada las piezas de berenjena y saltee hasta que estén ligeramente doradas por ambas caras, de 6 a 7 minutos. Tenga cuidado de no moverlas demasiado, o las hará puré. Agregue las berenjenas a las cebollas y pimientos.

Regrese la sartén a calor medio alto y agregue 2 cucharadas adicionales de aceite de oliva. Añada las calabacitas y saltee hasta que estén doradas, de 4 a 5 minutos. Incorpore a los otros vegetales.

Añada el ajo restante, los jitomates frescos o en lata con su jugo, la pasta de jitomate (si la usa) el perejil, tomillo y albahaca a la sartén y mueva bien. Salpimiente al gusto. Coloque a fuego medio bajo y hierva volteando una o dos veces, a que haya evaporado la mayor parte de líquido, de 20 a 30 minutos. Si es necesario, retire los vegetales de la sartén con una cuchara ranurada y eleve la temperatura a temperatura alta, dejando que el líquido se reduzca hasta lograr una consistencia de salsa antes de volver a combinar con los vegetales.

Retire del calor e integre las 2 cucharadas restantes de aceite. Ajuste la sazón. Sirva caliente o a temperatura ambiente.

RINDE 4 PORCIONES

RATATOUILE

Uno de los grandes platillos de la cocina provenzal es el ratatouille, una deliciosa combinación de vegetales, hierbas y ajo del jardín de verano. Como muchos platillos rústicos, sabe mejor al día siguiente de ser cocinado, cuando los sabores han tenido oportunidad de mezclarse. Sírvalo caliente con cordero, pollo o puerco rostizado o asado, o pruébelo frío como un refrescante calmante en los días más calurosos de la estación.

TORTILLA ESPAÑOLA
DE PAPA, PIMIENTO Y JITOMATE

OMELET ESPAÑOL

La omelet español, mejor conocido como tortilla española, es clásica en la mesa ibérica, consumiéndola como una tapa a la hora del almuerzo o para una cena ligera. Diferentes ingredientes, ya sea vegetal, carne o pescado se saltea primero y después se une al huevo batido y se cocina en una sartén sobre la estufa formando un pastel plano. Por lo general, los cocineros españoles dan vuelta a la tortilla para dorar la segunda cara, una maniobra que requiere de cierta práctica. Pero la receta ha sido simplificada al colocar la tortilla por debajo del asador para dorar la parte superior.

Caliente a fuego medio una sartén grande que se pueda meter al horno. Agregue 3 cucharadas de aceite, las papas, cebolla, romero y la mitad del ajo al gusto. Mezcle bien, reduzca a calor bajo, salpimiente, tape y cocine, volteando las papas una o dos veces, hasta que estén cocidas, aproximadamente 15 minutos.

Pase a un tazón y regrese la sartén a fuego medio alto. Añada 2 cucharadas de aceite. Cuando esté caliente incorpore los pimientos y saltee hasta que estén suaves, aproximadamente 7 minutos. Agregue los jitomates y cocine hasta que se conviertan en una salsa espesa, de 7 a 10 minutos. Salpimiente, añada el resto del ajo al gusto y la albahaca; mezcle bien. Pase a un tazón.

En un tazón pequeño bata 5 de los huevos a mezclar bien e integre a las papas. Bata los huevos restantes y agréguelos a la mezcla de jitomate.

Precaliente el asador (rosticero). Limpie la sartén, vuelva a colocar sobre calor medio alto y agregue las 3 cucharadas restantes de aceite de oliva. Cuando el aceite esté caliente, vierta la mezcla de papas y cocine sin mover por aproximadamente 2 minutos. Reduzca el calor a medio bajo y continúe cociendo, usando una espátula para levantar las orillas de la tortilla tan a menudo que permita que el huevo líquido fluya por debajo de las papas. Cuando los huevos estén prácticamente firmes, después de alrededor de 7 minutos, vierta la mezcla de jitomate y espárzala en una capa uniforme. Reluzca el calor a muy bajo, tape y cocine verificando de vez en cuando para asegurarse que no se pegue el fondo, hasta que esté firme, aproximadamente 7 minutos más.

Destape y coloque la sartén bajo del asador y cocine a que la parte superior esté ligeramente dorada, de 3 a 4 minutos. Inserte un checador de pastel o brocheta en el centro de la tortilla; deberá salir limpio. Deslice la tortilla a un platón de servicio. Sirva caliente o a temperatura ambiente.

RINDE 4 PORCIONES

½ taza (125 ml/4 fl oz) aceite de oliva extra virgen o según se requiera

750 g (1½/2 lb) de papas blancas como las "Yukon" peladas y cortadas en cubos de 12 mm (½ in)

1 cebolla amarilla o blanca media grande, picada

1 a 2 cucharadas de romero fresco picado

5 a 8 dientes de ajo picado

Sal y pimienta recién molida

2 pimientos rojos (capsicums) sin semillas cortados en cubos

4 jitomates pelados (página 108) sin semillas cortados en cubos

3 a 4 cucharadas de hojas de albahaca fresca

8 huevos

GUISO DE BERENJENA
Y GARBANZO CON JITOMATE

2 berenjenas (aubergines) pequeñas a medianas, aproximadamente 750 g a 1kg (1½–2 lb)

4 a 5 cucharadas (60-75 ml/2–2½ fl oz) de aceite de oliva extra virgen

1 cebolla morada cortada en cuarterones.

3 a 4 dientes de ajo picado grueso

500 g (1 lb) jitomates frescos, hechos puré con un rallador *(vea explicación a la derecha)*

1½ taza (280 g/9 oz) garbanzos en lata (garbanzo beans)

500 g (1 lb) de jitomates en trozos enlatados, con jugo

Sal y pimienta recién molida

¼ cucharadita de azúcar

⅛ cucharadita de tomillo seco, machacado

Una pizca de canela molida

½ taza (125 ml/4 fl oz) de vino tinto seco

2 cucharadas de perejil picado (italiano)

½ limón, su jugo

Corte la berenjena en forma transversal en rebanadas de 12 mm (½ in) de espesor.

Caliente una sartén grande y gruesa a fuego medio alto. Cuando esté caliente añada 2 cucharadas del aceite de oliva, después agregue la berenjena y fría hasta que se dore por un lado, aproximadamente 5 minutos. Voltee y dore el segundo lado, agregando de 1 a 2 cucharadas más de aceite de oliva, conforme se necesite. Retire de la sartén y reserve.

Caliente una cucharada de aceite de oliva a fuego medio. Saltee la cebolla con el ajo hasta que la cebolla se suavice, de 5 a 6 minutos. Agregue el puré de jitomate fresco, garbanzos, jitomates con su jugo, sal y pimienta al gusto, azúcar, tomillo, canela, vino tinto y perejil. Cocine suavemente hasta que la salsa espese y tenga sabor, aproximadamente 10 minutos, moviendo ocasionalmente pero teniendo cuidado de no romper los garbanzos.

Agregue la berenjena, teniendo cuidado de no romper las rebanadas, cubra y reduzca el calor a medio bajo. Deje hervir a fuego lento para combinar los sabores, de 10 a 15 minutos. Agregue un poco de jugo de limón, rectifique la sazón y sirva caliente o a temperatura ambiente.

Para servir: Sirva este guiso con pan baguette tipo francés y una ensalada de queso feta, o coloque con un cucharón sobre pasta hervida o sobre una pila de arroz pilaf (plato oriental con arroz y especias).

RINDE 4 PORCIONES

PURÉ RÁPIDO DE JITOMATE

Hacer un puré de jitomate fresco con un rallador es una forma sencilla de agregar el sabor del jitomate sin necesidad de blanquear, pelar y hacer puré en un procesador de alimentos. Trabajando con un jitomate a la vez, corte una rebanada delgada del lado del tallo y apriete para sacar las semillas. Ralle la orilla cortada en las raspas grandes de un rallador manual, convirtiendo la pulpa en un puré suave. Solo quedará la piel, la cual se desecha.

ALCACHOFAS RELLENAS
CON BULGUR Y JITOMATES ASADOS

Ponga a hervir una olla grande de agua, agregue las alcachofas a hervir hasta que estén medio cocidas, aproximadamente 20 minutos. Escurra y deje enfriar. En otra olla, mezcle el bulgur con 2 tazas (500 ml/16 fl oz) de agua. Coloque sobre calor medio alto y deje que suelte el hervor. Reduzca la temperatura a baja y deje hervir a que el bulgur esté ligeramente suave, aproximadamente 10 minutos.

Mientras tanto, ralle 5 ó 6 de los jitomates haciendo un puré (página 97) y corte los demás en pedazos. Pique 2 de los dientes de ajo, corte de 4 a 6 de los dientes en tiras delgadas y deje los demás enteros.

Agregue los jitomates rallados, el ajo picado y la menta al bulgur y salpimiente. Continúe cocinando unos minutos más hasta que el bulgur esté tierno y haya absorbido la mayor parte de líquido. Combine 2 cucharadas de aceite de oliva, el perejil y el jugo de la mitad de 1 limón y retire del fuego.

Precaliente el horno a 230ºC (450ºF). Con cuidado coloque las hojas de cada alcachofa y retire la parte vellosa. Llene cada alcachofa con una cuarta parte de la mezcla de bulgur, presionando y emparejando en la parte superior. Usando un diente de ajo para cada alcachofa deslice tiras de ajo entre la mayoría de las hojas. Acomode las alcachofas en la charola para hornear dejando espacio entre ellas. Llene estos espacios con los pedazos de jitomate y los dientes de ajo enteros. Rocíe uniformemente el resto del aceite, incluyendo los espacios entre las hojas, el jugo de la otra mitad de limón y sal gruesa.

Ase hasta que estén doradas en algunos puntos, aproximadamente 30 minutos. Reduzca el calor a 165ºC (325ºF) y ase a que se doren en forma uniforme y los jitomates se hayan marchitado y estén oscuros, aproximadamente 30 minutos. Sirva acompañando con algunos pedazos de jitomate asado y un pedazo de limón, bañando con los jugos de la olla.

RINDE 4 PORCIONES

BULGUR

El bulgur, de sabor ligeramente parecido a la nuez, conocido también con el nombre de bulghur o burghul, era un alimento favorito de los antiguos persas. Se prepara cociendo trigo al vapor, retirando parcialmente el salvado y secando y rompiendo los granos. Actualmente se encuentra más a menudo en la cocina del Medio Este y de los Balcanes, donde se usa como base para pilafs (platos orientales hechos de arroz con carne, pescado y especias), ensaladas y rellenos. Se vende en granos finos, medianos y grueso. Tiene un sabor suave y una consistencia firme que lo hace un buen medio para guardar el sabor de otros ingredientes.

4 alcachofas grandes, sin tallos, espinas ni hojas externas (página 34)

1 taza (185 g/6 oz) de bulgur molido medio

1.5 kg (3 lb) de jitomates grandes y maduros

10 a 12 dientes de ajo

3 cucharaditas de menta fresca picada ó 1½ cucharadita de menta seca, desmoronada

Sal de mar gruesa y pimienta recién molida

4 cucharadas (60 ml/2 fl oz) de aceite de oliva, según se necesite

3 a 4 cucharadas de perejil picado (italiano)

2 limones, 1 partido a la mitad y otro en pedazos

VEGETALES FRITOS CON TOFU

2 a 4 dientes de ajo

1 zanahoria pequeña a mediana

1 pimiento rojo (capsicum)

1 cebolla amarilla o blanca

1 col blanca, aproximadamente de 750 g (1½ lb)

375 g (¾ lb) de tofu firme, escurrido

Fécula de maíz para espolvorear (maizena)

3 cucharadas de aceite de colza o aceite vegetal

1 cucharada de jengibre fresco, pelado y picado

Sal

¼–½ cucharadita de polvo Chino de cinco especias

3 a 4 cucharadas (45 a 60 ml/ 1½–2 fl oz) de caldo de pollo

1 cucharada de azúcar

3 a 4 cucharadas (45-60ml/ 1½–2 fl oz) de salsa hoisin

Salsa de soya

Aceite de chile

Vinagre de arroz

½ cucharadita de aceite de ajonjolí

1½ taza (330 g/ 10½ oz) de arroz blanco cocido de acuerdo a las instrucciones del paquete

Pique el ajo. Pele y rebane la zanahoria en diagonal. Retire las semillas del pimiento y corte en cuadros grandes. Rebane la cebolla a lo largo. Retire el corazón de la col y corte en cubos grandes. Corte el tofu en cubos de 2.3 cm (1 in), seque con toallas de papel, espolvoree con la fécula de maíz y vuelva a secar con toallas de papel.

En un wok u olla profunda para freír, de preferencia antiadherente, caliente 1 cucharada de aceite a fuego medio alto, moviendo la olla para cubrirla con el aceite. Agregue el Tofu y cocine hasta dorar ligeramente por el primer lado, de 2½ a 4 minutos. Voltee los cubos teniendo cuidado de no romperlos y continúe cocinando a dorarlos por el otro lado, de 2½ a 4 minutos más. Páselos a un plato y reserve.

Limpie la olla, regrésela a temperatura alta y agregue 1 cucharada de aceite, moviendo una vez más. Cuando esté caliente incorpore el ajo, jengibre, zanahoria y pimiento y fría 1 minuto. Añada el tofu.

Regrese la olla vacía a fuego alto y caliente la cucharada restante de aceite. Agregue la cebolla y fría 1 minuto. Añada la col, una pizca de sal y mueva para cubrir con el aceite. Incorpore el polvo de cinco especias y 3 cucharadas de caldo y fría moviendo hasta que la col haya empezado a suavizarse, de 5 a 6 minutos. Integre el azúcar, salsa hoisin, salsa de soya y aceite de chile y mezcle. Agregue otra cucharada de caldo si la mezcla parece seca. Cubra cocine sobre calor alto hasta que la col esté tierna y crujiente, aproximadamente 5 minutos.

Destape y combine la mezcla de zanahoria y el tofu. Mueva para incorporar y calentar por completo, aproximadamente 3 minutos. El líquido debe estar casi totalmente evaporado. Sazone con el vinagre para balancear los sabores.

Apile los vegetales sobre un platón y bañe con el aceite de ajonjolí. Sirva de inmediato acompañando con arroz blanco.

RINDE 4 PORCIONES

PARA FREIR

El secreto para freír con éxito las verduras es cocinar los ingredientes rápidamente en aceite caliente a fuego alto para que se mantengan firmes y crujientes. Los pimientos rojos (capsicums), zanahorias y col son sólidos para freírse inicialmente. Estos son más fuertes que algunos otros vegetales delicados como los chícharos chinos (mangetous) o los germinados, que fácilmente se sobre cuecen. Dado que la velocidad es primordial, tenga todos los ingredientes cortados, medidos y a la mano junto a la estufa antes de empezar a cocinar.

TARTA DE PORO Y QUESO DE CABRA

Prepare la corteza de la tarta como se indica y déjela enfriar.

En una sartén grande y gruesa, derrita la mantequilla a fuego medio bajo. Cuando haga espuma, agregue los poros, disminuya el fuego a bajo, y cocine lentamente hasta que los poros estén suaves y dorados, aproximadamente 15 minutos. Salpimiente y deje reposar a temperatura ambiente para enfriar.

Coloque una rejilla en la parte superior del horno y precaliente a 180ºC (350ºF). Coloque una charola para hornear en la rejilla inferior que sirva en caso de goteo.

En un tazón, bata los huevos enteros, la yema y la crema a integrar por completo. Sazone con la nuez moscada, sal, y pimienta.

Esparza la mitad del queso rallado en forma uniforme sobre la costra de pasta. Cubra con los poros, el cebollín y finalmente el queso de cabra. Vierta suficiente mezcla de huevo, deteniéndose a los 12mm (½ in) antes del borde. Esparza el queso rallado restante en forma uniforme sobre la superficie.

Hornee aproximadamente 25 minutos, hasta que la parte superior se esponje y dore y el relleno tiemble ligeramente al sacudir la sartén. Retire del horno y deje reposar por lo menos 10 minutos. Si se usa un molde para pastel desmoldable colóquelo sobre la palma de su mano y deje que el borde se separe. Después pase la tarta a un platón para servir. Sirva caliente o a temperatura ambiente.

RINDE 4 A 6 PORCIONES

LIMPIANDO POROS

Los poros crecen en tierra arenosa, por lo que necesitan limpiarse cuidadosamente para quitar por completo la arena que se esconde entre sus largas y frondosas ramas. Usando un cuchillo afilado, corte las raíces y las partes verdes duras. Pele la capa superior, que generalmente está marchita o decolorada. Haga una abertura a lo largo en medio del poro, extendiéndolo hasta tres cuartas partes del corazón del poro, deteniéndose donde el blanco cambia a verde. Enjuague el poro abierto bajo un chorro de agua fría, retirando suavemente las capas con hojas para quitar toda la arena.

1 receta de Pasta para Tarta, parcialmente horneada en blanco (página 85)

2 cucharadas de mantequilla sin sal

500 g (1 lb) de poro, incluyendo las partes tiernas verdes, bien limpio *(vea explicación a la izquierda)* y rebanado a lo ancho, en trozos de 3mm (⅛ in)

Sal y pimienta recién molida

2 huevos enteros, más una yema de huevo

1 taza (250 ml/8 fl oz) de crema entera o media crema

Una pizca de nuez moscada recién rallada

1 taza (125 g/4 oz) de queso Gruyere, Emmenthaler, o Jarlsberg rallado

3 cucharadas de cebollín fresco picado

125 g (¼ lb) de queso de cabra fresco desmenuzado

TEMAS BÁSICOS SOBRE LOS VEGETALES

La frase "guarnición de vegetales" antes significaba algo que debía tomarse en cuenta ya que constituía el elemento que convertía a la carne con papas en una comida. Esto ha dejado de ser verdad. Los simples vegetales cocidos del pasado han dado lugar a toda una nueva filosofía gastronómica que coloca a los vegetales frescos en un sitio más prominente en la mesa, añadiendo color, sabor y atractivo a cualquier comida.

EL ENFOQUE ESTACIONAL

La primera clave para obtener deliciosos platillos a base de vegetales consiste en seguir las estaciones. Cualquier vegetal que ha sido cultivado localmente y madurado en su temporada natural tendrá infinitamente más sabor que las especies semimaduras transportadas desde el otro extremo del país o del mundo. Visite un mercado local de productos frescos a fin de encontrar los vegetales más frescos de la estación y no podrá más que sentirse verdaderamente inspirado en la cocina. O, si tiene buena mano y un poco de espacio, usted mismo puede cultivar sus productos. Nada es más sabroso que los vegetales seleccionados en su propio jardín, minutos antes de cocinarlos.

A continuación presentamos una lista de vegetales que deberá buscar en diferentes épocas del año. Recuerde que los vegetales no están pendientes del calendario, por lo cual su disponibilidad variará dependiendo de su ubicación y clima.

PRIMAVERA

Brotes y Tallos: Alcachofas y espárragos

Hojas: Arúgula, espinaca miniatura, berza o col rizada, lechugas, mache.

Familia de las coles: Brócoli rabe y col

Raíces y tubérculos: Daikón, papas cambray, rábanos, nabos, jengibre joven.

Setas: Botones, morillas, oysters, porcini, portobellos y shiitakes.

Guisantes, Frijoles y Granos: chícharos, habas y ejotes.

Bulbos: Pueros pequeños, green garlic, cebollas de cambray, cebollas Vidalia.

VERANO

Hojas: Arúgula, lechuga romana y espinaca

Frutos: Pimientos (capsicum), chiles, berenjenas (aubergines), calabazas, tomates, jitomates y calabacitas (courgettes).

Raíces y Tubérculos: Zanahorias, jengibre y papas.

Guisantes, Frijoles y Granos: Elote, chícharos, ejotes, haricots verts, alubias, shelling beans como el arándano y el chirivía.

Bulbos: Ajo, poros, cebollas y echalotas.

OTOÑO

Brotes y Tallos: Alcachofas e hinojo.

Hojas: Espinaca y acelga.

Familia de las coles: Brócoli, brócoli rabe, coles de Bruselas, col y coliflor.

Frutos: Pimientos, berenjenas, calabaza de Castilla, calabazas de invierno.

Raíces y Tubérculos: Raíz de apio (celeriac), chirivía o pastinaca, papas, rutabagas, camotes, nabos y batata.

Setas: Trompetas negras, botones, chanterelles, oysters, porcini, portobellos y shiitakes

Bulbos: Ajo, poros y echalotas.

INVIERNO

Hojas: Escarola, berza o col rizada, radicchio, acelga y retoños de nabo.

Familia de las coles: Brócoli, brócoli rabe, coles de Bruselas y col.

Raíces y Tubérculos: Betabeles, zanahorias, apio, alcachofa de Jerusalén, chirivía, rutabagas, camotes, nabos, y batata.

Setas: Botones, chanterelles, portobellos y trufas.

SELECCIÓN Y ALMACENAJE

Cuando elija vegetales, busque los más frescos. Al permanecer en el supermercado, perderán humedad y vitaminas así como sabor. Los vegetales frescos deben tener un aspecto regordete, húmedo y terso. En el mercado puede preguntar al productor cuándo fueron recolectados. A menudo, le ofrecerán una muestra para que la pruebe.

Algunos vegetales, como el elote en mazorca, los jitomates y las alcachofas empiezan a perder frescura en el momento de su recolección. Otros, tales como las calabazas de invierno de cáscara dura, las papas y las zanahorias pueden ser almacenadas por períodos relativamente prolongados.

Las hojas verdes tiernas no se conservan en buen estado; manténgalas en el cajón del refrigerador sólo por unos días. Cuando sus orillas de adquieran un tono marrón o las hojas tengan muestras de descomposición, deséchelas.

Las coles y los tubérculos como los nabos tienen una buena vida de almacén. Estos vegetales de invierno conservan su sabor, textura y nutrientes durante varias semanas a partir de su recolección. Consérvelos en el cajón del refrigerador hasta dos semanas. Los vegetales de verano frescos, como las calabacitas y las berenjenas también se conservan en buenas condiciones en el refrigerador, aunque durante un período menor.

Las cebollas, las echalotas y los ajos pueden almacenarse a temperatura ambiente y, por lo regular, se conservarán por tres semanas. Manténgalos en un sitio fresco, de preferencia dentro de una canasta por la que circule el aire. Las papas deben almacenarse en un lugar oscuro, ya que la luz ocasionará que se vuelvan verdes y amargas.

PREPARACIÓN DE LOS VEGETALES

El primer paso a seguir consiste en limpiarlos. Lávelos bajo el chorro del agua; a continuación permita que se sequen antes de utilizarlos. Si tiene prisa, utilice papel absorbente o un trapo de cocina limpio para secarlos. Las setas, que son porosas y absorben el agua no deberían enjuagarse. Emplee una brocha o cepillo suave o una tela húmeda para limpiarlas. Los guisantes y los chícharos sólo deben sacarse de su cáscara. La cebolla, los ajos y echalotas sólo necesitan pelarse.

TÉCNICAS BÁSICAS

Picado tosco: Para picar toscamente vegetales largos y delgados como el apio, primero corte a lo largo en mitades o cuartos, después sostenga juntas las piezas y rebane.

Para cortar de esta misma forma una cebolla u otro tipo de vegetal redondo, siga los pasos que muestran en la página opuesta:

1 **Corte la cebolla a la mitad:** elimine el extremo del tallo, haga cortes a lo largo, yendo del tallo a la raíz, después pélela.

2 **Haga una serie de cortes verticales:** coloque la media cebolla con la parte plana sobre la tabla para picar, sosteniéndola con la punta de los dedos, permitiendo que los nudillos sobresalgan al resto de los dedos y queden lejos de la hoja del cuchillo y, con la punta del mismo hacia el extremo de la raíz, realice una serie de cortes verticales paralelos con un ángulo recto respecto a la tabla. No corte hasta el extremo.

3 **Haga una serie de cortes horizontales:** Voltee el cuchillo de tal manera que quede paralelo respecto a la tabla de picar y perpendicular a la primera serie de cortes, realice una serie de cortes horizontales en la mitad de la cebolla, sin llegar al extremo.

4 **Pique la cebolla:** Sencillamente rebane la cebolla a través de los dos cortes hechos en los pasos 2 y 3.

Picado fino: Para cortes más finos, apile los vegetales cortados toscamente. Corte hasta que tengan el tamaño deseado, sosteniendo la punta del cuchillo en la tabla de picar con una mano y moviendo la hoja del cuchillo sobre la pila.

Descorazonar: El centro duro que algunas veces tiene el apio o el hinojo es desagradable por lo que debe ser eliminado. Para hacerlo, corte en mitades

o cuartos y con el cuchillo de chef elimine el centro.

Corte en rebanadas: Rebane limpiamente utilizando un cuchillo de chef y una tabla para picar. Mantenga las puntas de los dedos alejadas de la hoja. Cuando deba rebanar grandes cantidades, emplee una mandolina (ver página 114) para facilitar la tarea, cuando no importa que las rebanadas sean uniformes, utilice el procesador de alimentos.

Cubos: Para cortar un vegetal en cubos, primero haga tiras uniformes de ⅛ a ½ pulgada (3 a 12 mm). Sostenga juntas las tiras y corte a través conservando la medida elegida.

Rallado y deshebrado: Utilice los orificios pequeños del rallador para rallar y los grandes para deshebrar. O use el disco correspondiente del procesador de alimentos según el resultado que desee obtener. Algunos vegetales, como las calabacitas y las papas deben exprimirse perfectamente después de rallados para eliminar el exceso de líquido.

También se puede deshebrar con la ayuda de un cuchillo, en especial cuando se trata de vegetales grandes de hojas como la col.

Emplee el cuchillo de chef para cortar el vegetal en pedazos lo suficientemente pequeños como para cortarlos fácilmente en tiras con el cuchillo.

Julianas: Vea página 10.

Desmenuzado: Desmenuzar es muy similar a picar finamente, pero el término se utiliza básicamente para alimentos más pequeños que deben reducirse a pedazos diminutos, en particular el ajo y las hierbas.

Mondado de tallos duros: Este tipo de vegetal, como el espárrago y el brócoli deben pelarse para que se facilite su cocimiento. Utilice un cuchillo mondador pequeño o un pelador de verduras afilado para eliminar sólo lo suficiente de la cáscara exterior gruesa para mostrar la tierna carne interna.

Para eliminar la piel fina: Las zanahorias, calabacitas y otros vegetales que poseen carne tierna y piel delgada a menudo se pelan ya sea por razones estéticas o debido a la dureza o sabor amargo de la piel o cáscara. Emplee un pelador de verduras afilado. Para pelar ajos, macháquelos ligeramente con el lado de la hoja del cuchillo, presionando con firmeza con la palma de la mano para desprender la piel. Para pelar jitomates, hierva suficiente agua en una cacerola. Haga una cruz en la parte superior del jitomate y blanquéelo hasta que la piel empiece a arrugarse, es decir, alrededor de 15 a 30 segundos. Con la ayuda de una cuchara ranurada, pase el jitomate a un tazón con agua helada para detener su cocción. En este momento la piel se desprenderá con facilidad. Para

pelar pimientos, vea la página 49.

Salado: Algunos vegetales deben salarse y escurrirse antes de cocinarse. La sal elimina el exceso de líquido que muchos vegetales contienen de manera natural, lo cual podría provocar que tengan un sabor amargo o que interfiera con el proceso de cocción. Las calabacitas y berenjenas grandes son de los vegetales salados más comunes. Para eliminar el exceso de sal y líquido, corte de acuerdo con las instrucciones de cada receta y espolvoréelos uniformemente con sal gruesa (sal marina o de mar). Coloque los vegetales en un colador sobre un plato y déjelos reposar durante 30 minutos. Coloque sobre papel absorbente doble, extendiéndolos. Con ayuda de más papel absorbente presione suavemente para eliminar la humedad excesiva, así como la sal restante. No enjuague, ya que los vegetales absorberán el agua. Puede salar los vegetales cuando están rebanados o cortados en cubos o, en el caso de las calabacitas, después de rallarlas.

COCCIÓN DE LOS VEGETALES

Los vegetales, por supuesto, no deberían ser considerados sólo una guarnición, ya que algunas veces una preparación sencilla de vegetales frescos es justo lo que se requiere para dar el toque final a una comida. Las técnicas básicas de cocina que se presentan a continuación son los pasos utilizados en las recetas de este libro, pero pueden utilizarse por sí solas.

HERVIR

Es un método intenso de cocción. Puede ser una forma adecuada en la preparación de los vegetales, siempre y cuando no los cueza en exceso. Llene dos terceras partes de una cacerola con agua, añada un puño de sal y hiérvala. Algunos vegetales, como las papas, los guisantes, los chícharos y las zanahorias se cocinan mejor si se les añade una pizca de azúcar; pero, no sucede lo mismo con otros como los espárragos, las calabacitas o las espinacas.

Agregue de una sola vez los vegetales al agua hirviendo. Si el agua cubre a los vegetales y éstos se cocinan en menos de 5 minutos, no es necesario que tape la cacerola; para los vegetales que llevan un tiempo de cocción mayor, o cuando cocina con menos líquido, coloque la tapa de la cacerola. Esta conservará el calor y el vapor acelerando la cocción. Deberá vigilar la cacerola y ajustar la flama a fin que el agua no se derrame. Cuando los vegetales están suaves pero todavía crujientes, escúrralos y continúe con la receta. Para saber si los vegetales firmes como las papas y el brócoli están listos, perfórelos con la punta de un tenedor afilado. Pero evite hacerlo demasiadas veces ya que entrará demasiada agua al centro del vegetal.

ASAR A LA PARRILLA

Prácticamente todos los vegetales se cocinan bien a la parrilla. La berenjena, el hinojo, los pimientos, papas, camotes y calabacitas son deliciosos cuando se cortan en rebanadas gruesas y se asan. Las alcachofas, setas, cebollas y jitomates quedan mejor si se asan enteros o en mitades. Los espárragos enteros y el elote en mazorca adquieren un delicioso sabor ahumado cuando se preparan a la parrilla. Unos cuantos lineamientos sobre cómo asar a la parrilla garantizarán el mejor resultado.

Antes de comenzar a asar, empiece por limpiar la parrilla con un cepillo de cerdas duras y frote los vegetales con aceite de oliva, sal y pimienta. En las parrillas para carbón, utilice pinzas metálicas de mango largo, un atizador largo u otro tipo de herramienta para extender de manera uniforme los carbones calientes en el área baja sobre la que estarán los vegetales. Si se trata de un asador de gas, encienda todos los quemadores debajo de la parrilla donde planea cocinar, a una temperatura media, media alta.

Los vegetales grandes que requieren más tiempo de cocción deben ser hervidos ligeramente, cortados en rebanadas gruesas y cubiertos con una marinada ligera antes de asarse. Si empiezan a quemarse antes de estar tiernos, cámbielos al perímetro más frío de la parrilla lejos del centro de calor. Permita que terminen de cocinarse con fuego indirecto.

PURÉ O PASTA

Las papas en puré esponjoso o machacadas constituyen uno de los llamados alimentos para el alma, pero muchos otros vegetales pueden también hacerse puré. Las zanahorias, raíz de apio, alcachofa Jerusalén, nabos, rutabagas, chirivía, calabazas de invierno pueden cocinarse y hacerse puré solos o acompañados de papa. Además, los poros, la calabaza, las cebollas amarillas y verdes salteadas son un agregado delicioso para los purés de vegetales. Mézclelos una vez que los vegetales hayan sido machacados y adicionados con mantequilla y leche.

Para cocinar los vegetales a machacar, cocínelos enteros o en trozos (ver Hervir, en esta página). La mayor parte de los vegetales, con excepción de las papas, deben pelarse. El cocer la papa con su cáscara evita que se sature de agua. Pero si va a hervir papas sin pelar, que éstas sean orgánicas, ya que se considera que los pesticidas se concentran en la delgada piel de la papa.

Después de cocidos, escurra los vegetales y con un machacador, globo, pasapurés, molino de alimentos o licuadora eléctrica machaque el vegetal, incorpore la mantequilla y la leche o crema que esté caliente pero no hirviendo. Evite utilizar un procesador de alimentos ya que los vegetales desarrollan una textura gomosa. Si así lo desea sirva los purés espolvoreados con cebollín recién picado o perejil.

ROSTIZADO

La mayor parte de los vegetales tienen un excelente sabor cuando se rostizan, incluyendo aquellos de invierno como los nabos, papas, camotes, zanahorias, calabazas y los de verano como la berenjena, calabacitas, jitomates y pimientos. Este método de cocción a base de calor seco concentra los azúcares naturales que se encuentran en los vegetales y aumenta su sabor.

Cuando rostice vegetales de tamaño mediano o grande, córtelos en mitades o trozos, mézclelos con aceite de oliva y espolvoréelos con sal, pimienta y otros sazonadores de su agrado. Colóquelos en una sola capa en una charola para horno y hornéelos descubiertos hasta por una hora a 375ºF (190ºC). Reduzca el calor según se necesite para evitar que se quemen o resequen antes de cocinarse. Los vegetales de invierno necesitarán más tiempo para suavizarse que los de verano. Los vegetales rostizados están en su punto cuando están suaves, dorados y caramelizados.

AL VAPOR

La cocción al vapor es un método especialmente adecuado para vegetales, debido a que es menos agresivo que hervirlos y permite que conserven su forma, color, sabor y textura. Además, es un método saludable porque no utiliza grasa y la mayor parte de los nutrientes permanecen intactos.

En este tipo de cocción utilice un inserto para vapor o una canastilla plegadiza colocada en una cacerola con agua en el fondo. Asegúrese que el agua no toque el fondo de la canastilla. Hierva el agua antes de agregar la canasta con los vegetales. A continuación, cubra y cocine hasta que éstos estén suaves pero crujientes y de color brillante.

El vapor cocina los alimentos con mucha rapidez, por lo que debe vigilarlos para evitar que se sobre cocinen. Abra la vaporera con mucho cuidado. Retire la cara y abra la tapa hacia el lado contrario donde usted se encuentra. Además, emplee guantes para horno para proteger manos y brazos. Puede escaldarle la piel como el agua hirviendo.

La mayoría de los vegetales puede cocinarse al vapor. Si son grandes y tomarán tiempo en cocinarse, añada agua caliente al fondo de la cacerola cuando esté por terminarse. En general, debe cortar los vegetales que cocinará al vapor en trozos grandes para que se cuezan uniformemente.

FRITURA CON MOVIMIENTO

Este método asiático de cocción consiste en freír rápidamente pequeñas piezas de alimentos, en aceite con fuego alto. Siempre que se fríe de esta manera, dos de los elementos más importantes a tener en mente son el fuego alto y el tiempo de cocción corto. Esto conserva a los vegetales crujientes y brillantes.

El wok es el utensilio perfecto para freír, debido a que sus lados altos exponen a los alimentos a la superficie máxima de cocción y evitan que éstos salgan de la cacerola mientras usted la mueve. Pero, el wok puede sustituirse por una cacerola de acero forjado o cacerola para saltear gruesa.

Para cocinar de manera uniforme, los vegetales deben cortarse en pedazos iguales o en cubos. Las zanahorias y calabacitas se cocinan mejor si se cortan en julianas (ver página 10), mientras que los vegetales largos y delgados como los guisantes y los espárragos deben rebanarse diagonalmente para que se cocinen más rápidamente. En los platillos a base de vegetales mixtos, añádalos de acuerdo con el tiempo que requerirán para su cocción. Los vegetales en rebanadas delgadas se cocinan con rapidez, mientras que los trozos grandes llevan un tiempo de cocción mayor. A menudo, los diferentes vegetales se cocinan en tandas, se retiran de la sartén y por último se combinan de nuevo agregándoles un poco de salsa para finalizar el platillo.

RECETAS BÁSICAS
Recetas usadas en este libro para preparar algunos platillos.

MASA BÁSICA PARA PIE

1½ tazas (235 g/7½ oz) de harina de trigo

½ cucharadita de sal

10 cucharadas (155 g/5 oz) de mantequilla sin sal fría, cortada en trozos pequeños

4 a 5 (60-75 ml/2-2½ fl oz) cucharadas de agua fría o helada

Para hacer la masa, combine la harina, azúcar y sal en un tazón. Agregue los trozos de mantequilla y mezcle hasta integrar con la harina. Usando un batidor de varilla para pasta o 2 cuchillos, corte las piezas de mantequilla para integrar con la mezcla de harina hasta que queden del tamaño de chícharos pequeños. Vierta poco a poco el agua helada y combine con un tenedor hasta que los ingredientes se unan. Usando sus manos, suave-mente forme una bola con la masa y aplane a hacer un disco. Envuelva en una bolsa de plástico y refrigere, por lo menos 30 minutos o hasta 2 días.

Sobre una superficie enharinada, extienda la masa para formar un círculo de 35 cm (14 in). Doble en cuartos y coloque sobre un molde de tarta de 23-24 cm (9-9½ in) con 5 cm de borde (2 in) de preferencia con base desmontable. Acomode la masa en el molde sin estirar, corte el sobrante. Presione sobre las orillas, ejerciendo la suficiente presión para estirar ligeramente encima de la orilla, dejando un pequeño borde fuera de la orilla. Esto evitará que los bordes encojan durante el

horneado. Para el cocimiento de la masa en blanco, vea la página 85. Esta masa rinde para hacer 1 costra sencilla para tarta de 23-24 cm (9½ in)

CALDO DE POLLO

2 cucharadas de aceite vegetal

1 cebolla blanca o amarilla, toscamente picada

1 zanahoria pequeña, toscamente picada

1 apio pequeño, toscamente picado

1.5 kg (3 lb) de alas, pescuezo y otras piezas de pollo, toscamente picadas

3 ó 4 ramas de tomillo frescas, o ½ cucharadita de tomillo seco

¼ cucharadita de granos de pimienta

1 hoja de laurel

Caliente en una olla el aceite vegetal sobre fuego medio alto. Agregue la cebolla, zanahoria y apio y deje cocer destapado, moviendo constantemente, a suavizar durante 5 minutos. Añada las piezas del pollo y agua fría a cubrirlas por 5 cm (2 in), aproximadamente 2.5 l (2½ qt). Deje hervir a fuego alto, retirando la espuma que suba a la superficie. Añada el tomillo, pimientas y laurel. Reduzca el fuego a bajo y tape parcialmente, deje cocer hasta que tome sabor fuerte y se reduzca una cuarta parte, por lo menos 2 horas y hasta 4 horas.

Cuele el caldo con un colador fino o sobre una manta de cielo hacia un tazón, presione los huesos y vegetales para extraer todo el sabor posible. Deseche los sólidos. Deje enfriar a temperatura ambiente, cubra y refrigere toda la noche. Retire y deseche el exceso de grasa que se forma en la superficie. Cubra y refrigere hasta por 2 días, o congele en un recipiente hermético

hasta por 6 meses. Rinde 2 l (2 qt).

PESTO

3-4 cucharadas de piñones

2 dientes de ajo

2 a 3 tazas (60-90 g/2-3 oz) de hojas de albahaca bien compactadas

10 a 15 ramas de perejil italiano fresco

½ taza (125 ml/4 fl oz) de aceite de oliva extra virgen

½ taza (60 g/2 oz) de queso parmesano rallado

¼ taza (30 g/1 oz) de queso pecorino rallado

Sal y pimienta recién molida

En una licuadora o procesador de alimentos mezcle los piñones y el ajo. Procese para picar toscamente. Añada cerca de la mitad de la albahaca a picar toscamente. Agregue el resto de la albahaca, el perejil y el aceite de oliva hasta lograr una salsa verde espesa. Si la salsa está ligera, añada más albahaca y perejil. Si está espesa, agregue más aceite de oliva.

Integre los quesos y salpimiente. Procese rápido. Vierta en un frasco de cristal u otro recipiente y coloque por encima una capa delgada de aceite de oliva para prevenir que la superficie cambie de color. Tape correctamente y conserve en el refrigerador hasta por 2 semanas. Rinde 1½ tazas (375 ml/12 fl oz).

GLOSARIO

ACEITES

De Cánola o Colza: este aceite se obtiene de la colza o nabo silvestre, una planta pariente de la mostaza. Tiene alto contenido de grasa monoinsaturada y se usa para cocinar en general.

De Oliva: el aceite de oliva extra virgen está hecho de aceitunas prensadas sin usar calor. Tiene cuerpo y sabor fresco, sus diferentes tonalidades de verde van desde el verde oscuro hasta el claro y por lo general se usa en recetas que se preparan en crudo. El aceite de oliva regular (antiguamente llamado puro, actualmente se vende sin designación especial) se extrae usando calor; es de color dorado, tiene menos sabor que el extra virgen y es el adecuado para saltear.

De Cacahuate: Proviene del cacahuate y tiene un sabor parecido a la nuez, aunque en una versión más refinada. Es popular en la cocina asiática para freír ligeramente o freír a fondo.

ACEITUNAS

Kalamata: Una variedad de aceituna muy conocida originaria de Grecia. Esta aceituna tiene forma de almendra, es de color púrpura oscuro, llena de sabor y pulpa. Las aceitunas Kalamata son curadas en salmuera y empacadas en aceite o vinagre.

Nicoise: Una aceituna pequeña y de color negro originaria de Provenza, curada en salmuera y empacada en aceite con limón y hierbas.

AJO cada bulbo o cabeza de ajo es un racimo de 12 a 16 dientes, individualmente cubiertos y colectivamente envueltos con un papelillo de color blanco o rojizo morado, que es necesario remover antes de comerse. Escoja cabezas gordas con dientes firmes y sin brotes verdes.

ALBAHACA Utilizada en la cocina Mediterránea y el Sureste de Asia, la albahaca tiene un sabor parecido al anís y al clavo. Hay muchas variedades que pueden conseguirse, como la comúnmente conocida Italiana verde y la rojiza morada Thai.

ALMENDRAS El sabor delicado de las almendras es excelente para añadir a los platillos de vegetales. Para blanquear o pelar las almendras, colóquelas en un refractario y añada agua hirviendo sobre ellas. Deje permanecer por un minuto, cuele y enjuague bajo el chorro de agua fría a enfriar. Pellizque cada una para retirar la piel amarga.

AVELLANAS conocidas como filberts, las avellanas del tamaño de una uva tienen una cáscara dura con terminación en punta como bellota. Su carne es de color crema y tiene sabor dulce a mantequilla. Por su dificultad para romper, se venden sin cáscara. Vea página 66.

CANASTILLA PARA COCER AL VAPOR Vea cocer al vapor.

CEBOLLAS

Verdes: También conocidas como cebollas de cambray, son los brotes inmaduros del bulbo de la cebolla; con una delgada base blanca que no se ha engrosado y tiene largas hojas verdes planas. Su sabor es suave y puede comerse cruda, frita, asada, dorada o picada como guarnición.

Perla: Las cebollas perla son más pequeñas de 2.5 cm (1 in) de diámetro. Tradicionalmente son blancas, aunque actualmente se pueden encontrar moradas.

Morada: También llamada cebolla Bermuda o italiana, de color morado o rojo es ligeramente dulce. Es deliciosa en crudo o ligeramente cocida en mezcla de vegetales.

Echalotas: Un miembro pequeño de la familia de las cebollas, semejante a un diente de ajo, está cubierto por una delgada cáscara papelillo bronceada o ligeramente roja; su pulpa es blanca con suaves líneas color púrpura; de textura crujiente y sabor suave.

Amarilla: La cebolla globo amarilla es la más común en los Estados Unidos y se usa para cualquier platillo. Se vende en supermercados; puede tener forma de globo, aplanada o ligeramente alargada y tiene una piel de color café dorado tipo pergamino. Por lo general es muy fuerte para servirse en crudo, es exquisita y dulce al cocinarse y es ideal para caramelizar.

CHILES, MANEJO DE LOS para reducir lo picante del chile, corte sus membranas o venas y deseche las semillas, ya que es donde la capsaicina, sustancia del chile, se concentra.

Si desea el picor, no retire todas las venas y semillas. Evite tocarse los ojos, nariz y boca mientras trabaja con los chiles.Cuando termine de trabajar, lave sus manos muy bien al igual que la tabla de picar y cuchillo con agua tibia y jabón. Utilice guantes de hule para cocina mientras trabaja con chiles picantes para evitar ardor en sus dedos.

CHIRIVÍA De la familia de la zanahoria, esta raíz color marfil se parece mucho a su pariente. La chirivía tiene un sabor ligeramente más dulce y una textura más dura y con contenido de almidón que se suaviza al cocinarse. Es excelente asada, al vapor, hervida u horneada.

HINOJO Semejante en apariencia al apio, pero con un bulbo final más grande de donde emergen los tallos. El hinojo tiene un penetrante sabor a regaliz y una textura crujiente. Se consigue en cualquier época del año pero la mejor temporada es de octubre a marzo. Escoja los bulbos color crema con tallos frescos y hojas menudas verdes en la parte superior. Si una receta pide por el bulbo, corte los tallos y retire la parte del corazón que está decolorada y gruesa.

HORNO ALEMÁN Esta olla gruesa y grande, redonda u ovalada que sella herméticamente y tiene dos asas, es usada para un cocimiento lento dentro del horno o sobre la estufa. La mayoría están hechas de hierro esmaltado aunque algunas no están esmaltadas o están hechas de otros metales. Son llamadas también cacerolas u ollas para guisar.

HUEVOS CRUDOS Los huevos se utilizan algunas veces crudos o ligeramente cocidos para ciertas preparaciones o salsas. Sin embargo existe el riesgo de que estén infectados con salmonella u otra bacteria que puede envenenar los alimentos. El peligro es mayor con los niños pequeños, personas de edad, mujeres embarazadas o cualquiera que tenga un sistema inmunológico débil. Si es sano y se preocupa por su seguridad, no consuma huevo poco cocido o sustitúyalo con un producto hecho de huevo pasteurizado. Para hacer que los huevos sean un alimento seguro puede calentarlos a 60°C (140°F) durante 3½ minutos. Tome en cuenta que los huevos cocidos a fuego lento, poché y tibios no llegan a esta temperatura.

HUEVOS, SEPARANDO para separar las yemas de las claras más fácilmente, empiece con huevos fríos, en lugar de a temperatura ambiente. Coloque 3 tazones juntos. Golpeelos con cuidado justamente en la parte ecuatorial sobre una superficie plana y manteniendo sobre el tazón, haciendo un movimiento de vaivén entre las mitades de cascarón, deje que la yema se mantenga y escurra la clara sobre el tazón. Coloque la yema en el segundo tazón y pase las claras al tercer tazón. Separe los huevos adicionales sobre el tazón vacío para evitar que ningún residuo de yema entre a las claras, ya que de lo contrario no subirán correctamente al batirlas, Si acaso una yema se rompiera, empiece de nuevo con otro huevo.

Usted también puede separar las claras de las yemas; con su mano limpia formando una cuchara, deje correr las claras entre sus dedos sobre uno de los tazones y deposite la yema en otro. Puede utilizar también un separador de huevos, que es un utensilio pequeño en forma de tazón con una depresión para sostener la yema mientras se derrama la clara por una hendidura. Permita que los huevos separados regresen a la temperatura ambiente antes de utilizarlos.

JENGIBRE el jengibre fresco es un rizoma nudoso con piel suave y dorada. Pele primero y después ralle o corte como lo indica cada receta. No sustituya el jengibre en polvo por el fresco.

LIMONES para obtener jugo de limón, gire firmemente contra una superficie dura o entre las palmas de sus manos, para romper algunas de sus membranas internas. Corte el limón a la mitad a lo ancho. Utilice un exprimidor con surcos en sus orillas para extraer el jugo. Mover un tenedor insertado sobre la superficie cortada del limón, hacia atrás y hacia adelante, puede servir de la misma manera. Para la ralladura, de preferencia escoja limones orgánicos y talle muy bien para eliminar los residuos de cera.

MANDOLINA utensilio plano y rectangular ideal para cortar alimentos fácil y rápidamente. Una mandolina generalmente tiene una variedad de navajas suaves y corrugadas que permiten rebanar los alimentos en juliana o tipo waffle. Los alimentos pasan sobre las navajas muy filosas como si fuera un instrumento de cuerda, de ahí surge su nombre. Puede encontrar mandolinas francesas de metal o las asiáticas de plástico. Si el modelo que tiene no incluye una protección para la mano mantenga su mano lo más plana posible y sus dedos lejos de las cuchillas al rebanar.

MANTEQUILLA SIN SAL Muchos cocineros prefieren la mantequilla sin sal por dos razones.

La primera es que la sal adicional puede interferir con el sabor de la receta final y la segunda es que es más probable que esté fresca ya que la sal actúa como conservador, prolongando su vida en anaquel. Si no encuentra mantequilla sin sal, la mantequilla con sal sirve en la mayoría de las recetas, sólo pruebe y ajuste la cantidad total de la receta.

MOLINO DE ALIMENTOS usado para hacer puré o suavizar alimentos cocidos. Este utensilio se asemeja a una olla con base perforada y en el interior con una manija giratoria. Debido a la forma de su manija, ésta gira contra el disco perforado con pequeños agujeros. Mientras la manija se mueve, la cuchilla presiona los alimentos a través de los agujeros. Algunos molinos tienen discos intercambiables con diferentes tamaños de hoyos, mientras que otros tienen discos fijos.

NUEZ MOSCADA Es la semilla café y alargada del árbol de la mirística. Al separarla de la fruta, la nuez moscada está rodeada de una cubierta roja semejante a un encaje que, al retirarse y molerse, es la especia del macis. Cómprela siempre entera y rállela con un rallador especial para nuez moscada o con las raspas finas de un rallador manual cuando las necesite.

PANCETA Es el tocino italiano sin ahumar que resulta de frotar una laja de panza de puerco con especias que puede incluir pimienta, canela, clavos o nebrinas, enrollándolo para formar un cilindro apretado y curándolo por lo menos durante 2 meses.

PAPAS
Russet: También llamada Idaho o para hornear, este tubérculo grande y ovalado tiene piel seca de color café rojiza y una pulpa con almidón que la hace perfecta para hornearse.

Yukon gold: Papa para cualquier uso, de piel amarillo dorado, grano fino y pulpa con sabor a mantequilla. Mantiene su forma cuando se hierve por lo que puede utilizarse de la misma forma que la papa para hervir roja, blanca o de cambray. También es buena para asar.

PASAPURÉS Es un prensador de papas compuesto por una olla pequeña con base perforada y un émbolo en su orilla. El émbolo empuja la papa u otra verdura cocida suave a través de los orificios, dando como resultado granos suaves de verdura parecidos al arroz, los cuales al mezclarse producen un puré muy fino.

PEREJIL Hay dos tipos de perejil comúnmente conocidos: el chino y el de hoja plana o italiano. Este último tiene un sabor más pronunciado y es el adecuado para las recetas de este libro.

PERIFOLLO esta hierba de la temporada primaveral tiene hojas menudas, su sabor es semejante al perejil o al anís. Es un ingrediente agradable para vegetales, ensaladas y sopas.

PIMIENTA DE CAYENA es una especia de chile de cayena y otros chiles rojos muy picantes secos molidos, que puede ser usada en infinidad de platillos para robustecer y añadir fuerza al sabor. Empiece agregando poca cantidad aumentando poco a poco, rectificando la sazón.

POLVO DE CHILE CONTRA CHILE EN POLVO
El polvo de chile puro es el molido de una variedad individual como el Pasilla o Nuevo México ligeramente tostado. El chile en polvo es una combinación o mezcla de varios chiles secos con especias y hierbas, como el comino, ajo, orégano y cilantro que encontramos en las tiendas de autoservicio.

QUESO PARMESANO Busque el auténtico queso italiano firme para rallar, hecho en Emilia-Romagna, ya que su sabor y textura son superiores a cualquier imitación. El Parmesano auténtico tendrá el sello Parmigiano–Reggiano estampado en su orilla. Siempre use Parmesano recién rallado para obtener un mejor sabor.

ROQUEFORT Este queso de leche de borrego originario de Francia es añejado en cuevas de piedra caliza cerca del poblado de Roquefort-sur-Soulzon en la región de los Pirineos. El queso Roquefort es suave y grumoso y tiene un sabor fuerte y limpio.

SARTÉN FREIDORA esta sartén ancha se confunde comúnmente con la sartén para saltear, pero por la diferencia de sus bordes, es más útil para freír alimentos cuando éstos se tienen que escurrir o retirar de la sartén. Tenga a la mano en su cocina una sartén pequeña y otra grande.

SARTÉN PARA SALTEAR Sartén de lados rectos y mango alto con mucho ángulo. Sus lados son bastante altos para que los alimentos puedan voltearse fácilmente sin peligro de derramarse y, por lo general, tienen tapa. La sartén para saltear también es útil para cocinar alimentos a fuego lento o para cualquier receta hecha sobre la estufa que lleve mucho líquido.

ÍNDICE

CORTES DE CARNE

CONTENIDO

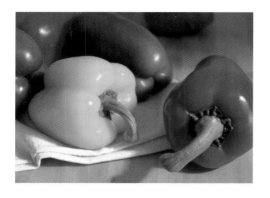

PARRILLADA DE VERANO

COMIDA DE INVIERNO

FIESTAS

ANTES DE COMEZAR

Disfrutar de un suave filete mignon o unas sabrosas chuletas de puerco es uno de los sencillos placeres de la vida, ya sea que ase la carne lentamente con un unto de hierbas, la ase sobre carbón caliente o la saltee rápidamente y la sirva acompañada de una sencilla salsa hecha a la sartén. La gran variedad de recetas para hacer filetes y chuletas que se presentan en este capítulo incluye algo para cualquier ocasión: desde platillos maravillosos para recibir invitados o ideas frescas para una parrillada veraniega, hasta una selección de comidas sencillas para cualquier día de la semana. Un capítulo entero dedicado a recetas para grandes cortes de carne preparada en chuletas tales como el costillar de puerco, seguramente serán útiles para sus fiestas o celebraciones más grandes en cualquier época del año.

A menudo sólo se requiere de unos cuantos minutos para preparar filete o chuletas, pero usted puede resaltar lo mejor de cada corte de carne si usa el método indicado además de ciertas habilidades específicas como son: el saber el punto de cocción o la forma de cortar un trozo grande de carne. Si desea más información vea la sección de temas básicos que se presenta al final del capítulo, en la cual usted encontrará todo lo que necesita saber. Estoy seguro de que usted volverá a hacer las maravillosas recetas de este capítulo una y otra vez.

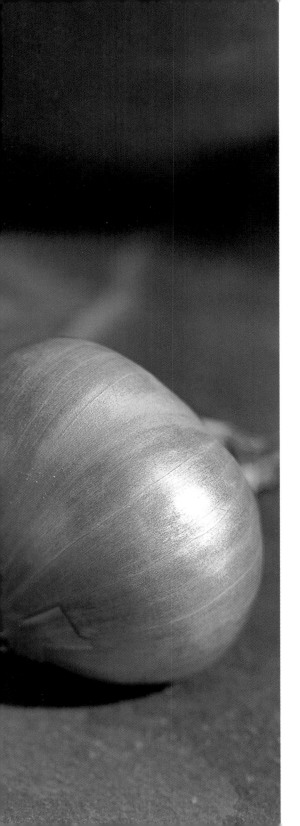

LAS CLÁSICAS

Cuando se piensa en cortes de carne algunas preparaciones clásicas aparecen inmediatamente en nuestra mente. Algunos de los platillos favoritos como son: el filete mignon acompañado de una deliciosa salsa de crema de Cognac, un jugoso filete a la pimienta o unas suaves chuletas de cordero con menta son sólo algunas de las recetas que crean un platillo principal para cualquier ocasión.

FILETE MIGNON CON SALSA DE CREMA DE COGNAC

REVISANDO EL TÉRMINO

La forma más sencilla de revisar el término de la carne o pollo es insertando un termómetro de lectura instantánea en la parte más gruesa de la carne lejos del hueso. También se puede hacer un corte en la carne para revisar que tan rosado está su interior, aunque este método tiene la desventaja de dañar un corte perfecto de carne. Otro truco usado en los filetes o chuletas es presionar la superficie con su dedo y comparar con la presión del músculo de la base con su pulgar con su puño cerrado. Se sentirán prácticamente igual cuando la carne tenga el término medio crudo. Para más detalles sobre cómo revisar el término, vaya a la página 109.

Para hacer el unto, mezcle en un tazón pequeño la páprika con el ajo en polvo, mostaza, romero, sal y pimienta negra. Espolvoree el unto sobre la carne reservando una cucharada. Deje reposar los filetes a temperatura ambiente por lo menos durante 15 minutos o hasta por una hora o tape y refrigere durante toda la noche. Deje reposar a temperatura ambiente, si fuera necesario, antes de cocinarlos.

En una sartén grande y gruesa sobre calor medio-alto caliente el aceite de oliva. Agregue los filetes y cocine 3 ó 5 minutos de cada lado, hasta obtener el término deseado, volteándolos una vez. Revise la cocción usando un termómetro de lectura instantánea o haciendo un corte en la carne. Retire los filetes del fuego cuando estén rojos en el centro si los desea término rojo (49ºC/120ºF) o rosa fuerte en el centro si los desea término medio rojo (54ºC/130ºF). Pase los filetes a un platón y deje reposar, tapando holgadamente con papel aluminio, mientras hace la salsa a la sartén.

Para hacer la salsa, derrita la mantequilla en la misma sartén sobre calor medio. Agregue el chalote y el perejil y saltee 2 ó 3 minutos, hasta que el chalote esté suave. Retire la sartén del fuego y agregue el Cognac. Vuelva a colocar brevemente sobre el fuego para calentarlo; retírelo del fuego una vez más y encienda el Cognac usando un cerillo largo de cocina, asegurándose de que el extractor esté apagado y cuidando sus ojos. Tenga a la mano una tapa por si tiene que apagar la flama. Cuando la flama se haya apagado, vuelva a colocar la sartén sobre fuego alto y agregue, batiendo, la mostaza, pasta o puré de jitomate, la cucharada de unto reservada y el caldo de res. Cocine durante 4 ó 5 minutos batiendo a menudo para reducir la salsa a la mitad. Retire la sartén del fuego y añada, batiendo, la crema y cayena al gusto. Agregue el jugo acumulado de los filetes. Sazone al gusto con sal y pimienta negra.

Para servir, agregue una buena cantidad de salsa sobre los filetes y sirva de inmediato. Acompañe a la mesa con más salsa.

RINDE 4 PORCIONES

PARA EL UNTO:

1 cucharada de páprika y la misma cantidad de ajo en polvo, mostaza en polvo y romero seco

1 ½ cucharadita de sal

1 cucharadita de pimienta negra recién molida

4 filetes mignon de 4 cm (1 ½ in) de grueso

1 cucharada de aceite de oliva

PARA LA SALSA:

1 cucharada de mantequilla sin sal

1 chalote, finamente picado

2 cucharadas de perejil liso (italiano) fresco, finamente picado

2 cucharadas de Cognac

1 cucharada de mostaza Dijon

2 cucharadas de pasta o puré de jitomate

1 taza (250 ml/8 fl oz) de caldo de res (página 110)

½ taza (125 ml/4 fl oz) de crema espesa (doble)

Pimienta de cayena

Sal y pimienta negra recién molida

FILETE A LA PIMIENTA CON SALSA DE VINO TINTO A LA SARTÉN

4 filetes de sirloin de res sin hueso de por lo menos 2.5 cm (1 in) de grueso, sin demasiada grasa

Sal

1 cucharada de granos de pimienta negra, molidos

1 cucharada de aceite de oliva

PARA LA SALSA A LA SARTÉN:

1 cucharada de mantequilla sin sal

1/2 cebolla morada, finamente picada

1 diente de ajo, finamente picado

1/2 taza (125 ml/4 fl oz) de vino tinto seco

1 taza (250 ml/8 fl oz) de caldo de res (página 110) o consomé preparado, más el necesario

1 cucharada de pasta o puré de jitomate

1 cucharada de fécula de maíz (maicena) diluida en 2 cucharadas de agua

2 cucharadas de perejil liso (italiano) fresco, picado

Sal y pimienta recién molida

Haga uno o dos cortes en las orillas de los filetes para evitar que se enrollen. Espolvoree generosamente con sal y pimienta molida por todos lados, presionando la pimienta sobre la superficie de la carne. Deje reposar los filetes a temperatura ambiente por lo menos durante 15 minutos o hasta por una hora antes de cocinarlos.

En una sartén grande sobre fuego medio-alto caliente el aceite de oliva. Agregue los filetes y cocine entre 3 y 5 minutos de cada lado, hasta obtener el término deseado, volteándolos una sola vez. Revise la cocción usando un termómetro de lectura instantánea o haciendo un corte en la carne. Retire los filetes del fuego cuando estén rojos en el centro si los desea término rojo (49ºC/120ºF) o rosa fuerte en el centro si los desea término medio rojo (54ºC/130ºF). Páselos a un platón y deje reposar, tapándolos holgadamente con papel aluminio, mientras hace la salsa a la sartén.

Para hacer la salsa a la sartén, derrita la mantequilla en la misma sartén sobre calor medio-alto. Agregue la cebolla y el ajo y saltee de 3 a 5 minutos, hasta que la cebolla esté suave. Agregue el vino y el caldo; hierva 4 ó 5 minutos, hasta que se reduzca a la mitad. Reduzca el fuego a medio, integre la pasta o puré de jitomate y la mezcla de fécula de maíz y hierva a fuego lento 3 ó 5 minutos, batiendo de vez en cuando, hasta que espese ligeramente. Agregue más caldo si la salsa está demasiado espesa. Incorpore el perejil y sazone al gusto con sal y pimienta.

Para servir, usando una cuchara coloque una buena cantidad de salsa sobre los filetes y sirva de inmediato. Acompañe a la mesa con más salsa.

RINDE 4 PORCIONES

HACIENDO SALSAS A LA SARTÉN

Para hacer una salsa en la sartén que acaba de usar para cocinar carne, primero agregue un poco de aceite de oliva y saltee ajo o chalote finamente picado. Después integre vino, caldo o algún otro líquido para desglasar la sartén, raspando los pequeños trozos dorados de la base. A continuación integre los sazonadores como hierbas, mostaza, pasta o puré de jitomate, salsa inglesa o salsa de soya. Espese la salsa reduciéndola sobre calor alto o agregándole un poco de fécula de maíz mezclada con agua y cocinándola durante unos minutos más. Si desea una salsa más sustanciosa, incorpore 2 cucharadas de crema espesa (doble) o mantequilla sin sal refrigerada al final.

FILETES DE COSTILLA ASADOS CON ESPÁRRAGOS

Para hacer el unto de hierbas, mezcle en un tazón pequeño la páprika con el ajo en polvo, tomillo, sal y pimienta. Haga 2 ó 3 cortes en la orilla de los filetes para evitar que se enrollen. Frote la mezcla sobre toda la carne y deje reposar a temperatura ambiente por lo menos durante 15 minutos o hasta por una hora o tape y refrigere durante toda la noche. Deje reposar a temperatura ambiente, si fuera necesario, antes de asarla.

Prepare un asador de carbón o gas para asar directamente sobre calor medio-alto (página 106). Ase los filetes al término deseado, 3 ó 5 minutos de cada lado, volteándolos una sola vez. (Páselos a la zona menos caliente del asador si aparecen flamas.) Revise la cocción usando un termómetro de lectura instantánea o haciendo un corte en la carne. Retire los filetes del fuego cuando estén rojos en el centro si las desea término rojo (49ºC/120ºF) o rosa fuerte en el centro para término medio rojo (54ºC/130ºF). Pase los filetes a un platón y deje reposar durante 5 minutos, tapándolos holgadamente con papel aluminio, antes de servirlos.

Mientras tanto, desprenda o corte las puntas duras de los espárragos. En un tazón pequeño, bata el aceite de oliva con la salsa de soya, mostaza, jugo de limón y aceite de chile picante al gusto. Barnice los espárragos ligeramente con la mezcla de salsa de soya y áselos 4 ó 5 minutos sobre calor medio-alto, volteándolos a menudo y barnizándolos ocasionalmente con más mezcla de salsa de soya, hasta que estén suaves pero crujientes. Páselos a un platón y báñelos con la mezcla de salsa de soya sobrante.

Sirva a cada comensal un filete acompañado de espárragos y una porción de rodajas de papa, si lo desea.

RINDE 4 PORCIONES

UNTOS Y PASTAS

Las mezclas de hierbas frescas o secas, ajo, sal y pimienta proporcionan un maravilloso sabor cuando se frotan sobre costillas, filetes y trozos de carne antes de cocinarlos. También puede hacer un unto húmedo o pasta al combinar los mismos ingredientes con aceite de oliva y/o un poco de jugo de limón. En esta receta se puede sustituir el tomillo por estragón, orégano u otras hierbas. Los untos y pastas de hierbas a menudo incluyen chiles (frescos o secos), mostaza, salsa de soya o jengibre fresco picado. Una vez que haya frotado una carne con un unto o pasta, déjela reposar por lo menos durante 15 minutos o hasta por una hora antes de cocinarla.

PARA EL UNTO DE HIERBAS:

1 cucharada de páprika

1 cucharada de ajo en polvo

2 cucharadas de tomillo fresco picado o 1 cucharada de tomillo seco

2 cucharaditas de sal

1 cucharadita de pimienta recién molida

4 filetes de costilla de por lo menos 4 cm (1 ¹/₂ in) de grueso, sin demasiada grasa

500 g (1 lb) de espárragos gruesos

2 cucharadas de aceite de oliva

1 cucharada de salsa de soya

1 cucharada de mostaza Dijon

1 cucharada de jugo de limón fresco

1 ó 2 chorritos de aceite asiático de chile picante

Rodajas de papa, para acompañar (página 110) (opcional)

CHULETAS DE PUERCO RELLENAS CON SALSA DE JEREZ

4 chuletas de puerco con hueso de 5 cm (2 in) de grueso, sin demasiada grasa

Sal y pimienta recién molida

4 cucharadas (60 ml/2 fl oz) de aceite de oliva

1 cebolla amarilla o blanca, finamente picada

2 dientes de ajo, finamente picados

1 tallo de apio, finamente picado

1 cucharadita de salvia seca

1 taza (125 g/4 oz) de migas de pan seco

2 cucharadas de perejil liso (italiano) fresco, picado

1 cucharada de jerez, más el necesario

PARA LA SALSA:

1 taza (250 ml/8 fl oz) de caldo de pollo o de res (página 110) o consomé preparado

1 cucharada de fécula de maíz (maicena)

¼ taza (60 ml/2 fl oz) de jerez

Sal y pimienta recién molida

Usando un cuchillo filoso corte horizontalmente una bolsa grande en cada chuleta, rebanando lo suficiente para tocar el hueso. Espolvoree las chuletas generosamente con sal y pimienta, incluyendo el interior de la bolsa.

Precaliente el horno a 180ºC (350ºF).

En una sartén grande sobre calor medio caliente 2 cucharadas del aceite de oliva. Agregue la cebolla, ajo, apio y salvia y saltee 3 ó 5 minutos, hasta que la cebolla esté suave. Incorpore las migas de pan y el perejil y sazone al gusto con sal y pimienta. Rocíe la mezcla de migas de pan con una cucharada de jerez y mezcle. Agregue más jerez si fuera necesario de modo que todos los ingredientes estén húmedos. Llene la bolsa de cada chuleta con una cuarta parte del relleno. Cierre las bolsas con palillos de madera o pinchos para brocheta.

En una sartén grande que pueda meter al horno o una olla gruesa con tapa sobre calor medio-alto caliente las 2 cucharadas restantes de aceite de oliva. Cuando el aceite esté caliente, agregue las chuletas y dore durante 3 ó 4 minutos sobre cada lado, volteándolas cuidadosamente. Tape, pase al horno y cocine 12 ó 15 minutos o más, hasta que la carne esté de color rosa claro cerca del hueso y un termómetro de lectura instantánea insertado lejos del hueso registre 63ºC (145ºF). Pase las chuletas a un platón y deje reposar, tapándolas holgadamente con papel aluminio.

Para hacer la salsa, vuelva a colocar la sartén sobre fuego medio-alto. Agregue el caldo de pollo y desglase la sartén, raspando los pequeños trozos dorados de la base con una cuchara de madera. Hierva y cocine hasta que se reduzca a la mitad. Mezcle la fécula de maíz con el jerez y agregue a la sartén, sazone con sal y pimienta y cocine 2 ó 3 minutos más, moviendo hasta que espese.

Pase las chuletas a platos individuales y sirva con la salsa de jerez caliente.

RINDE 4 PORCIONES

JEREZ
Una especialidad del sudoeste de España, el jerez es un vino fortificado hecho de uva Palomino. El jerez viene en ocho diferentes variedades, distinguiéndose por su color, sabor, dulzura y contenido alcohólico. Los más conocidos de ellos son: el *fino* seco de color dorado claro; la *manzanilla* muy claro y muy seco; el *amontillado*, más oscuro, ligeramente anuezado y seco o medio seco; y el de color caoba o crema de jerez dulce. Para esta receta use un económico *amontillado* semiseco o un fino seco. (No use ninguno etiquetado como "jerez para cocinar" ya que por lo general es vino de baja calidad sazonado con sal y preservativos.)

CHULETAS DE CORDERO ASADAS CON PESTO DE MENTA Y MASCARPONE

Haga 2 ó 3 cortes en la orilla de las chuletas para evitar que se enrollen. Sazone generosamente con sal y pimienta y deje reposar a temperatura ambiente mientras hace el pesto.

Para hacer el pesto, mezcle en una licuadora o procesador de alimentos la menta o hierbabuena con el mascarpone, piñones y jugo de limón y procese hasta que la menta o hierbabuena esté picada toscamente. Con el motor encendido, integre $^1/_4$ taza (60 ml/2 fl oz) de aceite de oliva y procese hasta que se forme una pasta ligera. Agregue un poco más de aceite si fuera necesario para obtener la consistencia deseada. Sazone al gusto con sal y pimienta. Refrigere mientras asa las chuletas.

Prepare un asador de carbón o gas para asar directamente sobre calor medio-alto (página 106). Ase las chuletas durante 3 ó 5 minutos de cada lado, hasta obtener el término deseado (páselas a la zona menos caliente del asador si aparecen flamas). Revise la cocción insertando un termómetro de lectura instantánea alejado del hueso o haciendo un corte en la carne cerca del hueso. Retire las chuletas del asador cuando aún estén bastante rosadas cerca del hueso si las desea término medio rojo (54ºC/130ºF). Pase las chuletas a un platón y tape holgadamente con papel aluminio hasta el momento de servir.

Agregue cucharadas de pesto sobre platos individuales y apile 2 chuletas, una sobre la otra, sobre el pesto. Adorne con las ramas de menta o hierbabuena y sirva.

RINDE 4 PORCIONES

MENTA FRESCA
La familia de la menta incluye cientos de especies, pero la variedad más común usada en la cocina es la menta verde, la cual se ha convertido en una de las hierbas favoritas de los cocineros de Norteamérica en los años recientes. El aroma intenso de la menta agrega un sabor complejo a las salsas y se puede combinar con orégano, tomillo, romero y otras hierbas en untos y marinadas. La menta fresca se cultiva fácilmente y se puede encontrar por lo general en la sección de frutas y verduras de la mayoría de los mercados.

8 chuletas de lomo o costilla de cordero de por lo menos 2.5 cm (1 in) de grueso, sin demasiada grasa

Sal y pimienta recién molida

PARA EL PESTO:

3 tazas compactas (90 g/3 oz) de hojas de menta o hierbabuena fresca

3 cucharadas de queso mascarpone

1 cucharada de piñones, tostados (página 114)

Jugo de 1 limón

$^1/_4$ taza (60 ml/2 fl oz) de aceite de oliva, más el necesario

Ramas de menta o hierbabuena fresca, para adornar

CHULETAS DE TERNERA ASADAS CON ESTRAGÓN

PARA LA PASTA DE HIERBAS:

2 cucharadas de estragón fresco picado o 1 cucharada de estragón seco

2 ó 3 dientes de ajo, finamente picados

1 ½ cucharadita de sal

1 cucharadita de pimienta recién molida

1 cucharada de aceite de oliva, más el necesario

4 chuletas de lomo de ternera grandes, de por lo menos 2.5 cm (1 in) de grueso, sin demasiada grasa

Rebanadas de limón, para adornar

Ramas de estragón fresco, para adornar

Para hacer la pasta de hierbas, mezcle en un tazón pequeño el estragón picado con ajo al gusto, sal, pimienta y una cucharada de aceite de oliva. Mezcle para hacer una pasta espesa. Agregue un poco más de aceite de oliva si fuera necesario.

Haga 1 ó 2 cortes en la orilla de las chuletas para evitar que se enrollen. Unte ambos lados de las chuletas generosamente con la pasta de hierbas y deje reposar a temperatura ambiente por lo menos durante 15 minutos o hasta por una hora, o tape y refrigere durante toda la noche. Deje reposar a temperatura ambiente, si fuera necesario, antes de asarlas.

Prepare un asador de carbón o gas para asar directamente sobre calor medio-alto (página 106). Ase las chuletas 3 ó 5 minutos de cada lado, hasta que se doren y se marquen las líneas de la parrilla. Rectifique la cocción insertando un termómetro de lectura instantánea lejos del hueso o haciendo un corte en la carne cerca del hueso. Retire las chuletas del asador justo antes de que la carne esté lista, cuando el centro esté de color rosado y la temperatura sea de 63ºC (145ºF). Pase las chuletas a un platón y deje reposar, tapando holgadamente con papel aluminio, durante 5 ó 6 minutos antes de servirlas (la ternera seguirá cociéndose mientras reposa).

Adorne las chuletas con rebanadas de limón real o italiano y ramas de estragón y sirva una chuleta a cada comensal.

RINDE 4 PORCIONES

MARCANDO LA PARRILLA

Dejar las marcas de la parrilla sobre la carne es fácil de hacer en casa. Limpie y engrase la parrilla y prepárela para asar directamente sobre calor medio-alto. Coloque la carne sobre el asador y selle durante 2 ó 3 minutos. No retire la carne a menos de que aparezcan flamas. Voltee la carne y ase durante otros 2 ó 3 minutos. Voltee la carne una vez más, rotándola 90 grados para hacer marcas en forma de cuadros y ase durante 2 ó 3 minutos más. Voltee y ase en la misma posición durante 2 ó 3 minutos más. Si la carne necesita cocinarse durante más tiempo, pase a la parte más fría del asador y cocine, tapándola, hasta obtener el término deseado.

CHATEAUBRIAND CON SALSA BERNESA

COCINANDO FILETES
GRUESOS

Los filetes más gruesos de 5 cm
(2 in) como el chateaubriand
necesitan atención especial. Con
estos cortes gruesos de carne
suave, el objetivo es cocinar el
interior sin quemar el exterior.
Primero, selle el filete por ambos
lados en una sartén gruesa
creando así una apetitosa
superficie dorada y
posteriormente áselo en un
horno precalentado a 200°C ó
230°C (400°F ó 450°F). O, si usa
un asador, apile el carbón en un
lado para hacer un fuego
bastante caliente en una zona y
menos caliente en otra. Selle el
filete por ambos lados sobre la
zona más caliente y
posteriormente páselo a la zona
menos caliente y cocine, tapado,
hasta que esté listo.

Para hacer el unto de hierbas, mezcle en un tazón pequeño el tomillo con la páprika, ajo en polvo, pimienta con limón y sal. Unte la carne con una cucharada de aceite de oliva. Espolvoree el unto de hierbas sobre la carne. Deje reposar a temperatura ambiente por lo menos durante 15 minutos o hasta por una hora antes de cocinar.

Precaliente el horno a 200°C (400°F).

Cubra la base de una sartén grande y gruesa con la cucharada restante de aceite de oliva y caliente sobre calor alto. Agregue el filete y selle por ambos lados durante 3 ó 5 minutos en total, hasta que esté dorado. Pase la sartén al horno y ase 10 ó 20 minutos más, hasta obtener el término deseado. Revise la cocción usando un termómetro de lectura instantánea o haciendo un corte en la carne. Retire el filete del horno cuando esté rojo en el centro si lo desea término rojo (49°C/120°F) o rosa oscuro en el centro para término medio rojo (54°C/130°F). Pase a una tabla de picado y deje reposar, tapando holgadamente con papel aluminio, mientras hace la salsa.

Para hacer la salsa, mezcle el vino con el vinagre, chalote, estragón y $1/2$ cucharadita de pimienta en una sartén pequeña y hierva. Cocine durante 3 ó 5 minutos, hasta que se reduzca a dos terceras partes. Pase a un tazón refractario, integre el jugo de limón y deje enfriar. Coloque el tazón con la mezcla de vino reducida sobre una sartén con agua hirviendo a fuego lento (pero sin tocar el agua). Bata las yemas de huevo e integre a la mezcla de vino. Caliente ligeramente sobre el agua caliente durante 2 ó 3 minutos, sin dejar de batir, hasta que la mezcla empiece a espesar. Retire del fuego e incorpore la mantequilla, batiendo, hasta obtener una salsa espesa. Si se ve demasiado aguada, vuelva a colocar el refractario sobre el agua caliente y, sin dejar de batir, caliente ligeramente hasta que espese. Sazone al gusto con sal y pimienta.

Corte el filete en rebanadas gruesas en diagonal al grano y pase la salsa a una salsera. Sirva con una porción de papas asadas.

RINDE 4 PORCIONES

PARA EL UNTO DE HIERBAS:

1 $1/2$ cucharadita de tomillo seco y la misma cantidad de páprika y ajo en polvo

$1/2$ cucharadita de pimienta con limón (página 98)

$3/4$ cucharadita de sal

1 top sirloin o filete de res de aproximadamente 1 kg (2 lb) y por lo menos 5 cm (2 in) de grueso, sin demasiada grasa

2 cucharadas de aceite de oliva

PARA LA SALSA BERNESA:

$1/2$ taza (125 ml/4 oz) de vino blanco seco

1 cucharada de vinagre de vino blanco

1 cucharada de chalote, finamente picado

2 cucharadas de estragón recién picado o 1 cucharada de estragón seco

Sal y pimienta molida

Jugo de $1/2$ limón

3 yemas de huevo, ligeramente batidas

$1/2$ taza (125 g/4 oz) de mantequilla sin sal, derretida

Papas asadas, para acompañar (página 111)

FILETE DE T-BONE CON JITOMATES ASADOS A LA ROQUEFORT

FILETES SUAVES
Los filetes más suaves y sabrosos vienen del lomo corto a lo largo del torso del buey. Estos incluyen el lomo o filete de res, un músculo largo y suave que corre a lo largo de la espina dorsal; el filete New York se corta del músculo más grande del lomo; el porterhouse incluye el lomo y un trozo grande de filete; y el T-bone es muy parecido al porterhouse, pero con un filete más pequeño. Los filetes como el filete mignon y el chateaubriand son piezas sin hueso que se cortan del lomo.

Para preparar los filetes, corte el exceso de grasa y haga 2 ó 3 cortes en la orilla para evitar que se enrollen. Barnice la carne con el aceite de oliva y frote el ajo machacado por todos lados. Espolvoree los filetes generosamente con sal y pimienta. Deje reposar a temperatura ambiente por lo menos durante 15 minutos o hasta por una hora o tape y refrigere durante toda la noche. Deje reposar a temperatura ambiente por lo menos durante 45 minutos antes de asarla.

Precaliente el horno a 200ºC (400ºF) y, si lo desea, prepare un asador para asar directamente sobre calor medio-alto (página 106). (Puede usar el asador de su horno en lugar de un asador.)

Para hacer los jitomates asados, descorazone los jitomates con un pequeño cuchillo filoso. Usando una cuchara grande, retire aproximadamente una cucharada de la pulpa de cada jitomate y deseche. En un tazón mezcle el queso roquefort con el panko. Coloque 1 ó 2 rebanadas de ajo en cada cavidad de jitomate y agregue cucharadas de la mezcla de queso. Rocíe con el aceite de oliva. Coloque los jitomates en una sartén para asar y ase en el horno durante 5 ó 7 minutos, hasta que el queso se derrita y las migas de pan se empiecen a dorar.

Para hacer las espinacas a la crema, lave las hojas de espinaca sumergiéndolas en varios cambios de agua fría. Coloque la espinaca en una olla sobre calor medio-alto sólo con el agua que quedó en las hojas. Cocine tapando, cerca de 5 minutos, hasta que la espinaca se haya marchitado. Escurra en un colador presionando la espinaca con el revés de una cuchara para retirar el exceso de humedad. Pase la espinaca a una tabla de picar, pique finamente y reserve.

En una olla grande sobre calor medio derrita la mantequilla. Agregue la cebolla picada y saltee 3 ó 4 minutos, hasta que esté traslúcida. Integre lentamente la harina con una cuchara de madera para hacer un roux. Cocine, moviendo, durante un minuto. Incorpore, batiendo, la crema y continúe cocinando 3 ó 4 minutos, hasta que la mezcla se haya espesado. Agregue la nuez moscada y mezcle. Añada la espinaca picada y cocine 3 ó 4 minutos más, moviendo, hasta que la salsa y la

4 filetes de T-bone de por lo menos 4 cm (1 ¹/₂ in) de grueso

1 cucharada de aceite de oliva

4 dientes de ajo, machacados

Sal y pimienta molida

PARA LOS JITOMATES:
4 jitomates grandes

¹/₂ taza (60 g/2 oz) de queso Roquefort u otro queso azul, desmoronado

¹/₂ taza (60 g/2 oz) de panko u otras migas de pan seco (página 34)

1 diente de ajo, rebanado

1 cucharada de aceite de oliva

PARA LA ESPINACA A LA CREMA:
500 g (1 lb) de espinaca fresca, sin tallos duros

2 cucharadas de mantequilla

2 cucharadas de cebolla o chalote, finamente picado

2 cucharadas de harina de trigo (simple)

1 taza (250 ml/8 fl oz) de crema espesa (doble)

¹/₄ cucharadita de nuez moscada, recién molida

142

espinaca se integren y se calienten por completo. Sazone al gusto con sal y pimienta.

Coloque los filetes sazonados sobre el asador preparado o en el asador de su horno y cocine 3 ó 5 minutos por cada lado, hasta obtener el término deseado (si aparecen flamas, pase a la zona menos caliente del asador o a la que esté más separada de la fuente de calor del asador). Revise la cocción usando un termómetro de lectura instantánea o haciendo un corte en la carne. Retire los filetes del calor cuando estén rojos en el centro para término rojo (49°C/120°F) o rosa fuerte en el centro para término medio rojo (54°C/130°F). Pase los filetes a un platón tapándolos holgadamente con papel aluminio y deje reposar durante 5 minutos antes de servir.

Acomode cada filete sobre un plato individual acompañando con un jitomate asado y una cucharada de espinaca a la crema y sirva.

RINDE 4 PORCIONES

(La fotografía aparece en la siguiente página.)

ROQUEFORT Y OTROS QUESOS AZULES

Cerca del poblado de Roquefort, al sur de Francia, hay unas cuevas antiguas en donde se añeja el mundialmente famoso queso Roquefort. Un moho azul, el Penicillium roqueforti, sobrevive en esa atmósfera fría y húmeda. La misma especie de moho ahora se usa en todo el mundo para hacer quesos azules como el Stilton en Inglaterra; el Gorgonzola en Italia; y el Wisconsin azul, el Maytag azul y otros en los Estados Unidos.

PLATILLOS RÁPIDOS PARA LA SEMANA

Una gran ventaja de los cortes de carne es que a menudo son rápidos y fáciles de preparar, justo lo adecuado para la cena de algún día de la semana. Pero rápido no forzosamente significa insípido o rutinario. Experimente cubriendo filetes New York con mantequilla de queso azul o chuletas de cordero con tapenade, sabrosos acompañamientos que se pueden hacer con anticipación.

TIRAS DE FILETE NEW YORK CON MANTEQUILLA DE QUESO AZUL

MANTEQUILLAS COMPUESTAS
Las mantequillas compuestas o sazonadas son una forma sencilla de agregar sabor y sofisticación a las carnes asadas o a la parrilla. Para hacer mantequilla de hierbas y ajo: mezcle ½ taza (125 g/4 oz) de mantequilla suavizada; 1 cucharadita de tomillo fresco finamente picado, ½ cucharadita de romero fresco finamente picado y 1 cabeza de ajo asado (página 111). Para hacer mantequilla de mostaza y whiskey bourbon: mezcle ½ taza de mantequilla suavizada, 2 cucharadas de mostaza Dijon y 1 cucharada de whiskey bourbon. Haga rollos con la mantequilla sobre papel encerado (para hornear), gire las orillas para cerrar herméticamente y refrigere antes de rebanar.

Haga 2 ó 3 cortes en las orillas de los filetes para evitar que se enrolle. En un tazón pequeño mezcle el ajo en polvo con el tomillo y espolvoree sobre los filetes. Espolvoree generosamente con sal y pimienta. Deje reposar los filetes a temperatura ambiente por lo menos durante 15 minutos o hasta por una hora antes de cocinarlos.

Precaliente el asador del horno o prepare un asador de gas o carbón para asar directamente sobre calor medio-alto (página 106).

En un tazón mezcle la mantequilla con el queso. Pase la mezcla a una hoja de papel encerado para hornear y enrolle para darle forma de rollo. Gire las puntas del papel cerrando herméticamente y refrigere la mantequilla compuesta mientras cocina los filetes.

Ase los filetes durante 3 ó 5 minutos de cada lado hasta obtener el término deseado. (Si aparecen flamas retire los filetes del asador o colóquelos en la zona menos caliente del mismo.) Revise la cocción usando un termómetro de lectura instantánea o haga un corte en la carne. Retire los filetes del fuego cuando estén de color rojo oscuro en el centro para término rojo (49°C/120°F) o rosa oscuro en el centro para término medio rojo (54°C/130°F). Pase la carne a un platón, tápela holgadamente con papel aluminio y deje reposar durante 5 minutos antes de servirla.

Sirva con 1 ó 2 trozos de la mantequilla de queso azul sobre cada filete.

RINDE 4 PORCIONES

4 tiras de filetes New York de por lo menos 4 cm (1 ½ in) de grueso, sin demasiada grasa

1 cucharada de ajo en polvo

2 cucharaditas de tomillo seco

Sal y pimienta recién molida

½ taza (125 g/4 oz) de mantequilla sin sal, a temperatura ambiente

¼ taza (30 g/1 oz) de queso azul, desmoronado

ASADO LONDINENSE CON MARINADA DE VINO TINTO

1 arrachera de aproximadamente 1 kg (2 lb), sin demasiada grasa y sin piel de plata

PARA LA MARINADA:

1 taza (250 ml/8 fl oz) de vino tinto seco

2 cucharadas de vinagre balsámico

¹/₄ taza (30 g/1 oz) de cebolla amarilla o blanca, picada

2 cucharadas de aceite de oliva

1 cucharada de salsa inglesa

2 dientes de ajo, finamente picados

2 cucharaditas de tomillo fresco finamente picado o 1 cucharadita de tomillo seco

2 hojas de laurel

2 cucharaditas de sal

1 cucharadita de pimienta recién molida

Corte el filete en contra del grano en 2 ó 3 lugares de ambos lados para evitar que se enrolle y colóquelo en un plato poco profundo de material no reactivo o dentro de una bolsa de plástico con cierre hermético.

Para hacer la marinada: mezcle en un tazón el vino, vinagre, cebolla, aceite de oliva, salsa inglesa, ajo, tomillo, hojas de laurel, sal y pimienta. Vierta la marinada sobre el filete. Tape el tazón o selle la bolsa y deje reposar la marinada a temperatura ambiente, volteando la carne ocasionalmente, por lo menos durante 15 minutos o hasta por una hora o refrigere durante toda la noche. Retire el filete de la marinada, seque con toallas de papel y deje reposar a temperatura ambiente, si fuera necesario, antes de cocinarlo.

Precaliente el asador de su horno o prepare un asador de gas o carbón para asar directamente sobre fuego medio-alto (página 106).

Ase el filete durante 3 ó 5 minutos de cada lado hasta obtener el término deseado. (Si aparecen flamas retire el filete lejos de la flama del asador o en la zona menos caliente del asador). Revise la cocción usando un termómetro de lectura instantánea o haciendo un corte en la carne. Retire el filete del fuego cuando esté rojo en el centro si lo desea término rojo (49ºC/120ºF) o rosa oscuro en el centro para término medio rojo (54ºC/130ºF). Pase el filete a una tabla de picado y deje reposar durante 5 minutos, tapándolo holgadamente con papel aluminio, antes de servir.

Corte la carne en rebanadas delgadas en diagonal al grano y sirva.

RINDE 4 PORCIONES

MARINADAS

Aunque las marinadas pueden ayudar a mantener las carnes jugosas y suaves mientras se cocinan, su función más importante es agregar sabor. Entre más tiempo deje los alimentos en una marinada, los sabores penetrarán más. Cubra los filetes o chuletas con la marinada, volteándolos una o dos veces y déjelos reposar hasta una hora a temperatura ambiente o durante toda la noche dentro del refrigerador. Si usted usa una marinada ácida como la de esta receta, tenga cuidado de no marinar las carnes suaves como el lomo de puerco o los filetes durante más de 2 horas pues se pueden hacer muy blandos.

PICCATA DE TERNERA

MIGAS DE PAN
Cuando empanice alimentos para hacer una corteza crujiente, es mejor usar migas de pan seco. Para hacerlas en casa, coloque rebanadas de pan duro en el horno a temperatura baja (95ºC/200ºF) aproximadamente durante una hora o más, hasta que se sequen pero no se doren. Deje enfriar, rállelas con un rallador manual o muélalas en un procesador de alimentos hasta obtener la consistencia deseada. Muchos chefs prefieren usar las migas japonesas de pan seco llamadas panko, las cuales proporcionan una uniforme corteza crujiente.

Precaliente el horno a 65ºC (150ºF) y coloque un refractario grande dentro de él.

Coloque la ternera entre 2 trozos de papel encerado (para hornear) o plástico adherente. Usando un mazo de carnicero o un rodillo aplane la ternera hasta obtener un grosor uniforme de aproximadamente 6 mm (¼ in). En un tazón poco profundo o un plato profundo mezcle la harina, 1 cucharadita de sal y 1 cucharadita de pimienta. En otro tazón o plato bata ligeramente los huevos con unas cuantas gotas de agua. Coloque las migas de pan en un tercer tazón o plato. Reboce ambos lados de los trozos de ternera en la harina sazonada, posteriormente remoje cada trozo en los huevos batidos y por último cubra perfectamente ambos lados con las migas de pan. Coloque la ternera empanizada en rejillas o platos.

En una sartén grande y gruesa sobre calor medio-alto caliente el aceite de oliva. Agregue los trozos de ternera, en tandas si fuera necesario para evitar amontonamientos, y fría cerca de un minuto de cada lado, hasta que se doren. Retire cada trozo de la sartén conforme esté listo y pase al refractario que colocó en el horno para mantenerlos calientes.

Cuando toda la ternera esté cocida, retire el aceite de la sartén reservando únicamente una cucharada. Agregue el vino y desglase la sartén, raspando los pequeños trozos dorados de su base. Agregue el caldo, jugo de limón y alcaparras. Hierva y cocine cerca de 5 minutos, moviendo a menudo, hasta que la salsa se haya reducido a la mitad.

Pase las milanesas de ternera a platos individuales y sirva con la salsa a la sartén.

RINDE 4 PORCIONES

8 ó 10 milanesas de ternera, aproximadamente 750 g (1 ½ lb) en total

1 taza (155 g/5 oz) de harina de trigo (simple)

Sal y pimienta recién molida

2 huevos

1 taza (125 g/4 oz) de migas de pan seco

3 cucharadas de aceite de oliva

½ taza (125 ml/4 fl oz) de vino blanco seco

½ taza (125 ml/ 4 fl oz) de caldo de pollo (página 110) o consomé preparado

Jugo de 1 limón

1 cucharada de alcaparras, enjuagadas y escurridas

CHULETAS DE CORDERO CON TAPENADE

8 chuletas dobles de lomo o costilla de cordero, sin demasiada grasa

Sal y pimienta recién molida

PARA LA TAPENADE:

2 tazas (315 g/10 oz) de aceitunas kalamata, sin hueso

1 taza (155 g/5 oz) de aceitunas verdes, sin hueso

4 dientes de ajo, machacados

2 limones, su ralladura y jugo

2 cucharadas de perejil liso (italiano) fresco, picado toscamente

2 cucharadas de aceite de oliva

¼ taza (30 g/1 oz) de migas de pan seco

2 cucharadas de aceite de oliva

Precaliente el horno a 200ºC (400ºF).

Haga 1 ó 2 cortes en las orillas gruesas de las chuletas para evitar que se enrollen. Espolvoree generosamente con sal y pimienta y deje reposar a temperatura ambiente hasta por una hora.

Para hacer la tapenade: mezcle en un procesador de alimentos las aceitunas, ajo, ralladura y jugo de limón, perejil y 2 cucharadas de aceite de oliva. Pulse hasta que se incorporen los ingredientes pero la mezcla aún tenga algunos grumos. Agregue las migas de pan y pulse unas cuantas veces más.

En una sartén grande a prueba de horno sobre calor medio-alto caliente 2 cucharadas de aceite de oliva. Cuando el aceite empiece a humear agregue las chuletas de cordero, en tandas para evitar amontonamientos, y séllelas hasta que estén doradas por todos lados, cerca de 4 minutos en total. Coloque una cantidad generosa de la tapenade sobre el lado grueso de cada chuleta y meta la sartén al horno. Ase, con el lado de la tapenade hacia arriba entre 6 y 8 minutos, hasta que un termómetro de lectura instantánea colocado lejos del hueso registre entre 54ºC y 57ºC (130ºF y 135ºF) o hasta que las chuletas estén de color rosado cuando haga un corte cerca del hueso para término medio rojo. Pase las chuletas a un platón y deje reposar, tapándolas holgadamente con papel aluminio, durante 5 minutos.

Sirva 2 chuletas a cada comensal cubriendo con más tapenade.

RINDE 4 PORCIONES

ACEITUNAS

Las aceitunas y su aceite han sido parte de la cocina mediterránea durante miles de años. Las aceitunas se cultivan en todos los países del Mediterráneo, desde España hasta el Levante y se usan para cocinar en miríadas de formas. Su color varía desde el verde hasta el negro-púrpura y se preparan en salmuera o se curan en sal, hierbas y especias. Las aceitunas deben deshuesarse (a mano o con un deshuesador especial para aceitunas) antes de usarlas en recetas. Muchas aceitunas de California y de otros países, particularmente las Kalamata de Grecia, se pueden comprar deshuesadas.

MILANESAS DE PUERCO CON SALSA DE CHABACANO Y MARSALA

MOLIENDO ESPECIAS
Muchos cocineros caseros
están imitando a los chefs
profesionales al moler sus
propias especias. Use un
mortero y la mano de éste para
molerlas a mano o use un
pequeño molino eléctrico para
café (manténgalo separado del
molino que usted usa para
moler el café). Coloque cada
especia individualmente como
los granos de pimienta, anís
estrella, semillas de
cardamomo, semillas de
comino y semillas de hinojo o
hierbas como las hojas de
laurel y el romero en el molino
y procese hasta obtener la
consistencia deseada. Si desea
un sabor más fuerte, tueste las
especias brevemente en una
sartén caliente y deje enfriar
antes de moler.

Para hacer el unto: mezcle en un tazón pequeño la páprika, cebolla en polvo, sal, polvo de cinco especias, anís estrella, hojas de laurel y cayena. Haga 2 ó 3 cortes en las orillas de las milanesas para evitar que se enrollen. Espolvoree el unto de especias sobre la carne y deje reposar a temperatura ambiente por lo menos 15 minutos o hasta durante una hora.

Cubra la base de una sartén grande y gruesa con el aceite y caliente sobre calor medio-alto. Agregue las milanesas y cocine 2 ó 3 minutos de cada lado, hasta que estén ligeramente doradas. Reduzca a fuego medio y cocine 5 ó 7 minutos más, volteándolas una o dos veces. Revise la cocción de la carne usando un termómetro de lectura instantánea o haciendo un corte en el centro de la carne. El lomo de puerco está listo cuando la temperatura interior alcanza los 65ºC (150ºF). Debe quedar ligeramente rosado en el centro. Retire del fuego justo antes de que la carne esté lista (63ºC/145ºF). Pase a un platón y deje reposar, tapándola holgadamente con papel aluminio, mientras hace la salsa. (El puerco continuará cociéndose mientras reposa.)

Para hacer la salsa: agregue $^1/_2$ taza (120 ml/4 fl oz) de Marsala a la sartén y desglase raspando los pequeños trozos de la base. Integre el caldo de pollo y los chabacanos. Hierva sobre calor alto y cocine cerca de 5 minutos, moviendo a menudo, hasta que se reduzca a la mitad. Incorpore la jalea de chabacano y el jugo de limón, reduzca el fuego a medio y cocine 2 ó 3 minutos más, moviendo continuamente. Mezcle la fécula de maíz con el $^1/_4$ taza (60 ml/2 fl oz) de Marsala restante e integre con la salsa. Cocine, moviendo, aproximadamente 3 minutos más, hasta que espese ligeramente.

Pase las milanesas a platos individuales. Bañe con un poco de salsa y sirva. Acompañe con más salsa a la mesa.

RINDE 4 PORCIONES

PARA EL UNTO DE ESPECIAS:

1 cucharada de páprika

1 cucharada de cebolla en polvo

$^1/_2$ cucharadita de sal

1 cucharadita de polvo chino de cinco especias (página 61)

1 cucharadita de anís estrella o semillas de hinojo

$^1/_2$ cucharadita de hojas de laurel molidas

$^1/_4$ cucharadita de pimienta de cayena

8 milanesas de lomo de puerco de aproximadamente 2.5 cm (1 in) de grueso

1 cucharada de aceite de maíz

PARA LA SALSA:

$^3/_4$ taza (180 ml/6 fl oz) de Marsala seco o jerez

1 taza (250 ml/ 8 fl oz) de caldo de pollo (página 110) o consomé preparado

1 taza (185 g/6 oz) de chabacanos secos, picados

1 cucharada de jalea de chabacano

Jugo de $^1/_2$ limón

1 cucharada de fécula de maíz (maicena)

CHULETAS DE PUERCO CON SALSA DE SIDRA FUERTE A LA SARTÉN

PARA EL UNTO DE ESPECIAS:

1 cucharada de páprika

1 cucharada de ajo en polvo

1 cucharada de cebolla en polvo

1 cucharada de mostaza en polvo

1 ¹/₂ cucharadita de sal

1 cucharadita de pimienta negra, recién molida

¹/₄ cucharadita de pimienta de cayena

8 chuletas de lomo o costilla de puerco de aproximadamente 2.5 cm (1 in) de grueso, sin demasiada grasa

1 cucharada de aceite de oliva

PARA LA SALSA A LA SARTÉN:

1 taza (250 ml/8 fl oz) de sidra fuerte o jugo de manzana

¹/₄ taza (60 g/2 oz) de mostaza Dijon o Criolla

1 cucharada de salsa inglesa

1 cucharada de pasta o puré de jitomate

1 ó 2 chorritos de salsa Tabasco u otra salsa de chile picante

¹/₄ taza (60 ml/2 fl oz) de crema espesa (doble)

Para hacer el unto de especias: mezcle en un tazón pequeño la páprika, ajo en polvo, cebolla en polvo, mostaza en polvo, sal, pimienta negra y cayena. Haga 2 ó 3 cortes en las orillas de las chuletas para evitar que se enrollen. Espolvoree el unto sobre las chuletas y deje reposar a temperatura ambiente por lo menos 15 minutos o hasta por una hora.

Cubra la base de una sartén grande y gruesa con el aceite de oliva y caliente sobre calor medio-alto. Agregue las chuletas, en tandas si fuera necesario para evitar amontonamientos, y cocine aproximadamente 3 minutos de cada lado hasta que estén ligeramente doradas. Reduzca el fuego a medio y cocine 5 ó 7 minutos más, volteando una o dos veces. Revise la cocción de la carne insertando un termómetro de lectura instantánea lejos del hueso o haciendo un corte en la carne cerca del hueso. Retire del fuego antes de que la carne esté lista, cuando la temperatura interna sea de 63ºC (145ºF). (El lomo de puerco estará listo cuando alcance los 65ºC /150ºF, pero seguirá cociéndose mientras reposa.) Pase a un platón y deje reposar, tapando holgadamente con papel aluminio, mientras prepara la salsa a la sartén.

Para hacer la salsa a la sartén: agregue la sidra a la misma sartén y desglase raspando los pequeños trozos de la base. Hierva y cocine aproximadamente 5 minutos, moviendo a menudo, hasta que se reduzca a la mitad. Reduzca el fuego a medio e integre, batiendo, la mostaza Dijon, la salsa inglesa, la pasta o puré de jitomate y la salsa Tabasco. Cocine 2 ó 3 minutos más, batiendo a menudo. Retire del fuego e integre la crema, batiendo. Pruebe y rectifique la sazón.

Pase las chuletas a platos individuales. Cubra con un poco de salsa y sirva. Acompañe a la mesa con más salsa.

RINDE 4 PORCIONES

SIDRA FUERTE

La razón por la que Johnny Appleseed extendía su cosecha de manzanas por todo el medio-oeste de los Estados Unidos no era sólo para que los colonizadores pudieran hacer pay de manzana. La sidra fuerte era la bebida favorita de muchos de los primeros americanos. El jugo de manzana fermentado y con un poco de gas que se obtiene de la fermentación es una tradición antigua. La deliciosa sidra fuerte, llamada scrumpy, se hace al sur de Inglaterra; la cidre francesa acompaña la cocina local de Normandía; y las finas sidras fuertes son producidas por agricultores americanos y canadienses, muchos de los cuales usan manzanas heirloom para sidra. Elija cualquiera de estos tipos de sidra para esta receta.

OCASIONES ELEGANTES

Los cortes de carne acompañados con una deliciosa salsa, un esplendoroso glaseado o un aceite aromático son una importante piedra angular para una elegante cena festiva. El suave filete de res sazonado con aceite de trufa, las chuletas de cordero o ternera con deliciosas salsas a base de Oporto u hongos silvestres o el lomo de puerco con un glaseado de naranja prepararán el escenario para celebrar una velada inolvidable.

FILETE MIGNON CON SALSA DE BALSÁMICO Y ACEITE DE TRUFA A LA SARTÉN

ACEITE DE TRUFA
Usted puede encontrar muchos aceites sazonados en el mercado, desde el que tiene infusión de limón y naranja hasta el aceite asiático de chile picante. Pero el más elegante y preciado entre ellos es el aceite de trufa. Sazonado con la esencia de un aromático hongo silvestre que se encuentra en Italia y al sur de Francia, este aceite proporciona un indescriptible sabor natural y complejidad a los platillos de carne. El aceite de trufa se debe usar en pequeñas cantidades para que su fuerte sabor no opaque los demás sabores del plato.

Espolvoree los filetes generosamente con sal y pimienta.

Cubra la base de una sartén grande y gruesa con el aceite de oliva y caliente sobre calor medio-alto. Agregue los filetes y cocine 3 ó 5 minutos de cada lado, hasta obtener el término deseado. Revise la cocción usando un termómetro de lectura instantánea o haciendo un corte en la carne. Retire los filetes del fuego cuando estén rojos en el centro para término rojo (52ºC/120ºF) o de color rosa oscuro en el centro para término medio rojo (54ºC/130ºF). Pase a un platón y deje reposar, tapándolos holgadamente con papel aluminio, mientras hace la salsa.

En la misma sartén sobre calor medio-alto agregue el vinagre y desglase raspando los pequeños trozos dorados de la base. Cocine cerca de 3 minutos, hasta que se reduzca y espese ligeramente. Retire del fuego. Integre la mantequilla, batiendo, para formar una salsa tersa.

Para servir, pase los filetes a platos individuales, cubra con la salsa y rocíe con un poco de aceite de trufa.

RINDE 4 PORCIONES

4 filetes mignon de por lo menos 4 cm (1 ¹/₂ in) de grueso

Sal y pimienta recién molida

1 cucharada de aceite de oliva

¹/₄ taza (60 ml/2 fl oz) de vinagre balsámico

2 cucharadas de mantequilla sin sal

Aceite de trufa, para rociar

PUNTAS DE FILETE EN BROCHETAS DE ROMERO

2 puntas u otras piezas de filete de res, aproximadamente 1 kg (2 lb) en total, cortadas en trozos de 2 cm ($^3/_4$ in)

8 ramas grandes de romero, sin hojas y con los extremos cortados en punta; o pinchos de madera para brocheta, remojados en agua por lo menos durante 30 minutos

PARA EL UNTO DE ROMERO:

1 cucharada de ajo en polvo

2 cucharaditas de cebolla en polvo

1 cucharada de romero fresco, picado o 1 $^1/_2$ cucharadita de romero seco

2 cucharaditas de sal

1 cucharadita de pimienta recién molida

Precaliente el asador del horno o prepare un asador de carbón o gas para asar directamente sobre calor medio-alto (página 106).

Inserte los trozos de filete en las brochetas de romero, dejando un pequeño espacio entre los trozos.

Para hacer el unto: mezcle en un tazón pequeño el ajo en polvo, cebolla en polvo, romero, sal y pimienta. Espolvoree el unto sobre la carne. Deje reposar las brochetas a temperatura ambiente por lo menos 15 minutos o hasta por una hora.

Ase las brochetas de 4 a 7 minutos de cada lado, hasta obtener el término deseado. Revise la cocción usando un termómetro de lectura instantánea o haciendo un corte en la carne. Retire del fuego cuando la carne esté roja en el centro para término rojo (49°C/120°F) o de color rosa oscuro en el centro para término medio rojo (54°C/130°F). Deje reposar las brochetas durante 5 minutos. Sirva a cada comensal 2 brochetas sobre platos individuales precalentados.

RINDE 4 PORCIONES

USANDO PINCHOS PARA BROCHETA

Cocinar alimentos en pinchos o palillos para brocheta sobre el fuego es una técnica antigua. Virtualmente cada cocina presenta algún tipo de carne en brochetas, desde las banderillas de las ferias campestres hasta el yaki-tori japonés (pollo marinado y asado). Si usa pinchos de madera para brocheta, remójelos durante 30 minutos o más antes de usarlos para que no se quemen. Al usar los tallos de romero, como en esta receta, se proporciona un sabor adicional a los alimentos cocidos en brochetas.

CHULETAS DE CORDERO CON SALSA DE OPORTO

VARIEDADES DE OPORTO

Los vinos dulces y fortificados como el Oporto, los cuales están hechos al agregar brandy a las uvas fermentadas, proporcionan complejidad y un toque dulce a las salsas balanceando los ingredientes ácidos como el jitomate o los cítricos. El Oporto tradicionalmente viene de la región del Duero en Portugal, pero ahora se están produciendo vinos similares en otras regiones como California y Australia. El Oporto rubí es dulce y fuerte y por lo general tiene un carácter frutado. El Oporto tawny añejado tiene un sabor más suave y un matiz café. Reserve el Oporto vintage, más caro, para beber, no lo use para cocinar.

Precaliente el horno a 200ºC (400ºF).

Haga 2 ó 3 cortes en las orillas de las chuletas para evitar que se enrollen. Espolvoree generosamente con sal y pimienta.

Cubra la base de una sartén grande a prueba de horno con el aceite de oliva y caliente sobre calor medio-alto. Cuando el aceite empiece a humear agregue las chuletas de puerco y séllelas aproximadamente 2 minutos de cada lado, hasta que estén doradas por ambos lados, (no apriete las chuletas en la sartén; use 2 sartenes si fuera necesario.) Meta la sartén al horno y ase 6 u 8 minutos, hasta que un termómetro de lectura instantánea insertada lejos del hueso registre entre 54ºC y 57ºC (130ºF y 135ºF) o hasta que las chuletas estén de color rosa oscuro cuando se les haga un corte cerca del hueso para término medio rojo. Pase a un platón y deje reposar, tapando holgadamente con papel aluminio, mientras hace la salsa.

Para hacer la salsa: escurra el jugo de la sartén reservando 1 cucharada. Agregue los chalotes y el ajo y saltee 3 ó 4 minutos, moviendo a menudo, hasta que estén suaves. Agregue el Oporto y el caldo y hierva sobre calor alto. Cocine cerca de 5 minutos, hasta que se reduzca a la mitad. Baje el fuego a medio e integre la mostaza y los trozos de mantequilla, batiendo. Cuando la mantequilla se haya derretido e incorporado y la salsa esté tersa, sazone al gusto con sal y pimienta.

Pase las chuletas a platos individuales, bañe con la salsa y sirva.

RINDE 4 PORCIONES

8 chuletas dobles de lomo o costilla de cordero, sin demasiada grasa

Sal y pimienta recién molida

1 cucharada de aceite de oliva

PARA LA SALSA DE OPORTO:

2 chalotes, finamente picados

2 dientes de ajo, finamente picados

2 tazas (500 ml/16 fl oz) de Oporto rubí

1 taza (250 ml/8 fl oz) de caldo de res (página 110) o consomé preparado

1 cucharadita de mostaza Dijon

1 cucharada de mantequilla sin sal, refrigerada y cortada en trozos

Sal y pimienta recién molida

FILETE DE PUERCO ASADO A LA SARTÉN CON GLASEADO DE GRAND MARNIER

2 filetes de puerco de aproximadamente 750 g (1 1/2 lb) cada uno

1 taza (250 ml/8 fl oz) de jugo de naranja fresco

1/4 taza (60 ml/2 fl oz) de Grand Marnier o licor de naranja

2 cucharadas de mostaza en polvo

2 dientes de ajo, finamente picados

1 cucharada de jengibre fresco, sin piel y picado

2 cucharadas de salsa de soya y la misma cantidad de vinagre de arroz

1 cucharadita de salsa asiática de chile picante

1/2 cucharadita de extracto (esencia) de vainilla

PARA EL GLASEADO:

1/4 taza (60 ml/2 fl oz) de Grand Marnier o licor de naranja

3 cucharadas de mostaza Dijon

2 cucharaditas de ralladura de naranja

1/2 cucharadita de pimienta con limón (página 98)

1 cucharada de aceite de oliva

Condimento de menta y naranja, para acompañar *(vea explicación a la derecha)*

Corte los filetes transversalmente a la mitad para hacer 4 trozos pequeños y colóquelos en un plato poco profundo de material no reactivo. En un tazón mezcle el jugo de naranja con 1/4 taza de Grand Marnier, mostaza en polvo, ajo, jengibre, salsa de soya, vinagre, salsa de chile picante y vainilla. Vierta la mezcla sobre el puerco. Tape y marine a temperatura ambiente por lo menos durante 15 minutos o hasta por una hora. Retire el puerco y seque con toallas de papel. Cuele la marinada a través de un colador de malla fina y reserve 1/2 taza (125 ml/4 fl oz).

Precaliente el horno a 200ºC (400ºF).

Para hacer el glaseado: en una olla pequeña bata 1/4 taza de Grand Marnier con la mostaza Dijon, la marinada reservada, ralladura de naranja y pimienta con limón. Hierva sobre calor alto y cocine aproximadamente 5 minutos, hasta que se reduzca a la mitad. Reserve y deje enfriar.

Cubra la base de una sartén grande que se pueda meter al horno con el aceite de oliva y caliente sobre calor medio-alto. Agregue el puerco y selle volteando a menudo, hasta que se dore por todos lados, aproximadamente 5 minutos. (No apriete demasiado la carne en la sartén.) Pase la sartén al horno y ase el puerco 10 ó 12 minutos. Barnice el puerco a menudo con el glaseado durante los últimos 5 minutos del cocimiento. Rectifique la cocción insertando un termómetro de lectura instantánea o haciendo un corte en la carne. El filete de puerco está cocido cuando la temperatura interna alcanza los 65ºC (150ºC); debe estar ligeramente rosado en el centro. Retire del fuego justo antes de que la carne esté lista (63ºC/145ºF). Barnice totalmente el puerco una vez más con el glaseado y deje reposar, tapando holgadamente con papel aluminio, entre 5 y 10 minutos. (El puerco seguirá cociéndose mientras reposa.)

Acomode los filetes de puerco en platos individuales y sirva acompañando con el condimento a un lado.

RINDE 4 PORCIONES

CONDIMENTO DE MENTA Y NARANJA

En un tazón mezcle 2 naranjas sin semillas y sin piel, partidas a la mitad y cortadas en rebanadas delgadas; 1 cebolla Walla Walla u otro tipo de cebolla dulce, partida a la mitad y en rebanadas delgadas; 1/2 taza (20 g/3/4 oz) de menta o hierbabuena fresca picada; y 2 cucharadas de jengibre fresco, sin piel y picado. En un tazón pequeño bata 3 cucharadas de aceite vegetal con 1 cucharada de vinagre de arroz y 1 cucharada de salsa de soya. Vierta la vinagreta sobre la mezcla de naranja y mezcle.

MILANESAS DE TERNERA CON HONGOS SILVESTRES

Coloque las milanesas de ternera entre 2 trozos de papel encerado (para hornear) o plástico adherente. Usando un mazo de carnicero o rodillo aplane las chuletas hasta obtener un espesor uniforme de 6 mm ($^1/_4$ in). En un tazón poco profundo o plato profundo mezcle la harina, páprika, estragón, 2 cucharaditas de sal y 1 cucharadita de pimienta. Cubra la ternera por ambos lados con la harina sazonada, sacuda el exceso y reserve.

En una sartén grande derrita 1 cucharada de mantequilla con el aceite de oliva sobre calor medio-alto. Cuando la mantequilla espume, agregue la ternera en tandas para evitar amontonamientos y saltee 5 ó 6 minutos, volteando una o dos veces, hasta que esté ligeramente dorada por ambos lados. Pase las milanesas a un platón y tape holgadamente con papel aluminio para mantenerlas calientes.

Agregue más mantequilla si fuera necesario y coloque los hongos en la sartén. Saltee durante 4 ó 5 minutos, moviendo a menudo, hasta que se suavicen y doren ligeramente. Integre el jerez, caldo y pasta o puré de jitomate. Eleve a fuego alto y cocine 3 ó 5 minutos, moviendo a menudo, hasta que la salsa se espese. Retire del fuego e incorpore la crema, si la usa.

Pase la ternera a platos individuales y cubra con la salsa de hongos. Sirva de inmediato.

RINDE 4 PORCIONES

VARIEDADES DE HONGOS

Los cocineros ahora pueden elegir entre una sorprendente variedad de hongos. Además de la diversidad de hongos blancos ampliamente conocida, usted puede encontrar los pequeños hongos cremini y su versión grande y madura llamados portobellos. Muchos mercados tienen los sabrosos hongos shiitake de Asia; los pequeños hongos de cáscara de arroz, también llamados hongos *enoki*; y los delicados hongos oyster, además de los hongos silvestres frescos como los king boletes, también llamados hongos porcini o ceps; los chanterelles amarillos y blancos; las morillas; los hongos pequeña oreja y los aromáticos *matsutake* u hongos de pino.

8 milanesas de ternera, aproximadamente 750 g (1 $^1/_2$ oz) en total

1 taza (155 g/5 oz) de harina de trigo (simple)

1 cucharada de páprika

1 cucharada de estragón seco

Sal y pimienta recién molida

1 cucharada de mantequilla sin sal, más la necesaria

1 cucharada de aceite de oliva

500 g (1 oz) de hongos silvestres como los chanterelles, porcini (ceps), morillas, shiitake o una combinación de ellos, cepillados y picados

$^1/_4$ taza (60 ml/2 fl oz) de jerez o Marsala

$^1/_2$ taza (125 g/4 oz) de caldo de pollo o ternera (página 110) o consomé preparado

2 cucharadas de pasta o puré de jitomate

2 cucharadas de crema espesa (doble) o crema ácida (opcional)

MILANESA DE CHULETA DE TERNERA CON RISOTTO AL AZAFRÁN

4 chuletas de ternera delgadas con o sin hueso, aproximadamente 750 g (1 ¹/₂ g) en total

Sal y pimienta recién molida

3 tazas (750 ml/24 fl oz) de caldo de pollo (página 110)

¹/₂ taza (125 ml/4 fl oz) de vino blanco seco

¹/₂ cucharadita de hilos de azafrán (vea explicación a la derecha), machacados

2 cucharadas de mantequilla sin sal o aceite de oliva

¹/₂ cebolla amarilla o blanca, finamente picada

1 taza (220 g/7 oz) de arroz Arborio o Carnaroli

¹/₂ taza (60 g/2 oz) de queso parmesano recién rallado

1 taza (155 g/5 oz) de chícharos frescos o congelados

Aceite de oliva, para freír

1 taza (155 g/5 oz) de harina de trigo (simple)

2 huevos

1 taza (125 g/4 oz) de migas de pan seco

2 cucharaditas de orégano seco

Rebanadas de limón, para acompañar

Haga 2 ó 3 cortes en las orillas de las chuletas para evitar que se enrollen. Coloque la ternera entre 2 trozos de papel encerado (para hornear) o plástico adherente. Usando un mazo de carnicero y evitando el hueso, si fuera necesario, aplane la ternera hasta obtener un grosor uniforme de aproximadamente 6 mm (¹/₄ in). Espolvoree con sal y pimienta y reserve.

En una olla sobre calor medio-alto mezcle el caldo, vino y azafrán. Hierva, moviendo ocasionalmente. Reduzca el fuego a medio-bajo y mantenga hirviendo a fuego lento.

En una olla grande y gruesa derrita la mantequilla sobre calor medio. Agregue la cebolla y saltee 5 ó 7 minutos, hasta que esté traslúcida. Integre el arroz y cocine 2 ó 3 minutos, moviendo a menudo, hasta que esté bien cubierto. Incorpore ¹/₂ taza (125 ml/4 fl oz) de la mezcla de caldo y cocine, mezclando a menudo, hasta que el líquido se absorba. Siga agregando el caldo en adiciones de ¹/₂ taza, mezclando, hasta que el arroz esté al dente (suave pero ligeramente chicloso), cerca de 20 minutos. Reduzca el fuego a bajo e integre el queso y los chícharos; cocine 2 ó 3 minutos más, hasta que los chícharos estén suaves. Sazone al gusto con sal y pimienta.

Cuando el risotto esté casi listo vierta aceite de oliva hasta obtener una profundidad de 12 mm (¹/₂ in) en una sartén grande y caliente sobre calor medio-alto. Coloque la harina en un tazón poco profundo. En otro tazón bata ligeramente los huevos con algunas gotas de agua. En un tercer tazón mezcle las migas de pan con el orégano. Cubra cada chuleta de ternera primero con harina, después con huevo y por último cubra perfectamente con las migas de pan. Coloque las chuletas en la sartén, en tandas si fuera necesario para evitar amontonamientos, y fría 2 ó 3 minutos de cada lado, hasta que estén doradas por ambos lados y la carne esté totalmente cocida. Pase a un platón cubierto con toallas de papel y deje escurrir.

Pase las chuletas a platos individuales y acompañe con una cucharada del risotto, adorne con rebanadas de limón real o italiano y sirva.

RINDE 4 PORCIONES

AZAFRÁN

El azafrán, o hilo anaranjado rojizo de la flor Crocus sativa, se encuentra entre las especias más preciadas del mundo. Para producir 500 g (1 lb) de azafrán se deben recoger más de 70 mil flores para retirar sus estambres a mano. Sin embargo, su distintivo sabor natural así como su regio color dorado ameritan su precio elevado. Se usa en muchas recetas, incluyendo la bouillabaisse del sur de Francia y este clásico risotto italiano. Los estambres tipo hilo se venden en pequeñas cantidades y se deben remojar en un líquido caliente antes de usarse para resaltar su sabor.

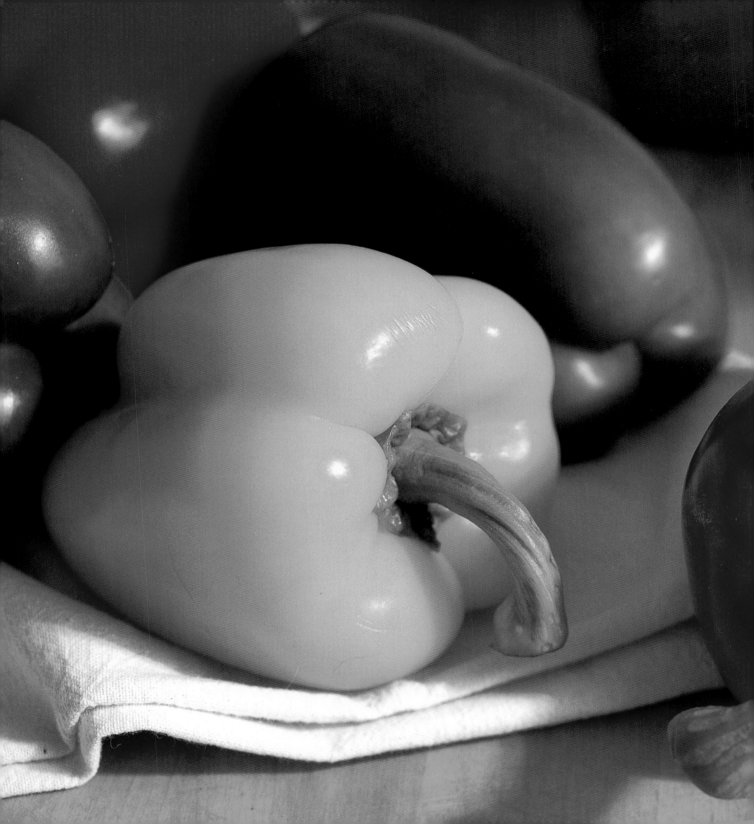

PARRILLADA DE VERANO

Cuando sale el sol y llega la hora de encender el asador, los cortes de carne son la elección perfecta. No se limite únicamente a los platillos favoritos ya conocidos. Experimente con nuevas combinaciones como el filete de res cubierto con especias chinas y acompañado de una salsa barbecue de piña asada o un grueso filete porterhouse asado al estilo florentino.

BISTECCA FLORENTINA CON ESPINACAS AL LIMÓN

CONSEJOS PARA ASAR
Para obtener los mejores resultados cuando ase a la parrilla: primero encienda el carbón usando un encendedor de carbón estilo chimenea o líquido para encender el carbón. Apile dos terceras partes del carbón caliente en una zona del asador y la tercera parte restante en otra, dejando una zona sin ningún trozo de carbón. Para un asador de gas, encienda un quemador a temperatura alta, uno a media y deje uno apagado. Cuando cocine filetes y chuletas gruesas, primero selle ambos lados sobre calor medio-alto, posteriormente páselos a la zona de calor medio o bajo y continúe cociendo, tapado, hasta que esté listo. Para más información acerca de cómo asar a la parrilla, vaya a la página 106.

Haga 1 ó 2 cortes en las orillas de los filetes para evitar que se enrollen. Frote los filetes con aceite de oliva y ajo por ambos lados. Espolvoree generosamente con sal y pimienta.

Prepare un asador de carbón o gas para asar sobre calor medio-alto *(vea explicación a la izquierda)*. Retire el exceso de ajo de los filetes y selle sobre la zona más caliente del asador durante 3 ó 4 minutos de cada lado. Pase los filetes a una zona menos caliente del asador, tape y cocine 5 ó 7 minutos de cada lado, hasta obtener el término deseado. Rectifique la cocción usando un termómetro de lectura instantánea o haciendo un corte en la carne. Retire los filetes del fuego cuando estén rojos en el centro para término rojo (49ºC/120ºF) o de color rosa oscuro en el centro para término medio-rojo (54ºC/130ºF). Pase a una tabla de picar y deje reposar, tapando holgadamente con papel aluminio, mientras prepara la espinaca.

Para hacer la espinaca al limón: lave la espinaca en varios cambios de agua fría. En una sartén grande sobre calor medio-alto caliente el aceite de oliva. Agregue la espinaca únicamente con el agua que haya quedado en sus hojas. Bañe con el jugo de limón, mezcle y tape. Cocine 2 ó 3 minutos, hasta que se marchite. Retire del fuego y sazone al gusto con sal y pimienta.

Corte los filetes en rebanadas gruesas en diagonal al grano. Acomode sobre platos individuales con la espinaca salteada y acompañe con rebanadas de limón.

Nota: En la Toscana, en donde se originó este platillo, siempre se sirve muy crudo (al sangue, o "sangrando" en italiano). Si pide a un chef florentino que le cocine una bistecca término medio es como si le pidiera a un chef de sushi que asara su sashimi al carbón.

RINDE 4 PORCIONES

2 filetes porterhouse de por lo menos 5 cm (2 in) de grueso, sin demasiada grasa

1 cucharada de aceite de oliva, o más si fuera necesario

4 dientes de ajo, machacados

Sal y pimienta recién molida

PARA LA ESPINACA AL LIMÓN:
500 g (1 lb) de espinaca, sin tallos duros

2 cucharadas de aceite de oliva

Jugo de ½ limón real o italiano

Sal y pimienta recién molida

Rebanadas de limón real o italiano, para acompañar

FILETE AL JENGIBRE Y CINCO ESPECIAS CON SALSA BARBECUE DE PIÑA

PARA EL UNTO DE ESPECIAS:

1 cucharada de polvo chino de cinco especias

2 cucharaditas de ajo en polvo

2 cucharaditas de cebolla en polvo

2 cucharaditas de sal

1 cucharadita de jengibre molido

1/2 cucharadita de pimienta de cayena

1/2 piña, sin cáscara ni corazón (página 115) y rebanada en rodajas de 12 mm (1/2 in)

1 filete de res, de 1 a 1.5 kg (2-3 lb), sin demasiada grasa

2 tazas (500 g/16 fl oz) de salsa catsup

1 taza (250 g/8 oz) de mostaza picante estilo chino

1 botella (375 ml/12 fl oz) de cerveza tipo ale o de cuerpo medio

1/4 taza (60 ml/2 fl oz) de salsa inglesa

2 cucharadas de salsa de soya

1 cucharada de ajo en polvo

1 cucharada de cebolla en polvo

2 cucharaditas de salsa asiática de chile picante

Para hacer el unto de especias: mezcle en un tazón pequeño el polvo de cinco especias, ajo en polvo, cebolla en polvo, sal, jengibre y pimienta de cayena. Frote la carne por todos lados con el unto de especias y deje reposar a temperatura ambiente por lo menos durante 15 minutos o hasta por una hora antes de cocinarla.

Prepare un asador de carbón o gas para asar sobre calor medio-alto (página 106). Acomode las rodajas de piña sobre calor directo y ase 2 ó 3 minutos de cada lado, hasta que se caramelicen. Pase la piña a un platón y deje enfriar. Haga 2 ó 3 cortes sobre el trozo de carne para evitar que se enrolle. Coloque sobre calor directo y selle por todos lados, 3 ó 5 minutos de cada lado. Pase a una zona menos caliente del asador y cocine, tapado, durante 15 minutos más.

Mientras la carne se está cociendo, corte la piña fría en dados de 12 mm (1/2 in). En una olla grande sobre calor alto mezcle la salsa catsup, mostaza, cerveza, salsa inglesa, salsa de soya, ajo en polvo, cebolla en polvo y salsa de chile picante y hierva. Reduzca el fuego a medio-bajo y hierva la salsa a fuego lento aproximadamente 15 minutos, hasta que espese y tenga la consistencia de la salsa catsup. Agregue la piña cortada en dados y cocine 1 ó 2 minutos más, hasta que esté caliente. Pase a un procesador de alimentos y haga puré.

Rectifique la cocción de la carne usando un termómetro de lectura instantánea. La temperatura deberá estar entre 49ºC y 54ºC (120ºC y 130ºF) para término rojo o término medio rojo, y la carne debe estar roja o rosa oscuro cerca del centro. Pase a un platón y rocíe generosamente con la salsa. Deje reposar entre 5 y 10 minutos tapando holgadamente con papel aluminio.

Corte la carne en rebanadas gruesas en diagonal al grano y sirva cubriendo las rebanadas con la salsa.

Nota: Le quedará suficiente salsa barbecue para otro uso.

RINDE DE 4 A 6 PORCIONES

POLVO CHINO DE CINCO ESPECIAS

El número cinco es un número de la suerte en la cultura china y siempre se ha considerado un buen número para una mezcla de hierbas medicinales. Sin embargo, el polvo chino de cinco especias no siempre tiene cinco especias. La mezcla de este popular sazonador asiático por lo general incluye semillas de hinojo, anís estrella, pimienta Sichuan, clavos, canela y jengibre seco. El polvo de cinco especias se vende en las tiendas de productos asiáticos y en supermercados bien surtidos.

FAJITAS DE FALDA ASADAS CON
MARINADA DE TEQUILA

Para hacer la marinada: mezcle en un tazón el jugo de limón, jugo de naranja, cerveza, tequila (si lo usa), cilantro y jalapeño. Coloque la carne en un plato poco profundo de material no reactivo o dentro de una bolsa grande de plástico con cierre hermético. Vierta la marinada sobre la carne. Tape o selle y marine a temperatura ambiente por lo menos durante 15 minutos o hasta por una hora, volteando ocasional-mente. Retire la carne de la marinada y seque con toallas de papel.

Precaliente el asador de su horno o prepare un asador de carbón o gas para cocinar sobre calor medio-alto (página106).

En una sartén grande sobre calor medio-alto caliente el aceite de oliva. Agregue los pimientos, cebolla y ajo y saltee 5 ó 7 minutos, hasta que la cebolla esté traslúcida y los pimientos se hayan suavizado. Reserve.

Ase la falda 3 ó 4 minutos de cada lado, hasta obtener el término deseado. Rectifique la cocción insertando un termómetro de lectura instantánea o haciendo un corte en la carne. Retire del fuego cuando esté rojo en el centro para término rojo (49ºC/120ºF) o rosa oscuro en el centro para término medio rojo (54ºC/130ºF). Deje reposar durante 5 minutos tapando holgadamente con papel aluminio.

Corte la carne en rebanadas delgadas en diagonal al grano y sirva sobre las tortillas acompañando con una cucharada rebosante de pimientos y cebollas.

RINDE 4 PORCIONES

JULIANA

Cortar verduras en forma de tiras, llamado corte en juliana, proporciona una agradable presentación uniforme. Corte las verduras en trozos rectangulares iguales de aproximadamente 6 mm (¹/₄ in) de grueso, 5 cm (2 in) de largo y 2.5 cm (1 in) de ancho. Corte una vez más a lo largo de las tiras de 5 cm para obtener trozos uniformes de 6 mm. Las verduras cortadas en juliana proporcionan color y textura a sopas y ensaladas; en esta receta se saltean como un ingrediente esencial de las sabrosas fajitas.

PARA LA MARINADA:

Jugo de 3 limones

Jugo de 2 naranjas

1 botella (375 ml/12 fl oz) de cerveza mexicana

3 cucharadas de tequila (opcional)

1 cucharada de cilantro fresco, finamente picado

1 chile jalapeño, sin semillas y picado toscamente

1 pieza de falda de res de aproximadamente 750 g (1 ¹/₂ lb) sin demasiada grasa y cortada en 4 trozos

2 cucharadas de aceite de oliva

1 pimiento (capsicum) rojo, 1 amarillo y 1 verde, cortados en juliana *(vea explicación a la izquierda)*

1 cebolla morada, cortada en rebanadas delgadas

2 dientes de ajo, finamente picados

Tortillas de maíz o trigo calientes, para acompañar

CHULETAS DE TERNERA CON PIMIENTOS Y JITOMATES ASADOS

4 chuletas de lomo de ternera de por lo menos 2.5 cm (1 in) de grueso, sin demasiada grasa

1 cucharada de aceite de oliva, más el necesario para rociar

PARA EL UNTO DE SALVIA:

2 cucharadas de salvia seca

2 cucharadas de páprika

2 cucharadas de ajo en polvo

1 ½ cucharadita de sal

1 ½ cucharadita de pimienta con limón (página 98)

½ cucharadita de pimienta de cayena

4 jitomates grandes, maduros

2 pimientos (capsicums) amarillos, asados *(vea explicación a la derecha)*, y cortados en tiras delgadas

Haga 1 ó 2 cortes en las orillas de las chuletas para evitar que se enrollen. Frote con una cucharada de aceite de oliva.

Para hacer el unto: mezcle en un tazón pequeño la salvia, páprika, ajo en polvo, sal, pimienta con limón y pimienta de cayena. Frote la carne por todos lados con el unto, reservando una cucharada. Deje reposar a temperatura ambiente durante 15 minutos o hasta por una hora antes de cocinar.

Prepare un asador de carbón o gas para cocinar sobre fuego medio-alto (página 106). Ase las chuletas de 3 a 5 minutos por cada lado, volteando una sola vez, hasta que se doren y se marquen las rayas de la parrilla (página 21). Rectifique la cocción usando un termómetro de lectura instantánea o haciendo un corte en la carne cerca del hueso; cocine durante más tiempo si fuera necesario. La carne de ternera está lista cuando la temperatura interna registra 65ºC (145ºF) y la carne está ligeramente rosada y muy jugosa. Retire las chuletas del asador cuando el termómetro alcance los 63ºC (145ºF). Deje reposar durante 5 minutos tapando con papel aluminio. (Las chuletas continuarán cociéndose mientras reposan.)

Mientras las chuletas se están cociendo, descorazone los jitomates y corte a la mitad. Rocíe los lados cortados con aceite de oliva y espolvoree con la cucharada reservada de unto de hierbas. Acomode sobre el asador con los lados cortados hacia abajo, sobre calor medio-alto y selle aproximadamente durante 2 minutos, hasta que se marquen las rayas de la parrilla. No sobre cocine. Retire del fuego y reserve.

Coloque los pimientos asados sobre un platón, acomode las chuletas de ternera y jitomates asados sobre ellos y sirva de inmediato.

RINDE 4 PORCIONES

PIMIENTOS ASADOS
Los pimientos adquieren un delicioso sabor cuando se asan directamente sobre una flama. El truco es asarlos y quemarlos sobre fuego alto, ya sea de un asador o sobre la flama de gas de una estufa, se debe usar pinzas para voltearlos, hasta que estén quemados por todos lados. Pase a una bolsa de papel o plástico, cierre la bolsa y deje reposar algunos minutos. Posteriormente retire la piel con sus dedos, deberá desprenderse con facilidad. Use un cuchillo mondador para retirar los trozos demasiado pegados. Posteriormente abra los pimientos y retire las semillas y membranas.

CHULETAS DE PUERCO CON GLASEADO HOISIN DE PIÑA

Precaliente el horno a 120ºC (250ºF).

Sazone las costillitas generosamente con la pimienta y el polvo de cinco especias. (La salsa hoisin es salada, por lo que las costillas prácticamente no necesitarán más sal.) Envuelva cada trozo de carne en papel aluminio grueso. Coloque las costillitas envueltas en papel aluminio sobre una charola para hornear o en una sartén poco profunda para hornear y ase durante una hora.

Prepare un asador de carbón o gas para cocinar indirectamente sobre calor medio-bajo (página 106).

Para hacer el glaseado: mezcle la salsa hoisin con el jugo de piña, vinagre y aceite de ajonjolí en una olla. Caliente a fuego medio; no deje hervir. Reduzca el fuego y hierva a fuego lento, moviendo frecuentemente, cerca de 15 minutos, hasta que se reduzca y obtenga una consistencia similar a la de la salsa catsup. Retire la mezcla del fuego y agregue el azúcar moscabado. Mezcle hasta que se disuelva el azúcar.

Retire las costillas del horno, desenvuelva y colóquelas sobre la parte menos caliente del asador. Ase, tapadas, cerca de una hora, volteándolas cada 10 minutos, hasta que estén suaves y doradas. Durante los últimos 20 minutos de asado deje la parte carnosa de las costillas hacia arriba y barnice cada 5 minutos con el glaseado. Retire las costillas del fuego, barnice una vez más y envuelva en papel aluminio grueso y limpio. Deje reposar entre 10 y 12 minutos.

Rebane los costillares a lo largo de los huesos y divida entre platos individuales. Cubra las costillas con el glaseado sobrante y sirva de inmediato.

RINDE 4 PORCIONES

COCINANDO COSTILLAS DE PUERCO

La mayoría de los mercados venden tres tipos de costillas de puerco. Las costillitas del dorso, las cuales se presentan en esta receta, que se cortan del lomo del puerco. Son las más suaves y se cocinan en aproximadamente 2 horas. Las costillas estilo campestre que se cortan del hombro y se pueden cocinar de la misma manera o se pueden asar primero sellándolas sobre calor medio-alto y después indirectamente en calor bajo o medio, a 165ºC (325ºF) durante 2 horas o más. Las agujas de cerdo que se cortan del vientre del cerdo y requieren de una cocción lenta y larga de 2 ó 3 horas. .

2 costillares de costillitas de dorso de puerco de aproximadamente 2.5 kg (5 lb) en total, limpios y cada uno cortado en 2 trozos

1 cucharada de pimienta recién molida

3 cucharadas de polvo chino de cinco especias (página 61)

PARA EL GLASEADO:
1 ½ taza (375 ml/12 fl oz) de salsa hoisin

2 tazas (500 ml/16 fl oz) de jugo de piña

1 cucharada de vinagre de vino de arroz

2 cucharaditas de aceite de ajonjolí

1 cucharadita compacta de azúcar moscabado

FILETE DE PUERCO EN MARIPOSA CON CORTEZA DE ORÉGANO Y CHIPOTLE

PARA LA PASTA DE CHILE:

2 chiles chipotles en salsa de adobo en lata *(vea explicación a la derecha)*

2 dientes de ajo

2 cucharadas de pasta o puré de jitomate

2 cucharadas de aceite de maíz

1 cucharadita de sal

2 filetes de puerco, cada uno de aproximadamente 750 g (1 ¹/₂ lb)

2 cucharadas de orégano seco

PARA LA SALSA DE CHIPOTLE:

2 tazas (500 ml/16 fl oz) de caldo de pollo (página 110) o consomé preparado

1 cucharada de salsa inglesa

1 cucharadita de azúcar

1 cucharadita de vinagre de vino tinto

1 cucharada de fécula de maíz (maicena) mezclada con ¹/₄ taza (60 ml/2 fl oz) de vermouth dulce

Para hacer la salsa de chile: mezcle en un procesador de alimentos los chiles con su salsa, ajo, pasta o puré de jitomate, aceite y sal y haga puré.

Corte cada filete transversalmente en 2 trozos. Abra cada trozo en mariposa cortando longitudinalmente en el centro y deteniéndose 12 mm (¹/₂ in) antes de llegar al otro extremo. Coloque cada trozo entre dos piezas de papel encerado (para hornear) o plástico adherente y use un mazo de carnicero o rodillo para aplanar hasta obtener un grosor uniforme de 2 cm (³/₄ in). Frote la carne con la pasta de chile, reservando ¹/₄ taza (60 g/2 oz). Espolvoree con el orégano. Deje reposar el puerco a temperatura ambiente por lo menos durante 15 minutos o hasta por una hora antes de cocinar.

Prepare un asador de carbón o gas para asar directamente sobre calor medio-alto (página 106). Ase los filetes sobre calor directo, tapados y volteando una o dos veces, durante 10 minutos en total. (Pase a la zona menos caliente del asador si aparecen flamas.) Rectifique la cocción usando un termómetro de lectura instantánea o haciendo un corte en la parte más gruesa de la carne. El filete de puerco está cocido cuando la temperatura interna es de 65ºC (150ºF); debe quedar ligeramente rosado en el centro. Retire la carne de puerco cuando registre los 63ºC (145ºF) y deje reposar tapando con papel aluminio. (La carne seguirá cociéndose mientras reposa.)

Para hacer la salsa: en una olla sobre calor alto bata el caldo con la salsa de chile reservada, salsa inglesa, azúcar y vinagre. Hierva y cocine cerca de 5 minutos, hasta reducir a la mitad. Disminuya el fuego a medio-bajo e integre, batiendo, la mezcla de fécula de maíz. Cocine cerca de 5 minutos, moviendo a menudo, hasta que espese ligeramente. Retire del fuego y pase a través de un colador de malla fina.

Sirva los filetes sobre platos individuales cubriendo con la salsa.

RINDE 4 PORCIONES

CHILES CHIPOTLES

Los chiles chipotles son chiles jalapeños rojos que se han secado y ahumado. A menudo se venden en salsa de adobo, una mezcla de especias con jitomate y vinagre. Los chipotles de lata proporcionan un toque picante a las salsas y marinadas sin el fuerte sabor de los chiles frescos. Los chipotles en adobo se pueden encontrar fácilmente en los supermercados bien surtidos y en tiendas de productos latinos.

CHULETAS DE CORDERO ASADAS EN HUMO DE ROMERO

HUMO COMO SAZONADOR

Usted puede aumentar el sabor ahumado de los alimentos asados a la parrilla usando carbones especiales de madera dura o agregando al carbón trozos de madera dura o hierbas leñosas de romero, tomillo u orégano remojadas en agua, como se hace en esta receta. Los trozos de madera dura se deben remojar en agua por lo menos durante 30 minutos o hasta por una hora antes de usarse y después colocarlos directamente sobre los carbones en un asador cubierto. Para los asadores de gas agregue los trozos de madera dentro de una caja para ahumar o haga un pequeño paquete usando papel aluminio y haciéndole algunos orificios y colóquelo directamente sobre la flama.

Haga 1 ó 2 cortes en las orillas de las chuletas para evitar que se enrollen.

Para hacer la pasta de hierbas: mezcle en un tazón pequeño el romero, ajo, sal, pimienta y 2 cucharaditas de aceite de oliva para hacer una pasta espesa. Agregue un poco más de aceite de oliva, si fuera necesario, para obtener la consistencia deseada. Frote la carne por todos lados con la pasta. Deje reposar a temperatura ambiente por lo menos durante 15 minutos o hasta por una hora o tape y refrigere durante toda la noche. Deje reposar a temperatura ambiente antes de asar, si fuera necesario.

Prepare un asador de carbón o gas para asar directamente sobre calor alto (página 106). Coloque los tallos de romero sobre el carbón o directamente sobre los quemadores de gas. (Mientras las chuletas se cuecen, la pasta de romero se quemará y caerá sobre el fuego proporcionando así aún más humo de romero.) A medida que el romero empieza a humear acomode las chuletas sobre calor directo y ase de 3 a 6 minutos de cada lado, tapando y volteando a menudo, hasta obtener el término deseado. (Pase las chuletas a la zona menos caliente del asador si aparecen flamas.) Rectifique la cocción insertando un termómetro de lectura instantánea lejos del hueso o haciendo un corte en las chuletas cerca del hueso. Retire las chuletas del asador cuando el termómetro registre los 54ºC (130ºF) y la carne esté aún bastante rosada cerca del hueso para término medio.

Pase las chuletas a un platón y deje reposar 5 minutos, tapando holgadamente con papel aluminio. Sirva 3 chuletas a cada comensal adornando con ramas de romero.

RINDE 4 PORCIONES

12 chuletas de lomo de cordero de por lo menos 4 cm (1 ½ in) de grueso, sin demasiada grasa

PARA LA PASTA DE HIERBAS:

¼ taza (10 g/⅓ oz) de hojas de romero fresco, picadas o 2 cucharadas de romero seco

8 dientes de ajo, finamente picados

2 cucharaditas de sal

1 cucharadita de pimienta

2 cucharaditas de aceite de oliva, o más si fuera necesario

8 o más tallos de romero grandes, con hojas, remojados en agua por lo menos durante 30 minutos, más algunas ramas para adornar

COMIDA DE INVIERNO

En los días tempestuosos del invierno no hay nada mejor que unas deliciosas chuletas de cordero a la parilla, un grueso entrecote con verduras de invierno o un suave filete cubierto con cebollas y pimientos. Otros platillos sustanciosos de este capítulo incluyen chuletas de puerco con manzana y cebolla salteadas y chuletas de ternera asadas a fuego lento con páprika y crema ácida, alimento que reconfortan con un toque de sofisticación.

FILETES FRITOS CON SALSA DE CREMA

Golpee los filetes ligeramente con un mazo de carnicero hasta obtener un grosor uniforme de aproximadamente 12 mm ($^1/_2$ in). En un tazón poco profundo o plato profundo mezcle la harina, páprika, tomillo, salvia, sal, pimienta negra y pimienta de cayena. Reserve una cucharada de la harina sazonada para la salsa. En otro tazón bata ligeramente los huevos con $^1/_2$ taza (125 ml/4 fl oz) de media crema. Cubra los filetes con la harina sazonada, remoje en la mezcla de huevo y cubra una vez más con la harina. Deje reposar sobre una rejilla de alambre por lo menos durante 15 minutos o hasta por 30 minutos para fijar la cobertura.

Coloque un platón térmico cubierto con toallas de papel en el horno y precaliéntelo a 65°C (150°F). En una sartén grande y gruesa sobre calor alto, vierta el aceite hasta obtener una profundidad de 12 mm ($^1/_2$ in) y caliente pero no permita que humee. Agregue los filetes en tandas, si fuera necesario, para evitar amontonamientos y fría durante 2 ó 3 minutos de cada lado, hasta que estén dorados y crujientes. Pase los filetes al platón colocado dentro del horno mientras hace la salsa.

Deseche el jugo de la sartén dejando una cucharada. Sobre calor medio-alto integre la cucharada reservada de harina sazonada y mezcle con una cuchara de madera para hacer un roux. Incorpore, batiendo, la taza (250 ml/8 fl oz) restante de media crema y el caldo. Agregue la salsa inglesa, salsa Tabasco y sal y pimienta al gusto. Cocine durante 3 ó 4 minutos, batiendo a menudo. Agregue más caldo si la salsa queda demasiado espesa. Pase la salsa a través de un colador de malla fina para retirar los trozos de cobertura, si lo desea. Pruebe y rectifique la sazón con sal y pimienta.

Pase los filetes a platos individuales, cubra con la salsa y sirva con los panecitos de camote, si lo desea.

RINDE 4 PORCIONES

CONSEJOS PARA FREÍR

Freír en la sartén es una estupenda forma de cocinar chuletas, costillas y filetes delgados. Puede hacer una corteza usando migas de pan seco o harina, o sazonar la carne con un unto de especias o sal, pimienta y hierbas secas. Asegúrese de usar una sartén grande y gruesa para freír, la cual distribuirá el calor uniformemente, y de no poner en ella demasiada carne para cocinar o, por el contrario, se cocerá al vapor en lugar de freírse. Para obtener los mejores resultados use un aceite de sabor neutro con un alto punto de humeado, como el aceite de cacahuate o maíz. Para asegurarse de que el aceite está lo suficientemente caliente, primero sumerja una orilla de la carne en el aceite y vea si chisporrotea.

4 sirloins delgados de res o filete redondo superior de aproximadamente 12 mm ($^1/_2$ in) de grueso, sin demasiada grasa

1 taza (155 g/5 oz) de harina de trigo (simple)

1 cucharadita de páprika

1 cucharadita de tomillo seco

1 cucharadita de salvia seca

1 cucharadita de sal

1 cucharadita de pimienta negra recién molida

$^1/_2$ cucharadita de pimienta de cayena

2 huevos

1 $^1/_2$ taza (375 ml/12 fl oz) de media crema

Aceite de maíz o cacahuate, para freír

$^1/_2$ taza (125 ml/4 fl oz) de caldo de res (página 110) o consomé preparado, o más si fuera necesario

1 ó 2 chorritos de salsa inglesa

1 ó 2 chorritos de salsa Tabasco u otra salsa picante

Panecitos de camote, para acompañar (página 111) (opcional)

FILETE CUBIERTO DE CEBOLLAS Y PIMIENTOS

PARA EL UNTO DE ESPECIAS:

1 cucharada de páprika

1 ¹/₂ cucharadita de sal

1 cucharadita de pimienta negra recién molida

1 cucharadita de tomillo seco

1 cucharadita de chile en polvo

1.5 kg (3 lb) de aguja de ternera o filete redondo superior de por lo menos 4 cm (1 ¹/₂ in) de grueso, sin demasiada grasa

2 cucharadas de aceite de oliva

¹/₂ taza (125 ml/4 fl oz) de vino tinto seco

2 cebollas amarillas o blancas, rebanadas

3 dientes de ajo, picados

3 pimientos (capsicums) rojos o amarillos, rebanados

Puré de camote, para acompañar (página 111) (opcional)

Para hacer el unto: mezcle en un tazón pequeño la páprika, sal, pimienta negra, tomillo y chile en polvo. Frote la carne por todos lados con el unto. Deje reposar a temperatura ambiente por lo menos duran-te 15 minutos o hasta por una hora o cubra y refrigere durante toda la noche. Deje reposar a temperatura ambiente, si fuera necesario, antes de cocinar.

Precaliente el horno a 180ºC (350ºF).

En un horno holandés u olla grande con tapa, caliente el aceite de oliva sobre calor medio-alto. Agregue la carne y dore por todos lados, apro-ximadamente 7 minutos en total. Pase la carne a un platón y reserve.

Agregue el vino a la olla y desglásela, raspando los pequeños trozos dorados de la base. En un tazón mezcle las cebollas con el ajo y pimientos. Vuelva a colocar la carne en la olla. Cubra la carne con la mezcla de cebolla y tape la olla. Meta la olla al horno y cocine cerca de 1 ¹/₂ hora, hasta que la carne esté suave.

Usando una cuchara ranurada pase la carne a un platón de servicio y cubra con la mezcla de cebolla. Retire la grasa de la superficie del jugo de la olla y, usando una cuchara, bañe las verduras y carne con el jugo. Acompañe con una porción de puré de camote, si lo desea.

RINDE DE 4 A 6 PORCIONES

PIMIENTOS

El pimiento o pimiento dulce, un miembro del género capsicum el cual también incluye los picosos chiles, es una de las verduras favoritas de Norteamérica. Los pimientos verdes alguna vez fueron la única variedad disponible, pero en años recientes ha sido más fácil encontrar en los supermercados los dulces y versátiles pimientos rojos, amarillos, anaranjados, morados e incluso café oscuro. Los pimientos se pueden comer crudos o cocidos, con o sin piel. Proporcionan color, sabor y nutrientes a las ensaladas, salsas, asados y sabrosos cocidos.

PAPRIKASH DE CHULETAS DE TERNERA

PÁPRIKA

Derivada de chiles rojos secos y molidos, la páprika se usa para dar sabor y color en muchas cocinas, incluyendo la húngara, española y cajún. La páprika puede ser suave o picante, dependiendo de los chiles usados para hacerla. La páprika americana por lo general es suave y la páprika húngara está llena de sabor y se puede encontrar en presentación suave (dulce) y picante. La páprika española también es muy sabrosa y varía desde la suave (dulce), la medio picante (semi amarga o agridulce) hasta la picante. La páprika es una buena adición a los untos de especias, especialmente para las carnes asadas.

Para hacer el unto: mezcle en un tazón pequeño la sal, pimienta y las dos variedades de páprika. Haga 1 ó 2 cortes en las orillas de las chuletas para evitar que se enrollen. Espolvoree las chuletas por todos lados con el unto. Deje reposar a temperatura ambiente por lo menos durante 15 minutos o hasta por una hora o cubra y refrigere durante toda la noche. Deje reposar a temperatura ambiente, si fuera necesario, antes de cocinar.

En una sartén grande y gruesa sobre calor medio-alto caliente el aceite de oliva. Agregue las chuletas y dore cerca de 2 minutos por cada lado. Reduzca el fuego a medio y tape la sartén. Cocine 4 ó 5 minutos más, hasta que un termómetro de lectura instantánea insertado lejos del hueso registre los 63ºC (145ºC) y la carne esté ligeramente rosada cuando corte cerca del hueso. Pase las chuletas a un platón de servicio y tape holgadamente con papel aluminio mientras hace la salsa.

Deseche los jugos de la sartén reservando una cucharada. Agregue los chalotes, hongos y la cucharadita de páprika dulce. Saltee 3 ó 4 minutos sobre calor medio-alto hasta que los chalotes estén traslúcidos. Agregue el vino y desglase la sartén, raspando los pequeños trozos dorados de la base. Cocine un minuto más, moviendo a menudo. Retire la sartén del fuego e integre la crema ácida. Sazone al gusto con sal y pimienta.

Pase las chuletas a platos individuales, cubra con la salsa, espolvoree con la páprika dulce y sirva.

RINDE 4 PORCIONES

PARA EL UNTO DE PÁPRIKA:

2 cucharaditas de sal

1 cucharadita de pimienta recién molida

1 cucharada de páprika dulce

1 ¹/₂ cucharadita de páprika picante

4 chuletas de lomo o costilla de ternera de por lo menos 4 cm (1 ¹/₂ in) de grueso, sin demasiada grasa

2 cucharadas de aceite de oliva

3 chalotes, picados

90 g (3 oz) de hongos blancos, cepillados y picados

1 cucharadita de páprika dulce, más la necesaria para adornar

1 taza (250 ml/8 fl oz) de vino blanco seco

¹/₂ taza (125 g/4 oz) de crema ácida

Sal y pimienta recién molida

CHULETAS DE PUERCO CON MANZANA Y CEBOLLA

4 chuletas de centro de lomo de puerco, de por lo menos 4 cm (1 ¹/₂ in) de grueso

PARA EL UNTO:

1 cucharada de salvia seca

2 cucharaditas de sal

¹/₂ cucharadita de pimienta recién molida

2 cucharadas de aceite de oliva

1 cebolla amarilla o blanca, partida a la mitad y en rebanadas delgadas

1 manzana verde, partida en cuartos y rebanada

¹/₂ taza (125 ml/4 fl oz) de vermouth dulce o vino blanco

Haga 1 ó 2 cortes en las orillas de las chuletas para evitar que se enrollen. Para hacer el unto: mezcle en un tazón pequeño la salvia, sal y pimienta. Frote las chuletas de puerco por todos lados con el unto. Deje reposar a temperatura ambiente por lo menos durante 15 minutos o hasta por una hora o cubra y refrigere durante toda la noche. Deje reposar a temperatura ambiente, si fuera necesario, antes de cocinar.

En una sartén grande sobre calor medio-alto caliente el aceite de oliva. Agregue las chuletas y dore cerca de 2 minutos por cada lado. Reduzca el fuego a medio y tape la sartén. Cocine 4 ó 5 minutos más, hasta que la carne esté ligeramente rosada cerca del hueso o un termómetro de lectura instantánea insertado lejos del hueso registre los 63ºC (145ºF). Pase las chuletas a un platón y tape holgadamente con papel aluminio mientras hace la salsa.

Deseche el jugo de la sartén reservando una cucharada. Agregue la cebolla y la manzana y saltee cerca de 5 minutos, hasta que la cebolla esté traslúcida. Añada el vermouth y desglase la sartén, raspando los pequeños trozos dorados de la base.

Usando una cuchara, coloque la mezcla de manzana y cebolla en platos individuales. Coloque las chuletas de puerco sobre ella, rocíe con el jugo de la sartén y sirva.

RINDE 4 PORCIONES

COCINANDO CON MANZANAS

El dulce y agrio sabor de las manzanas es un delicioso contrapunto para el agradable sabor del puerco. El puré de manzana es un clásico condimento para el puerco, pero las manzanas a las especias, el chutney de manzana o, como en esta receta, las rebanadas de manzana salteadas son una alternativa excelente. Las variedades más ácidas como la Granny Smith, pippin o Fuji, son mejores para cocinar. La cebolla y el vermouth proporcionan aroma y sabor a las manzanas en esta receta. Sin embargo, los chalotes o pimientos rojos y jerez, oporto o sidra fuerte pueden producir platillos igual de sabrosos y matizados.

CHULETAS DE HOMBRO DE CORDERO ASADAS

CORTES DE CORDERO
Prácticamente cualquier corte de cordero es lo suficientemente suave para poder asarse, cocerse o saltearse; sólo las piernas relativamente duras necesitan de un cocimiento largo y lento, como el estofado, para obtener los mejores resultados. El lomo de cordero y las chuletas, al igual que los suaves filetes de res, vienen de la zona del dorso y costillas del animal. El hombro usado en esta receta tiene más músculos y por lo tanto es más chicloso, pero tiene mucho sabor. Las suaves chuletas de cordero saben mejor si se sirven término rojo o medio rojo, mientras que las chuletas de hombro, que son más duras, saben mejor si se cocinan término medio o bien cocidas.

Haga 1 ó 2 cortes en las orillas de las chuletas para evitar que se enrollen.

En un tazón mezcle el ajo en polvo, romero, orégano seco, sal, pimienta con limón, ¹/₂ cucharadita de canela y pimienta de jamaica. Frote el cordero por todos lados con el unto. Deje reposar a temperatura ambiente por lo menos durante 15 minutos o hasta por una hora o tape y refrigere durante toda la noche. Deje reposar a temperatura ambiente, si fuera necesario, antes de cocinar.

Precaliente el horno a 180ºC (350ºF).

En una sartén grande para saltear que pueda meter al horno o una cacerola con tapa, caliente el aceite de oliva sobre calor medio-alto. Agregue las chuletas en tandas, si fuera necesario, para evitar amontonamientos y selle 3 ó 4 minutos de cada lado. Pase las chuletas doradas a un platón. Agregue el ajo, orégano fresco y menta picada a la sartén y saltee 3 ó 4 minutos, hasta que el ajo esté suave. Agregue el vino y el jitomate y mezcle. Vuelva a colocar las chuletas en la sartén acomodando en capas, si fuera necesario, para que quepan. Tape la sartén y ase en el horno aproximadamente una hora, hasta que el cordero esté muy suave. Usando pinzas o una cuchara ranurada pase las chuletas a un platón y mantenga calientes. Retire la grasa de la superficie de la salsa e integre la pasta o puré de jitomate y ¹/₂ cucharadita de canela. Pruebe y rectifique la sazón. Coloque sobre calor medio y cocine cerca de 5 minutos, moviendo a menudo, hasta que espese.

Acomode las chuletas sobre platos individuales. Bañe con la salsa y adorne con las ramas de menta.

Para Servir: Este platillo combina perfectamente con el Pilaf de Menta (página 111).

Nota: Para retirar la piel de los jitomates, haga una X en el punto de floración y remójelos en agua hirviendo durante 15 ó 30 segundos. Retire, pase bajo el chorro de agua fría para detener el cocimiento y desprenda la piel empezando desde la X. Para retirar las semillas, pártalos a la mitad transversalmente y presione para retirar las semillas.

RINDE 4 PORCIONES

8 chuletas de hombro de cordero, sin demasiada grasa

PARA EL UNTO DE HIERBAS:

2 cucharadas de ajo en polvo

1 cucharada de romero seco y la misma cantidad de orégano seco

2 cucharaditas de sal

1 cucharadita de pimienta con limón (página 98)

¹/₂ cucharadita de canela, molida

¹/₄ cucharadita de pimienta de jamaica, molida

2 cucharadas de aceite de oliva

6 dientes de ajo, picados

2 cucharadas de orégano fresco picado y la misma cantidad de menta o hierbabuena fresca picada, más ramas de menta o hierbabuena fresca para adornar

1 taza (250 ml/8 fl oz) de vino tinto seco

1 jitomate grande, sin piel ni semillas y cortado en dados (vea Nota)

2 cucharadas de pasta o puré de jitomate

¹/₂ cucharadita de canela molida

ARRACHERA RELLENA ESTILO ARGENTINO

1 arrachera gruesa de 750 g (1 1/2 lb), sin demasiada grasa ni piel de plata

1 cucharada de vinagre de vino tinto y la misma cantidad de páprika

2 cucharadas de pasta o puré de jitomate

2 dientes de ajo, finamente picados

4 cucharadas de aceite de oliva

125 g (1/4 lb) de prosciutto, finamente rebanado

1 manojo de espinacas, lavadas cuidadosamente y sin tallos

1 zanahoria, sin piel y rallada

1/2 cebolla amarilla o blanca, rebanada

1 pimiento (capsicum) rojo, asado (página 65), sin piel y rebanado

1 taza (30 g/1 oz) de hojas de albahaca fresca

1/2 taza (60 g/2 oz) de migas de pan seco y la misma cantidad de queso pecorino romano, rallado

2 cucharaditas de tomillo seco

Sal y pimienta molida

1/2 taza (125 ml/4 fl oz) de vino blanco y la misma cantidad de Marsala

1 taza (250 ml/8 fl oz) de caldo de res (página 110)

1 cucharada de salsa inglesa

Abra la carne en mariposa rebanándola horizontalmente y deteniéndose aproximadamente 2 cm (3/4 in) antes de llegar al otro extremo. Abra la carne y golpee con un mazo de carnicero hasta obtener un grosor uniforme de 12 mm (1/2 in).

Precaliente el horno a 180ºC (350ºF). Mezcle el vinagre, páprika, una cucharada de la pasta de jitomate, ajo y una cucharada del aceite de oliva. Mezcle para formar una pasta espesa. Unte la pasta sobre el lado abierto de la carne reservando una cucharada. Coloque el prosciutto, espinacas, zanahoria, cebolla, pimiento y albahaca en capas sobre la superficie. En un tazón pequeño mezcle las migas de pan, queso, una cucharadita del tomillo y sal y pimienta al gusto; espolvoree la mezcla sobre la superficie. Enrolle la carne empezando desde la orilla larga para hacer un rollo apretado y ate con hilo de cocina (página 97). Coloque con la orilla hacia abajo y frote con una cucharada del aceite de oliva. Espolvoree con sal y pimienta y la cucharadita restante de tomillo.

En una sartén grande y gruesa sobre calor medio-alto caliente las 2 cucharadas restantes de aceite de oliva. Agregue la carne y dore por todos lados, cerca de 5 minutos. Pase a una sartén para asar a prueba de flamas, con la unión hacia abajo y ase durante aproximadamente 45 minutos. Levante la carne y vierta el vino blanco en la sartén por debajo de la carne para evitar que se pegue. Ase cerca de una hora, hasta que un termómetro de lectura instantánea insertado en el centro registre los 54ºC (130ºF). Pase a una tabla y tape holgadamente con papel aluminio.

Agregue el Marsala a la sartén para asar y coloque sobre calor alto. Raspe los pequeños trozos dorados de la base de la sartén. Incorpore, batiendo, el caldo, salsa inglesa y la cucharada restante de pasta o puré de jitomate, mezclando a menudo, hasta que se reduzca a la mitad, cerca de 5 minutos. Pase la salsa a través de un colador de malla fina.

Para servir, retire el hilo de cocina de la carne y corte en rodajas gruesas. Pase a platos individuales y bañe con la salsa.

RINDE DE 4 A 6 PORCIONES

MATAMBRE

Este trozo de carne rellena está inspirado en el Matambre, un platillo favorito de Argentina en donde la carne de res es el alma de la cocina. Matambre significa "matar el hambre" y la leyenda dice que los primeros viajeros que cruzaron las pampas llevaron este platillo para matar el hambre en sus viajes. El Matambre a menudo se sirve rebanado como botana, pero también es un maravilloso plato principal. Pruébelo con una porción de Polenta Frita (página 110).

ENTRECOTE CON VERDURAS DE INVIERNO Y SALSA ZINFANDEL

Coloque la carne de res en un refractario de material no reactivo. Usando un pequeño cuchillo filoso haga orificios sobre la superficie. Inserte las rebanadas de ajo en los orificios. Espolvoree la carne por todos lados con sal y pimienta y 2 cucharadas del tomillo y reserve a temperatura ambiente por lo menos durante 15 minutos o hasta por una hora.

Precaliente el horno a 200ºC (400ºF). Retire la piel de las papas y cebollas y parta en cuartos. En un tazón grande mezcle las zanahorias, nabos, papas, cebollas y dientes de ajo enteros. Rocíe con una cucharada del aceite de oliva y espolvoree con sal y pimienta y la 1 1/2 cucharada restante de tomillo. Acomode las verduras en una sola capa sobre una charola para hornear y ase, moviendo a menudo, durante 35 ó 40 minutos, hasta que estén suaves. Retire del horno y reserve.

Aproximadamente 10 minutos antes de que las verduras estén listas, cubra la base de una sartén grande que pueda meter al horno con la cucharada restante de aceite de oliva. Agregue la carne a la sartén y selle sobre fuego medio-alto durante 4 ó 5 minutos por cada lado. Pase al horno y ase hasta obtener el término deseado. Retire del horno cuando aún esté rojo en el centro para término rojo (49ºC/120ºF) o cuando esté rosa fuerte en el centro para término medio rojo (54ºC/130ºF). Deje reposar la carne, tapando holgadamente con papel aluminio, durante 10 minutos antes de servir.

Para hacer la salsa: deseche el jugo de la sartén reservando una cucharada. Caliente sobre fuego medio e integre la harina, batiendo. Incorpore, batiendo, el vino, caldo de res, pasta de jitomate, salsa inglesa, salsa de soya y salsa Tabasco. Cocine 5 ó 6 minutos, moviendo a menudo, hasta que la mezcla espese. Sazone al gusto con sal y pimienta.

Acomode la carne sobre un platón rodeado por las verduras asadas. Bañe con la salsa y sirva.

RINDE 4 PORCIONES

VERDURAS DE LA ESTACIÓN

Un principio de la revolución alimenticia en los Estados Unidos es cocinar con los productos de la estación. El invierno es la temporada de la calabaza acorn horneada con mantequilla y miel maple, betabeles al vapor con sus hojas y vinagre balsámico y, como vemos en esta receta, raíces y tubérculos como las zanahorias, nabos y papas asados con ajo, cebollas y tomillo.

1 trozo de entrecote de res de 1 a 1.5 kg (2 a 3 lb), del grueso de 2 huesos

8 dientes de ajo, 4 finamente rebanados y 4 enteros

Sal y pimienta fresca, molida

2 cucharadas más 1 1/2 cucharadita de tomillo fresco, picado

2 papas pequeñas

2 cebollas amarillas o blancas grandes

2 zanahorias y 2 nabos, sin piel y cortados en trozos de 2.5 cm (1 in)

2 cucharadas de aceite de oliva

PARA LA SALSA:

1 cucharada de harina de trigo (simple)

1/2 taza (125 ml/4 fl oz) de vino Zinfandel u otro vino tinto de cuerpo entero

1 taza (250 ml/8 fl oz) de caldo de res (página 110)

2 cucharadas de pasta o puré de jitomate

1 cucharadita de salsa inglesa y la misma cantidad de salsa de soya y salsa Tabasco

Sal y pimienta recién molida

FIESTAS

Para una presentación más espectacular y una comida deliciosa no hay nada mejor que un asado entero, rebanado en la mesa. Los platillos favoritos tradicionales incluyen el costillar de prime rib con una corteza de especias y una corona de puerco rellena con verduras miniatura. Además, un suculento filete de res asado sazonado con hongos o una ternera a la provenzal hará que cualquier ocasión se convierta en algo especial

COSTILLAR DE ENTRECOTE CON CORTEZA DE RÁBANO PICANTE

Para hacer la corteza: mezcle en un tazón pequeño la mostaza, ¹/₄ taza de rábano picante, migas de pan, romero, ajo, sal y pimienta. Unte la mezcla sobre la carne y deje reposar a temperatura ambiente por lo menos durante 15 minutos o hasta por una hora o tape y refrigere durante toda la noche. Deje reposar a temperatura ambiente, si fuera necesario, antes de cocinar.

Precaliente el horno a 180ºC (350ºF). Engrase una charola para asar lo suficientemente grande para dar cabida al costillar. Coloque el costillar, con el lado de la grasa hacia arriba, en la charola y ase aproximadamente una hora, hasta que el costillar tenga un agradable tono dorado. Rectifique la cocción insertando un termómetro de lectura instantánea lejos del hueso o haciendo un corte en la carne cerca del hueso. Para término medio retire el costillar cuando alcance entre 49ºC y 52ºC (120ºF-125ºF) o cuando la carne esté roja cerca del hueso; para término medio rojo retire cuando alcance los 54ºC (130ºF) o cuando la carne esté de color rosa oscuro cerca del hueso. Pase el costillar a una tabla de picado y deje reposar, tapando holgadamente con papel aluminio, durante 10 ó 12 minutos antes de servir.

En un tazón pequeño bata ¹/₂ taza de rábano picante con la crema ácida. Rebane el costillar (vea explicación a la izquierda) en rebanadas gruesas o delgadas, dependiendo del gusto, pase a platos individuales y sirva bañando con la salsa de rábano picante.

Variación: Si usted lo prefiere también puede cocinar el costillar a la parrilla. Prepare un asador de carbón o gas para asar indirectamente sobre calor medio-alto (página 106). Coloque el costillar preparado, con el lado de la grasa hacia arriba, sobre la zona menos caliente del asador, tapado, durante una hora y coloque una sartén para recibir los escurrimientos por debajo del costillar. Rectifique la cocción como se indica con anterioridad.

RINDE DE 8 A 10 PORCIONES

REBANANDO COSTILLARES

Es fácil rebanar el entrecote, lomo de puerco o costillar de cordero con hueso cuando se ha solicitado a un carnicero que retire el hueso de la espina dorsal que corre a lo largo de la parte inferior del trozo de carne. Para rebanarlo coloque el trozo de carne sobre una tabla de picar. Deteniendo un cuchillo paralelamente a las costillas, rebane a lo largo de la orilla de las costillas, por debajo del rib-eye o porción carnosa, para separarlo de los huesos y posteriormente rebane el rib-eye tan delgado o tan grueso como usted lo desee. O, si desea rebanadas con hueso, puede rebanar entre los huesos.

PARA LA CORTEZA:

¹/₂ taza (125 g/4 oz) de mostaza Dijon

¹/₄ taza (60 g/2 oz) de rábano picante preparado

³/₄ taza (90 g/3 oz) de migas de pan seco

2 cucharadas de romero fresco picado o 1 cucharada de romero seco

6 dientes de ajo, finamente picados

2 cucharaditas de sal

2 cucharaditas de pimienta recién molida

1 costillar de entrecote (4 costillas) de 3 a 4 kg (6-8 lb), sin hueso de la espina dorsal, pida al carnicero que lo retire

¹/₂ taza (125 g/4 oz) de rábano picante preparado

¹/₂ taza (125 g/4 oz) de crema ácida

CORONA DE PUERCO CON RELLENO DE VERDURAS MINIATURA

PARA EL UNTO DE SALVIA:

2 cucharadas de salvia fresca, picada

1 cucharada de ajo en polvo

1 cucharada de cebolla en polvo

2 cucharaditas de sal

1 cucharada de pimienta recién molida

1 costillar de puerco (16 costillas) de aproximadamente 4 kg (8 lb), sin el hueso de la espina dorsal, pida al carnicero que lo retire

12 zanahorias cambray suaves, sin tallo, si lo desea

12 nabos miniatura, sin tallo, si lo desea

12 papas cambray muy pequeñas o 6 papas pequeñas partidas a la mitad

2 cucharadas de aceite de oliva

12 champiñones frescos u hongos cremini

12 cebollas cambray, blanqueadas y sin piel *(vea explicación a la derecha)*

Sal y pimienta recién molida

Para hacer el unto: mezcle en un tazón pequeño la salvia, ajo en polvo, cebolla en polvo, sal y pimienta. Espolvoree el unto sobre todo el puerco reservando 2 cucharadas para el relleno de las verduras. Deje reposar a temperatura ambiente por lo menos durante 15 minutos o hasta por una hora.

Precaliente el horno a 180ºC (350ºF). Engrase con aceite una charola para asar lo suficientemente grande para dar cabida al puerco. Coloque el hueso de la corona hacia abajo en la charola y ase aproximadamente una hora, hasta que la carne tenga un agradable tono dorado. Rectifique la cocción insertando un termómetro de lectura instantánea lejos del hueso o haciendo un corte en la carne cerca del hueso. El puerco está cocido cuando la temperatura interna es de 65ºC (150ºF); retire del calor justo antes de que esté listo, cuando la carne aún esté de color rosado cerca del hueso y la temperatura sea de aproximadamente 63ºC (145ºF). Pase a una tabla de picar aún con el hueso hacia abajo y deje reposar, tapando holgadamente con papel aluminio, cerca de 10 minutos antes de servir. (La carne se seguirá cociendo mientras reposa).

En una olla mezcle las zanahorias, nabos y papas con agua ligeramente salada hasta cubrir. Caliente sobre fuego alto y, cuando suelte el hervor, reduzca a fuego bajo y cocine 5 ó 6 minutos, hasta que las verduras estén firmes pero se puedan picar con la punta de un cuchillo filoso. Escurra y reserve.

Mientras tanto, en una olla grande sobre calor medio-alto caliente el aceite de oliva. Agregue los hongos, cebollas cambray sin piel y las verduras cocidas y saltee 4 ó 5 minutos, hasta que las verduras estén suaves. Espolvoree con las 2 cucharadas reservadas de unto y sazone al gusto con sal y pimienta.

Para servir, voltee la corona de manera que las puntas de los huesos queden hacia arriba. Coloque la mezcla de verduras en el centro de la corona. Lleve a la mesa, rebane entre las chuletas y sirva sobre platos individuales acompañando con las verduras.

RINDE DE 8 A 10 PORCIONES

PELANDO CEBOLLAS CAMBRAY

Las cebollas pequeñas, también llamadas cebollas cambray o cebollitas de cambray, pueden ser difíciles de pelar. Para facilitar este proceso coloque las cebollas cambray con piel en una olla con agua hirviendo hasta cubrir. Blanquee durante un minuto, escurra y pase por debajo del chorro de agua fría para enfriar. Corte las orillas y pele con un pequeño cuchillo filoso. La piel deberá retirarse con facilidad..

COSTILLAR DE CORDERO CON CORTEZA DE MIGAS DE PAN A LA MOSTAZA

Sazone el cordero generosamente con sal y pimienta. Deje reposar la carne a temperatura ambiente por lo menos durante 15 minutos o hasta por una hora antes de cocinar.

Precaliente el horno a 230ºC (450ºF).

En una sartén grande para freír que pueda meter al horno, caliente el aceite de oliva sobre calor medio-alto. Cuando el aceite empiece a humear agregue los costillares con el lado de la grasa hacia abajo. Selle aproximadamente 2 minutos por cada lado, hasta dorar por todos lados. (No apriete demasiado la carne en la sartén; use 2 sartenes si fuera necesario.) Cuando los costillares estén dorados páselos a un platón, reserve y deje enfriar. Reserve la sartén.

Para hacer la corteza: mezcle en un tazón las migas de pan, romero y ajo en polvo y mezcle. Agregue suficiente aceite de oliva hasta que las migas de pan se sientan como arena mojada, necesitará aproximadamente ¹/₄ taza. Usando una espátula extienda la mostaza sobre la carne de cada costillar, excluyendo los huesos. Presione la mezcla de migas de pan sobre la mostaza, la cual le ayudará a adherirse.

Vuelva a colocar los costillares en la sartén y ase en el horno 12 ó 15 minutos, hasta que un termómetro de lectura instantánea insertada lejos del hueso registre 54ºC (130ºF) y la carne esté bastante rosada cuando se le haga un corte cerca del hueso para término medio rojo. Pase a una tabla de picar y deje reposar, tapando holgadamente con papel aluminio, durante 5 ó 10 minutos antes de servir.

Rebane en chuletas y sirva 2 a cada comensal.

RINDE DE 4 A 6 PORCIONES

ASANDO A LA SARTÉN Y AL HORNO

Asar en la sartén es un sencillo truco de chef que implica dorar la carne sobre la estufa y después asarla en un horno caliente. En un restaurante este método permite al chef precocer la carne para después tenerla lista rápidamente con un breve asado final. Para los cocineros caseros esta técnica ofrece la comodidad de cocer parcialmente el trozo de carne con anticipación, además de también asegurar una deliciosa y dorada superficie y un interior perfectamente cocido. Si desea saber más acerca del asado vaya a la página 109.

2 costillares de cordero de aproximadamente 750 g (1 ¹/₂ lb) cada uno, cortados a la francesa por el carnicero

Sal y pimienta recién molida

1 cucharada de aceite de oliva

PARA LA CORTEZA:

¹/₂ taza (60 g/2 oz) de migas de pan seco

2 cucharaditas de romero fresco, finamente picado

2 cucharaditas de ajo en polvo o ajo en hojuelas

¹/₄ taza (60 ml/2 fl oz) de aceite de oliva o el necesario

2 cucharadas de mostaza Dijon

FILETE DE ROAST BEEF ASADO CON RELLENO DE HONGOS Y MADEIRA

PARA EL RELLENO:

1 cucharada de mantequilla sin sal y la misma cantidad de aceite de oliva

500 g (1 lb) de champiñones, picados

6 dientes de ajo, picados

$^1/_4$ taza (60 ml/2 fl oz) de Madeira o jerez seco

$^1/_2$ taza (20 g/3/4 oz) de perejil liso (italiano) fresco, picado

1 taza (60 g/2 oz) de migas de pan fresco

Sal y pimienta molida

2 ó 2.5 kg (4-5 lb) de filete de res

Sal y pimienta molida

1 cucharada de aceite de oliva

1 cucharada de mantequilla sin sal

1 cucharada de harina de trigo (simple)

1 taza (250 ml/8 fl oz) de caldo de res (página 110)

$^1/_4$ taza (60 ml/2 fl oz) de Madeira o jerez seco

1 cucharada de pasta o puré de jitomate

1 chorrito de salsa inglesa

Precaliente el horno a 200ºC (400ºF). Para hacer el relleno: en una sartén sobre calor medio derrita la mantequilla con el aceite de oliva. Agregue los champiñones y el ajo y saltee cerca de 5 minutos, moviendo a menudo, hasta suavizar. Integre el Madeira, perejil y migas de pan para hacer una pasta gruesa y húmeda. Retire del fuego, sazone al gusto con sal y pimienta y deje enfriar.

Abra la carne en mariposa cortando longitudinalmente en el centro y deteniéndose cerca de 2 cm ($^3/_4$ in) antes de llegar al otro extremo. Abra y golpee con un mazo de carnicero hasta obtener un grosor uniforme de 2 cm ($^3/_4$ in). Espolvoree con sal y pimienta.

Cuando el relleno se haya enfriado ligeramente, extiéndalo uniformemente sobre el lado abierto de la carne. Enrolle la carne para hacer un rollo y amarre con hilo de cocina (vea explicación a la derecha). En una sartén gruesa que pueda meter al horno, sobre calor alto, caliente el aceite de oliva hasta que humee. Agregue el rollo de carne y selle durante 6 ó 7 minutos, volteando a menudo. Pase la sartén al horno y ase aproximadamente 10 minutos, hasta obtener el término deseado. Rectifique la cocción usando un termómetro de lectura instantánea o haciendo un corte en la carne. Para filete rojo retire la carne cuando marque entre 49ºC y 52ºC (120ºF - 125ºF) o cuando esté roja en el centro. Para término medio retire cuando marque 54ºC (130ºF) o cuando esté de color rosa oscuro en el centro. Pase a una tabla y deje reposar, tapando con papel aluminio, durante 5 minutos antes de servir.

En la misma sartén derrita la mantequilla sobre calor medio. Integre la harina y el caldo, Madeira, pasta de jitomate y salsa inglesa, batiendo. Cocine cerca de 5 minutos, batiendo, hasta que la salsa espese. Sazone con sal y pimienta. Retire el hilo de la carne y rebane en rodajas. Acomode las rebanadas en platos individuales, bañe con la salsa y sirva de inmediato.

RINDE 8 PORCIONES

AMARRANDO UN ROLLO DE CARNE

Coloque la carne sobre un platón o tabla de picar, con el lado cortado hacia arriba. Sazone la carne y agregue el relleno, si lo usa. Corte varios trozos de hilo de cocina de aproximadamente una tercera parte más larga que la porción más gruesa del trozo de carne. Use por lo menos tres hilos para cada trozo de carne; para trozos más grandes use más hilos. Coloque los hilos por debajo de la carne, dejando sobrantes del mismo tamaño en ambos lados. Envuelva los hilos alrededor del rollo de carne y amárrelos. Corte el hilo sobrante. Retire y deseche los hilos antes de rebanar la carne.

TERNERA A LA PROVENZAL CON JITOMATES ASADOS

PIMIENTA CON LIMÓN

La pimienta con limón, una mezcla de pimienta negra molida toscamente y ralladura seca de limón, se puede encontrar en la mayoría de los supermercados. Algunas compañías fabricantes de especias ofrecen mezclas que también incluyen comino, chile rojo, orégano, tomillo, cebolla y ajo seco o páprika. Usted puede hacer su propia pimienta con limón mezclando pimienta molida toscamente con una cantidad equivalente de ralladura seca de limón en un procesador de alimentos. Use la pimienta con limón en untos de especias y hierbas; sobre puerco, cordero, pollo o pescado; o siempre que usted quiera sazonar con pimienta y un sutil toque de limón.

Para hacer el unto: mezcle en un tazón pequeño las hierbas de Provenza, páprika, ajo en polvo, ralladura de naranja, sal y pimienta con limón. Haga 2 ó 3 cortes en la superficie del trozo de ternera. Unte la carne por todos lados con una cucharada de aceite de oliva. Frote la carne por todos lados con el unto reservando una cucharada. Deje reposar a temperatura ambiente por lo menos durante 15 minutos o hasta por una hora antes de cocinar.

Precaliente el horno a 190ºC (375ºF). Engrase con aceite una charola para asar lo suficientemente grande para dar cabida a la ternera.

Ponga el trozo de ternera en la charola, colocando el lado de la grasa hacia arriba, y ase 40 ó 45 minutos, hasta que la superficie esté dorada. La ternera está lista cuando la temperatura interna alcanza entre 63ºC y 65ºC (145ºF-150ºF) con carne ligeramente rosada y muy jugosa. Rectifique la cocción insertando un termómetro de lectura instantánea lejos del hueso o haciendo un corte en la carne cerca del hueso. Retire la carne del fuego justo antes de que esté lista (60ºC/140ºF) y deje reposar, tapando holgadamente con papel aluminio, durante 5 ó 10 minutos antes de servir. (La carne seguirá cociéndose mientras reposa.) Deje el horno encendido.

Descorazone los jitomates profundamente cortando con un pequeño cuchillo filoso en el punto de floración y alrededor del corazón. Coloque una cucharadita del ajo picado y 2 aceitunas en el espacio que quedó al retirar el corazón de cada jitomate. Rocíe con aceite de oliva y espolvoree con la cucharada reservada de unto de hierbas. Coloque los jitomates en una sartén para asar engrasada con aceite, colocando el lado abierto hacia arriba, y ase durante 10 ó 12 minutos, hasta que se suavicen y calienten totalmente.

Para servir, corte la carne en chuletas o rebanadas gruesas, cubra con los jugos de la sartén y sirva acompañando con los jitomates asados.

RINDE DE 6 A 8 PORCIONES

PARA EL UNTO:

2 cucharadas de hierbas de Provenza

2 cucharadas de páprika

2 cucharadas de ajo en polvo

1 ½ cucharadita de ralladura de naranja

1 ½ cucharadita de sal

1 cucharadita de pimienta con limón (vea explicación a la izquierda)

1 trozo de filete de ternera sin hueso de aproximadamente 2.5 kg (5 lb) o ternera con hueso y sin espina dorsal, retirada por el carnicero

1 cucharada de aceite de oliva, más el necesario para rociar

4 jitomates grandes

4 cucharaditas de ajo picado

8 aceitunas negras, sin hueso, como las kalamata

LOMO DE PUERCO ASADO A LA TOSCANA

PARA LA PASTA DE HIERBAS:

2 cucharadas de tomillo fresco o 1 cucharada de tomillo seco

1 cucharada de salvia fresca picada o 1 ½ cucharadita de salvia seca

6 dientes de ajo, finamente picados

2 cucharaditas de sal

1 cucharadita de pimienta recién molida

2 cucharadas de aceite de oliva o el necesario

1 filete de puerco sin hueso de 2 ó 3 kg (4-6 lb) o con hueso y sin espina dorsal, sin demasiada grasa

Precaliente el horno a 180ºC (350ºF).

Para hacer la pasta: mezcle en un tazón pequeño el tomillo, salvia, ajo, sal, pimienta y suficiente aceite de oliva para hacer una pasta espesa, necesitará aproximadamente 2 cucharadas.

Haga 1 ó 2 cortes en la superficie del trozo de carne. Unte la pasta de hierbas sobre la carne y deje reposar a temperatura ambiente por lo menos durante 15 minutos o hasta por una hora antes de cocinar o tape y refrigere durante toda la noche. Deje reposar la carne a temperatura ambiente, si fuera necesario, antes de cocinar.

Engrase con aceite una charola para asar lo suficientemente grande para dar cabida al puerco. Coloque el puerco en la charola, con la parte de la grasa hacia arriba, y ase durante 45 minutos o más tiempo si fuera necesario. Rectifique la cocción usando un termómetro de lectura instantánea o haciendo un corte en la carne. El filete de puerco debe retirarse del calor cuando la temperatura interna alcanza los 63ºC (145ºF) o cuando la carne está ligeramente rosada en el centro. Deje reposar, tapando holgadamente con papel aluminio, durante 10 minutos, rebane y sirva.

RINDE DE 6 A 8 PORCIONES

ARISTA

El puerco asado a la toscana se conoce con el nombre de *arista*, un nombre que probablemente viene de *aristos*, la palabra griega para "mejor". Esto significa que el filete es la mejor parte del puerco y que la mejor forma de cocinarlo es asándolo. El *Arista* tradicionalmente se rostiza. Para hacerlo usted, arme un rosticero de acuerdo a las indicaciones del fabricante en un asador de carbón o gas y prepárelo para asar indirectamente sobre calor medio-alto (página 106). Coloque la carne en el centro del rosticero y rostice durante 45 minutos o más tiempo si fuera necesario. Rectifique la cocción siguiendo las indicaciones para asar en el horno (*vea explicación anterior*).

Los cortes de carne, pequeños trozos de carne suave que se pueden cocinar rápidamente sobre el fuego, han sido los cortes favoritos desde el principio del arte culinario. Cuando los primeros cazadores y recolectores cocinaban su carne no tenían estufas ni hornos ni siquiera ollas. Cortaban carne suave en porciones y la trinchaban en palos que colocaban cerca del fuego o pasaban filosas ramas a través de trozos más grandes para rostizarlos sobre leña encendida. La ventaja de asar y rostizar carne suave sobre calor alto es que la superficie se dora para hacer una corteza sabrosa mientras que el interior de la carne permanece suave y jugosa. Es más, cocinar filetes y chuletas es fácil y por lo general no involucra demasiado tiempo de preparación.

ACERCA DE LOS CORTES DE CARNE

Los filetes y chuletas son básicamente los mismos cortes pero provienen de diferentes animales. Trozos de carne suave, con o sin huesos, cortados de la res (y de cualquier animal grande como un venado, alce o ciervo) se conocen como filetes. Los mismos cortes de la zona del filete, sirloin y costillas de animales más pequeños como cerdos, corderos o terneras se conocen como chuletas. Ambos tipos se cortan del dorso y costillas, zonas del animal que hacen menos ejercicio que las piernas, caderas y hombros y

por lo tanto proporcionan carne más suave.

La mayoría de los cortes de carne únicamente necesitan sazonarse y después cocinarse brevemente sobre un asador caliente o en el horno para convertirse en una deliciosa comida. Los músculos más duros de otras zonas se deben cocinar durante más tiempo para quedar suaves.

RES

Si usted ordena un filete en un restaurante de Estados Unidos o en un restaurante especializado en carnes, se le servirá un trozo de res suave, lo más probable del filete corto (dorso) o de la zona de las costillas del buey. Por lo general, viene asado o cocinado a la parilla y se sirve sólo con un trozo de mantequilla o una salsa embotellada para carne, pero en algunas ocasiones se le servirá salteado y con una salsa hecha a la sartén que típicamente llevará hongos.

Un chef francés por lo general salteará un filete y a menudo lo servirá con una salsa elaborada hecha con vino, mantequilla o crema. El filete italiano más famoso es la bistecca fiorentina (página 176), un grueso filete porterhouse untado con aceite de oliva y asado sobre carbones de madera dura.

El filete es más sabroso cuando se sirve término rojo (49ºC-52ºC/120ºF-125ºF) o medio rojo (54ºC-57ºC/130ºF-135ºF) aunque algunas personas pre-

fieren los filetes término medio o bien cocidos (60º-68ºC/140º-155ºF), un término que reduce la suavidad pero aún puede ser sabroso.

El filete porterhouse y el T-bone, dos de los filetes más famosos en los Estados Unidos, se cortan de filete o zona del dorso e incluyen un trozo del lomo y el músculo más grande del filete. Los filetes se cortan del músculo del lomo o filete que corre a lo largo de la espina dorsal; las tiras de New York y otros filetes de top-loin se cortan del músculo del filete más grande pero aún suave.

Los filetes porterhouse y T-bone siempre se venden con hueso; el filete mignon, tournedo, chateaubriand y otros filetes nunca tienen hueso. Por el contrario, los filetes de top-loin (New York, Kansas City, tira, top loin y club steaks) se venden con o sin hueso. Los filetes de costilla son populares entre los cocineros de Norteamérica. Se venden con hueso como la chuleta de filete o sin hueso como el rib-eye, Delmónico, filete del mercado o filete Spencer.

Los cortes de filete de otras zonas del buey son ligeramente más chiclosos y a menudo se marinan antes de cocinar. Éstos incluyen la arrachera de la zona de la panza, los la falda, el filete de suspensión del diafragma, el filete de tirada cortado del hombro y los filetes de la parte inferior del sirloin. Trozos más grandes de zonas suaves del buey como el filete en trozo, prime rib, sirloin en trozo o arrachera se pueden asar al horno o en asador tapado, o se pueden asar en un rosticero.

PUERCO

Las chuletas son el corte más popular del puerco en Norteamérica, pero tendencias recientes han hecho que las chuletas de puerco sean más difíciles de cocinar con éxito. La crianza de puercos con menos grasa para los comensales de la actualidad, más conscientes de la ingesta de grasas, a menudo proporciona chuletas duras y secas. Se debe tener cuidado de no sobre cocinar el puerco magro y suave, especialmente el de la zona del filete. (Los parásitos de la triquina se mueren a los 59ºC/138ºF por lo que el puerco se debe cocer hasta alcanzar los 63ºC/145ºF por seguridad.)

Las chuletas se cortan de la parte más suave del dorso o zona del filete del puerco, de las costillas y sirloin así como del hombro. Las chuletas de filete a menudo se venden con un trozo de lomo adherido (muy parecido al filete porterhouse), pero también se cortan del filete y se venden con hueso o sin él. Las chuletas de costilla también son bastante suaves, aunque por lo general tienen un poco más de grasa. Siempre se venden con hueso. Las chuletas cortadas de la zona del sirloin (cadera) y hombro tienen más grasa y tejido conjuntivo y son más chiclosas que las chuletas de filete o costilla. Se deben cocinar durante más tiempo, hasta registrar entre 68ºC y

71ºC (155ºF -160ºF) para obtener un mejor sabor y suavidad.

El filete de puerco también se vende en trozos grandes, tanto con o sin hueso, el cual se puede asar y después partir en chuletas o rebanadas. Una forma popular y espectacular de cocinar el filete de puerco es en una corona, un filete de puerco con hueso amarrado en forma de círculo, a la cual a menudo se le rellena antes de servir (página 212).

El lomo de puerco, el delgado y muy suave músculo que corre a lo largo de la espina dorsal del puerco, es un corte muy popular. El pequeño lomo (500 g – 1 kg/1-2 lb) equivalente a un lomo o filete de res, virtualmente no tiene grasa y se vende sin hueso y en trozo (a menudo en paquetes de dos lomos). El lomo se puede asar entero o cortado en dos trozos para hacer asados individuales más pequeños. También se puede abrir en mariposa y asar o saltear. Cuando se rebana en medallones es aún más versátil.

CORDERO

La carne de un cordero joven siempre se ha considerado una delicia. Asado entero en festivales de pueblo o en brochetas asadas sobre un fuego abierto, el cordero ha sido de los cortes de carne preferidos por los cocineros del lejano oriente y Asia durante miles de años. Cuando se corta en chuletas y se asa a la parrilla o en una sartén, el cordero es rápido y fácil de cocinar y una deleite al paladar.

Las chuletas más suaves se cortan del filete o dorso. Éstas por lo general incluyen un trozo del lomo y de filete y parecen filetes porterhouse de res, pero en una escala mucho menor. Las chuletas de costilla parecen filetes de costilla de res e incluyen un poco más de grasa que las chuletas de filete, pero incluso tienen más sabor.

Tanto las chuletas de filete como las de costilla de cordero saben mejor si se asan a la parrilla, en el horno o en la sartén sobre calor medio-alto para término medio rojo (54ºC-57ºC/130ºF-135ºF). Una chuleta de filete de corte doble es más gruesa (más de 2.5 cm/ 1 in); una chuleta de costilla doble incluirá dos huesos de costilla. Cocínelas como si fuera un filete grueso (página 140). Las chuletas cortadas del hombro del cordero y sirloin tienen más grasa y tejido conjuntivo y saben mejor si se asan a la parrilla a término medio (60ºC/140ºF) o se cuecen a fuego lento.

El costillar de cordero es un conjunto de costillas que se deja en trozo y se asa; las costillas posteriormente se separan y sirven. Un costillar de siete u ocho costillas pesará entre 500 y 750 g (1-1 ½ lb) y alcanzará para dos personas. Las chuletas de costilla y los costillares de cordero a menudo se cortan a la francesa, una preparación en la cual se les corta la carne y grasa a las puntas de los huesos. El cordero de los Estados Unidos, Nueva Zelanda y Australia se puede encontrar en la mayoría de supermercados.

TERNERA

La ternera es carne de becerro de cuatro meses de edad por lo general. La ternera alimentada con leche viene de becerros alimentados únicamente de leche o fórmulas especiales con base en leche; es de color bastante claro y muy suave, y tiene un ligero y sutil sabor. La ternera alimentada en pastizales o de forma natural también es de animales jóvenes, pero a éstos se les ha permitido alimentarse con pastura y desarrollan carne con un color rojo claro, una textura más densa y un sabor más fuerte que la ternera alimentada con leche.

En años recientes ha habido cierta controversia acerca de las pobres condiciones en las que algunos becerros son criados. Algunos consumidores prefieren comprar ternera de alimentación natural o "roja", ya que los animales habrán sido criados al exterior bajo condiciones "naturales". Muchos también prefieren el sabor más fuerte de la carne alimentada al natural, mientras que otros prefieren el sabor suave y delicado de la ternera alimentada con leche.

Las milanesas, también llamadas escalopas o escalopinas, son los cortes más populares de ternera. Virtualmente son lo mismo que las chuletas, excepto que las milanesas no tienen hueso. Las chuletas cortadas del filete o dorso parecen ligeramente filetes porterhouse más pequeños y pálidos. Las chuletas de costilla son casi tan suaves como las chuletas de filete y tienen un sabor delicioso y más fuerte. Las chuletas cortadas del hombro y sirloin también son deliciosas, aunque tienen más grasa y tejido conjuntivo.

Las chuletas de filete o costilla se deben cocinar término medio-rojo (57ºC/135ºF) o medio (63ºC/145ºF); las chuletas de hombro o sirloin deben cocinarse término medio o medio cocido (65ºC/150ºF) o cocerse lentamente. Las milanesas o escalopas de ternera son rebanadas delgadas y suaves de ternera cortadas del filete o pierna. Son mejores cuando se saltean o asan a la sartén y a menudo se empanizan antes de cocinarlas.

REBANANDO Y CORTANDO

Antes de cocinar filetes y chuletas revise los grandes trozos de grasa y retírelos. La grasa es sabrosa y protege la carne para que no se seque y, por lo tanto, no se debe retirar por completo, pero si queda demasiada grasa en la sartén después del cocimiento puede estropear la textura de una salsa. Una buena regla de oro es dejar una delgada capa de grasa de aproximadamente 1.3 cm (⅛ in) de grueso.

Algunos cocineros prefieren retirar la piel de plata, también llamada "piel", una capa delgada de tejido conjuntivo del filete de puerco, costillas, filetes y otros cortes. Esto mejorará la apariencia así como la suavidad de la carne.

Debido a que la mayoría de las chuletas y pequeños filetes son ya de buen tamaño para servir, prácticamente no se necesita ninguna habilidad para rebanarlas. Un filoso cuchillo para rebanar o cuchillo para deshuesar, un tenedor grande y un platón o tabla de picado es todo el equipo que se necesita para rebanar o preparar filetes y chuletas. Un filete porterhouse o T-bone de más de 5 cm (2 in) de grueso se puede rebanar en la mesa. Primero separe la porción del filete y la porción del lomo del hueso pasando un cuchillo filoso para deshuesar o un pequeño cuchillo para rebanar a lo largo de ambos lados del hueso central. Rebane el filete y el lomo en trozos de aproximadamente 12 mm (½ in) y sirva rebanadas de ambos a cada comensal.

Los filetes gruesos sin hueso como el chateaubriand también se deben rebanar en la mesa en trozos de 12 mm (½ in). Para los costillares de cordero y trozos de carne de res, puerco o ternera con hueso, solicite al carnicero que retire el hueso de la espina dorsal; después de cocinarlos sólo rebane entre las costillas y sirva. Para servir la arrachera y la falda se debe cortar en contra del grano, en diagonal, en rebanadas delgadas.

Para abrir en mariposa un trozo de res o tenderloin de cerdo, una arrachera o una pierna de cordero sin hueso, sostenga su cuchillo paralelamente a la tabla de picar y haga un corte horizontal a través de gran parte de la carne, rebanando casi hasta llegar al otro extremo pero dejando un trozo de 12 mm a 2.5 cm (½ in – 1 in) de carne sin cortar. Una vez que haya abierto la carne, use un mazo de carnicero o un rodillo para aplanarla y después rellenarla o asarla.

MÉTODOS DE COCCIÓN PARA CORTES DE CARNE

Aquí presentamos algunos consejos acerca de las formas más populares para preparar cortes de carne.

ASANDO A LA PARRILLA O EN EL HORNO

Asar en la parrilla o al horno son los métodos favoritos para cocinar cortes de carne. Al cocinar de esta forma ya sea a fuego medio-alto o alto, la carne alcanzará la temperatura deseada en poco tiempo mientras que retiene el máximo de su sabor.

Los carbones comprimidos, a menudo mezclados con madera dura, proporcionan una cocción uniforme; el mesquite, nogal americano y roble cocinarán los alimentos más rápidamente y proporcionarán más sabor así como niveles de calor más intensos, pero a menudo el cocimiento será disparejo.

Las técnicas para asar a la parrilla u horno son esencialmente las mismas: limpie y engrase la parrilla o charola para asar. Precaliente el asador del horno o un asador de gas a temperatura media-alta o alta, o prepare un asador de carbón para asar a fuego alto.

Cuando ase a la parrilla es mejor hacer un fuego de tres niveles: Una zona debe tener calor alto, otra calor medio-alto o medio y otra no debe tener fuente de calor debajo de la parrilla. Para hacer un fuego de carbón, encienda el carbón usando un encendedor de chimenea, encendedor eléctrico o líquido encendedor (la elección menos recomendada). Usando una pequeña pala para ceniza, paleta o pinzas, apile aproximadamente dos terceras partes del carbón debajo de una zona del asador, una tercera parte debajo de otra zona y deje una tercera parte del asador sin ninguna fuente de calor. Para los carbones de madera dura, encienda la madera y quémela debajo de los carbones y acomódelos como se describe con anterioridad. Para un asador de gas, encienda un quemador a temperatura alta, otro a media y deje un quemador apagado.

Primero selle los filetes o chuletas sobre el calor alto o medio-alto, posteriormente colóquelos en la zona de calor medio o en la zona sin fuego para continuar el cocimiento, tapándolos, hasta que estén listos. Si aparecen flamas mientras sella la carne, mueva la carne a la zona menos caliente del asador. No use botellas de aerosol para controlar las flamas; en la mayoría de los casos únicamente disminuyen el sabor de la carne y pueden causar más problemas haciendo que la grasa caiga en las flamas.

SALTEANDO Y HACIENDO UNA SALSA A LA SARTÉN

Saltear es una buena forma de cocinar pequeños filetes y chuletas que son suaves y bajos en grasa como los tournedos y el filete mignon, milanesas de puerco y ternera y chuletas de puerco sin hueso.

Sauter en francés significa "saltar", una técnica que implica mantener los ingredientes en movimiento dentro de una pequeña sartén de manera que se cocinen rápidamente y no se peguen. Por lo general la sartén se mantiene destapada, pero para chuletas más grandes la sartén se puede tapar para ayudar a que la carne se cocine totalmente.

Para saltear filetes y chuletas: caliente una sartén grande y gruesa para freír o saltear sobre calor medio-alto, agregue 1 ó 2 cucharadas de aceite de oliva u otro aceite vegetal y dore la carne por ambos lados. No coloque demasiada carne en la sartén, saltee en tandas si fuera necesario.

Cuando saltee cortes más gruesos de carne, primero dore el exterior, después reduzca el fuego a medio y cocine, tapado, hasta que la carne esté totalmente cocida. Pase los alimentos a un platón en el horno a temperatura baja mientras hace una salsa a la sartén. Los pasos básicos para hacer una salsa a la sartén se muestran en la página opuesta.

1 Salteando: Saltee ajo, chalotes, cebollas, hierbas u otros sazonadores en los jugos que quedaron en la sartén usada para cocinar la carne. Agregue más aceite o mantequilla si fuera necesario.

2 Desglasando: Desglase la sartén con vino, sidra, caldo u otro líquido sobre calor alto, moviendo para desprender los pequeños trozos dorados de la base de la sartén. Cuando suelte el hervor, reduzca el fuego y cocine el líquido hasta reducirlo a la mitad o hasta que esté espeso y brillante.

3 Agregando sabor: Integre pasta o puré de jitomate, salsa inglesa, vinagre balsámico, salsa de chile picante u otros sazonadores que desee. Sazone al gusto con sal y pimienta recién molida.

4 Espesando la salsa: Si usted desea una salsa más espesa, agregue una cucharada de

fécula de maíz (maicena) mezclada con 2 cucharadas de vino, agua u otro líquido; o termine la salsa con mantequilla, crema o crema ácida para obtener una textura suave y un sabor delicado.

ASANDO A LA SARTÉN

Asar a la sartén es un método excelente para cocinar chuletas delgadas, milanesas o filetes. Para obtener un exterior crujiente, primero empanice la carne con harina sazonada, migas de pan, galletas molidas, huevo, leche o/y otros ingredientes.

El aceite de cacahuate es el mejor aceite para freír debido a su alto punto de humeado, aunque el aceite de maíz y otros aceites vegetales también funcionan bien. El aceite de oliva tiene un punto de humeado más bajo que los demás aceites, pero aún así usted puede usarlo para freír a la sartén si prefiere ese sabor. Al empanizar evitará que la carne se haga dura y se seque en el aceite caliente y proporciona una corteza agradablemente crujiente y sabrosa.

Para asar filetes y chuletas en la sartén: caliente 12 mm (½ in) de aceite en una sartén grande y gruesa sobre calor alto. Fría las chuletas, milanesas o filetes empanizados, volteando una vez, hasta que la corteza esté dorada por ambos lados. No coloque demasiada carne en la sartén; fría en tandas si fuera necesario. Retire y escurra sobre toallas de papel.

ASANDO AL HORNO

Asar al horno a menudo es la técnica preferida para cocinar trozos grandes y suaves de res, puerco, cordero o ternera. Sazone la carne con un unto de especias o hierbas y colóquela sobre una rejilla dentro de una charola para asar lo suficientemente grande para darle cabida. Ase en un horno a temperatura media-alta (180°C/350°F) o alta (200°C/400°F); cocine los trozos más grandes como el entrecote o filete de puerco a una temperatura más baja, y los trozos más pequeños y suaves como el lomo de puerco, costillar de cordero o filete de res a una temperatura más alta. Esta técnica asegura una cocción uniforme y un trozo de carne más suave y jugoso con un exterior dorado, pero no quemado. También puede asar filetes y chuletas en un asador de gas o carbón tapado usando el método de calor indirecto (página 224).

DORANDO FILETES Y CHULETAS

Al sellar y dorar inicialmente se mejora el sabor de la carne, se deben sellar las superficies y caramelizar los azúcares naturales de la carne para proporcionar un exterior rico y dorado. Si lo desea, use un unto de especias o hierbas para crear una corteza sabrosa en el exterior de los alimentos cuando se doren.

RECTIFICANDO LA COCCIÓN

La forma más confiable de rectificar la cocción cuando cocine carne o pollo es usando un termómetro de lectura instantánea. Se debe insertar en la parte más gruesa de un filete o chuleta, lejos del hueso si lo hubiera, para proporcionar una lectura rápida de la temperatura interna. Siempre elija un termómetro que proporcione temperaturas exactas (por ejemplo: 52°C/125°F) y no sólo marque "filete término medio".

Otra forma de rectificar la cocción es haciendo un corte en la carne cerca del hueso para cortes con hueso y en el centro de los cortes sin hueso. Si la carne del interior es demasiado rosa para su gusto, continúe cociendo. Esta técnica, aunque realmente confiable, tiene la desventaja de estropear la presentación de la carne.

Un antiguo truco de chef es presionar la superficie de la carne o chuleta con su dedo y comparar la tensión de la carne con el músculo de su dedo pulgar. Cierre el puño con su pulgar en el medio y toque el músculo. Cuando el músculo está perfectamente relajado tendrá el equivalente a carne cruda. Si aprieta el músculo ligeramente, tiene el nivel de tensión de carne término rojo, y si aprieta más fuerte será como término medio rojo y lo más duro será igual a carne bien cocida. Con un poco de práctica, esto funciona bien, pero siempre tenga un termómetro a la mano, por si acaso.

DEJAR REPOSAR

Dejar reposar la carne después de retirarla del fuego permite que los jugos se redistribuyan y que las temperaturas internas se equilibren. Esto asegura una carne jugosa con una temperatura uniforme. Tape la carne holgadamente con papel aluminio para que no pierda demasiado calor. La carne continuará cociéndose ligeramente mientras reposa, por lo que se debe retirar del calor justo antes de que alcance el término deseado.

RECETAS

Aquí presentamos algunas recetas básicas que se usan en este libro así como populares guarniciones que complementan a los cortes de carne.

CALDO DE POLLO

4 ramas de perejil liso (italiano) fresco

1 rama de tomillo fresco

1 hoja de laurel

3 kg (6 lb) de pescuezo y rabadillas de pollo

3 tallos de apio

3 zanahorias, sin piel y partidas a la mitad

2 cebollas amarillas o blancas, partidas a la mitad

2 poros, únicamente sus partes blancas y de color verde claro, limpios y rebanados

Sal y pimienta recién molida

Envuelva el perejil, tomillo y hoja de laurel en un trozo de manta de cielo (muselina) y amarre con hilo de cocina para hacer un bouquet garni.

Mezcle el bouquet garni, trozos de pollo, apio, zanahorias, cebollas y poros en una olla grande. Agregue agua fría para cubrir (aproximadamente 3.5 l/3.5 qt). Hierva sobre calor medio. Reduzca el fuego a bajo y deje hervir a fuego lento, sin tapar, durante 3 horas, retirando frecuentemente la espuma que se forme en la superficie. Pruebe y sazone con sal y pimienta.

Pase el caldo a través de un colador de malla fina hacia otro recipiente y deseche los sólidos. Deje enfriar. Tape y refrigere hasta que la grasa se solidifique. Deseche la grasa congelada. Vierta a recipientes herméticos y refrigere hasta por 3 días o congele hasta por 3 meses. Rinde aproximadamente 3 l (3 qt).

CALDO DE RES O TERNERA

1.5 kg (4 lb) de huesos de pierna de res o ternera con un poco de carne, cortados por el carnicero en trozos de 7.5 cm (3 in)

2 cebollas amarillas o blancas, picadas toscamente

4 ramas de perejil liso (italiano) fresco

1 rama de tomillo fresco

1 hoja de laurel

2 zanahorias, sin piel y picadas toscamente

1 tallo de apio, picado toscamente

Precaliente el horno a 220ºC (425ºF). Coloque los huesos y cebollas en una charola para asar ligeramente engrasada con aceite y ase 35 ó 40 minutos, hasta que estén bien dorados.

Envuelva el perejil, tomillo y hoja de laurel en un trozo de manta de cielo (muselina) y amarre con hilo de cocina para hacer un bouquet garni.

En una olla grande para caldo mezcle los huesos, cebollas, zanahorias, apio, bouquet garni y 8 l (8 qt) de agua y hierva sobre calor alto. Reduzca el fuego a bajo y retire la espuma que se forme en la superficie. Hierva a fuego lento, sin tapar, por lo menos durante 3 horas o hasta por 6 horas, desnatando ocasionalmente.

Pase el caldo a través de un colador de malla fina hacia otro recipiente y deseche los sólidos. Deje enfriar. Tape y refrigere hasta que la grasa se solidifique. Deseche la grasa congelada. Vierta en recipientes herméticos y refrigere hasta por 3 días o congele hasta por 3 meses. Rinde aproximadamente 5 l (5 qt).

POLENTA FRITA

1 ½ taza (235 g/7 ½ oz) de polenta molido fino

Sal

2 cucharaditas de tomillo seco

Pimienta recién molida

2 cucharadas de aceite vegetal

En una olla grande sobre calor medio-alto hierva 5 tazas (1.25 l/40 fl oz) de agua. Batiendo constantemente, agregue la polenta en hilo lento y continuo. Incorpore 2 cucharaditas de sal, reduzca el fuego a medio-bajo y continúe cocinando cerca de 20 minutos, moviendo constantemente, hasta que la polenta se espese y se separe de los lados de la olla. Extienda la polenta a un grosor uniforme en una charola para hornear con borde, tape con plástico adherente y refrigere hasta que esté fría. Una vez fría, corte la polenta cocida en rebanadas de 2.5 cm (1 in) por 5 cm (2 in). Espolvoree ambos lados con el tomillo y sal y pimienta al gusto. Caliente el aceite en una sartén gruesa para freír sobre calor medio-alto hasta que brille. Agregue las rebanadas de polenta y fría 3 ó 5 minutos de cada lado, hasta dorar. Rinde de 4 a 6 porciones.

RODAJAS DE PAPAS

1 kg (2 lb) de papas russet, sin piel y finamente rebanadas

2 cucharaditas de harina de trigo (simple)

Sal y pimienta recién molida

2 cucharadas de mantequilla sin sal, a temperatura ambiente, cortada en trozos pequeños

2 tazas (500 ml/16 fl oz) de leche

1 cucharada de mostaza Dijon

1 cucharadita de salsa inglesa

Precaliente el horno a 180ºC (350ºF). Engrase una sartén grande para asar con una cucharada de aceite. Acomode una capa de las papas rebanadas en la base de la sartén, espolvoree con harina, sal y pimienta y agregue trozos de mantequilla. Repita las capas hasta que las papas se terminen. En un tazón pequeño mezcle la leche, mostaza y salsa inglesa y vierta el líquido sobre las papas. Tape con papel aluminio y hornee aproximadamente una hora, hasta que las papas estén suaves. Retire el papel aluminio y continúe horneando durante 15 ó 20 minutos más, hasta que la leche se haya absorbido por completo y la superficie esté dorada. Rinde de 4 a 6 porciones.

PAPAS ASADAS

1 kg (2 lb) de papas cambray pequeñas

2 cucharadas de aceite de oliva, o más si fuera necesario

1 ¹/₂ cucharadita de estragón o tomillo seco

1 ¹/₂ cucharadita de páprika

1 ¹/₂ cucharadita de ajo en polvo

¹/₂ cucharadita de pimienta con limón (página 216)

Sal

Precaliente el horno a 200ºC (400ºF). Coloque en una olla grande tres cuartas partes de agua ligeramente salada y hierva. Agregue las papas y cueza 128 ó 12 minutos, hasta que no estén demasiado suaves pero se puedan picar con la punta de un cuchillo. Escurra, deje enfriar y rocíe con el aceite de oliva, estragón, páprika, ajo en polvo, pimienta con limón y sal al gusto. Pase a una charola para asar con borde y ase cerca de 20 minutos, agitando la charola y volteando las papas ocasionalmente, hasta que estén doradas. Agregue más aceite de oliva durante el asado si las papas se vieran secas. Rinde de 4 a 6 porciones.

PURÉ DE CAMOTE

1.5 kg (3 lb) de camotes dulces, sin piel y cortados en trozos de 5 cm (2 in)

2 cucharadas de mantequilla sin sal

1 cucharadita de sal

1 pizca de pimienta de cayena y la misma cantidad de nuez moscada recién rallada

Coloque los camotes en una olla con agua salada hasta cubrir. Caliente y, cuando suelte el hervor, reduzca el fuego a medio y hierva 15 ó 20 minutos, hasta que estén muy suaves. Escurra y vuelva a colocar en la olla. Agregue la mantequilla y la sal. Presione los camotes hasta desbaratarlos pero que no queden tersos. Cubra con un poco de pimienta de cayena y nuez moscada. Rinde 6 porciones.

PANECITOS DE CAMOTE

2 camotes dulces, sin piel y cortados en trozos de 5 cm (2 in)

2 tazas (315 g/10 oz) de harina de trigo (simple)

2 ¹/₂ cucharaditas de polvo para hornear

¹/₂ cucharadita de sal

¹/₂ cucharadita de nuez moscada recién rallada

¹/₄ taza (60 g/2 oz) de mantequilla sin sal fría, cortada en trozos

Hierva los camotes en agua salada y machaque hasta que estén suaves. Precaliente el horno a 200ºC (400ºF). En un tazón mezcle la harina, polvo para hornear, sal y nuez moscada. Agregue los camotes y la mantequilla. Mezcle para desbaratar la mantequilla e incorporar la harina. Extienda la masa, corte los pastelitos en círculos con un vaso invertido, y colóquelos sobre una charola para hornear sin engrasar. Hornee 25 ó 29 minutos, hasta que se doren. Rinde 26 pastelitos.

PILAF DE MENTA

3 tazas (750 ml/24 fl oz) de caldo de res hecho en casa (página 228) o consomé preparado

2 cucharadas de aceite de oliva

¹/₂ cebolla amarilla o blanca, finamente picada

¹/₄ taza (45 g/1 ¹/₂ oz) de piñones

¹/₂ cucharadita de canela molida y la misma cantidad de comino molido

1 ¹/₂ taza (315 g/10 oz) de arroz de grano largo

1 taza (45 g/1 ¹/₂ oz) de menta o hierbabuena fresca, picada

Sal y pimienta recién molida

En una olla hierva el caldo sobre fuego medio. Reduzca a fuego medio-bajo y mantenga hirviendo lentamente. En otra olla caliente el aceite de oliva sobre calor medio-alto. Agregue la cebolla, piñones, canela y comino y saltee cerca de 5 minutos, hasta que la cebolla esté traslúcida. Añada el arroz y saltee 1 ó 2 minutos, hasta cubrir con el aceite. Integre el caldo y reduzca a fuego bajo. Hierva a fuego lento, tapado, cerca de 20 minutos, hasta que el arroz esté suave. Retire del fuego, esponje el arroz y agregue la menta. Sazone al gusto con sal y pimienta. Rinde 4 porciones.

AJO ASADO

2 cabezas de ajo, cortando la parte superior

2 cucharadas de aceite de oliva

Sal

Precaliente el horno a 220ºC (425ºF). Coloque la cabeza de ajo en una charola para asar, rocíe con aceite de oliva y espolvoree con sal. Cubra la sartén con papel aluminio y ase aproximadamente 45 minutos, hasta que esté suave. Retire del horno y deje enfriar. Exprima los dientes de ajo para sacarlos de sus pieles y machaque con un tenedor.

GLOSARIO

ALCAPARRAS Los arbustos de alcaparra crecen de forma silvestre por todo el sur de Francia y alrededor del Mediterráneo. Antes de que los pequeños botones de color verde oliva puedan florecer son cosechados y preservados en sal o salmuera de vinagre. Con un agradable sabor ácido, las alcaparras proporcionan un toque picante a los platillos provenzales. Las alcaparras empacadas en sal tienen un sabor ligeramente más fuerte y vale la pena buscarlas. Deben enjuagarse y escurrirse antes de usarse.

ANÍS ESTRELLA La forma distintiva del anís estrella viene de la vaina de un árbol perenne de China. Ligeramente más amargo que el anís, el anís estrella se usa en la cocina asiática para sazonar tés y platillos salados. En algunos lugares se usa para platillos horneados.

ARROZ ARBORIO El Arborio es un arroz italiano con un grano grande y esponjoso y un alto contenido de almidón, lo cual lo hace ideal para el risotto. El Carnaroli es otro arroz recomendado para hacer risotto pero es más difícil de encontrar. Tanto el Arborio como el Carnaroli se consideran arroces "super finos".

CEBOLLA DULCE Algunas regiones han sido reconocidas por cultivar cebollas dulces y suaves que son excelentes tanto para cocinar como para comerse crudas. Éstas incluyen las Maui de Hawaii, las Walla Walla de Washington y las Vidalia de Georgia. Las puede encontrar en la sección de frutas y verduras de los supermercados bien surtidos.

CEPILLO PARA PARRILLAS Diseñado para limpiar parrillas, este cepillo de mango largo tiene cerdas a prueba de oxidación y un raspador de acero inoxidable. Úselo mientras la parrilla aún está caliente después de cocinar para raspar todas las partículas de los alimentos pegadas a la parrilla.

COGNAC Este brandy destilado dos veces está hecho únicamente en las regiones de Charente y Charente-Maritime al oeste de Francia. Terso y potente, el Cognac obtiene su distintivo sabor de la tierra arenosa de la región en la cual crecen las uvas y de los barriles especiales de roble que se usan para añejarlo. El Cognac es etiquetado de acuerdo a los años de añejamiento: V.S. (Very Special o Superior) ha sido añejado por lo menos durante dos años, mientras que el V.O. (Very Old o Muy Añejado) V.S.O.P. (Very Special Old Pale o Cognac de Excelencia Añejo y Claro) y Réserve (Reserva) han sido añejados por lo menos durante cuatro años. Los Cognacs etiquetados X.O., Vieille Réserve y Hors d'Age han sido añejados por lo menos durante seis años, aunque muchos Cognacs de alta calidad han sido añejados incluso durante más tiempo.

CHALOTES Estos pequeños miembros de la familia de la cebolla tienen lóbulos delicados con venas de color lavanda por debajo de sus pieles apapeladas de color dorado. Los chalotes son más suaves que las cebollas y se hacen dulces y sazonados cuando se cocinan; se usan en muchas recetas en donde el fuerte sabor de la cebolla sería abrumador.

CHILES, MANEJANDO Para reducir el picor de un chile, retire las membranas o venas y deseche las semillas. Es ahí en donde se encuentra la capsicina, el compuesto que proporciona el sabor picante al chile. Si usted quiere un poco de sabor picante, deje algunas semillas. Evite tocar sus ojos, nariz o boca mientras trabaja con chiles. Cuando termine, lave a conciencia sus manos, tabla de picar y cuchillo con agua jabonosa caliente. Use guantes de hule para cocina cuando trabaje con chiles muy picosos para proteger sus dedos contra quemaduras.

CHULETAS DE CORDERO, CORTE A LA FRANCESA Para cortar chuletas de costilla o costillares de cordero a la francesa, un carnicero o cocinero retira y desecha la grasa, carne y tejido conjuntivo que hay en medio y alrededor de las puntas de los huesos, hasta llegar a la carne. Los filetes de costilla también se pueden cortar a la francesa.

FÉCULA DE MAÍZ La fécula de maíz, también conocida como maicena, se usa en muchas salsas por su poder espesador. Con una sola cucharada se puede transformar un líquido delgado en una salsa brillante. La fécula se mezcla primero con una pequeña cantidad de líquido para después integrarla fácilmente con una mayor cantidad del mismo. Después de agregar la mezcla de fécula de maíz deje hervir la salsa a fuego lento durante unos minutos, tanto para espesarla como para retirar el sabor arenoso de la fécula.

HIERBAS DE PROVENZA Las hierbas de Provenza son una mezcla aromática y de sabor atrevido de hierbas secas, que por lo general incluye albahaca, tomillo, orégano, ajedrea y lavanda. Se puede comprar pero es fácil de hacer en casa. La combinación clásica es 2 cucharadas de tomillo seco, 2 cucharadas de ajedrea de verano seca, 2 cucharadas de albahaca seca, una cucharadita de semillas de hinojo y $1/2$ cucharadita de lavanda seca.

HONGOS Los hongos absorben agua fácilmente y se hacen aguados y pierden su sabor si permanecen sumergidos en agua durante mucho tiempo. Para limpiarlos, cepille con un trapo húmedo o con un cepillo. A continuación presentamos las variedades más populares usadas en las recetas de este libro:

Blancos: Estos hongos son cultivados para todo uso, algunas veces son conocidos como hongos botón, aunque este término se refiere específicamente a los champiñones jóvenes y suaves de color blanco con sombreros cerrados.

Cremini: También llamados hongos cafés comunes, los cremini son parientes cercanos de los hongos botón o champiñones blancos comunes. Tienen una textura firme y mucho sabor. Los cremini grandes, totalmente maduros, son conocidos como hongos portobello.

Oyster: Los hongos oyster de color crema o gris pálido y forma de abanico, tienen un suave sabor similar a los crustáceos. Anteriormente sólo se encontraban como hongos silvestres, pero ahora son cultivados.

Porcino: También llamado boleto comestible o cep, los hongos porcini son suaves, de color café claro y tienen un sabor a madera. En los Estados Unidos los porcini por lo general se encuentran secos, aunque en otoño se pueden encontrar frescos.

Shiitake: De sabor carnoso, estos hongos asiáticos tienen sombreros planos, de color café oscuro, por lo general de 5 a 7.5 cm (2-3 in) de grueso y un delicioso sabor parecido al té. Se pueden encontrar frescos o secos.

JITOMATES, ASANDO Los jitomates frescos enteros se pueden untar con aceite de oliva y sazonar con hierbas, ajo y aceitunas o simplemente sal y pimienta para asarlos al horno y resaltar su sabor y cocinarlos ligeramente. Se pueden servir enteros, partidos a la mitad o en cuarterones como una guarnición, o se pueden picar para hacer una salsa de jitomate fácil y ligera sazonando con ajo finamente picado y algunas otras hierbas. Asar jitomates en el asador es fácil. Déjelos sin tapar y cocine sobre fuego indirecto en un asador tapado o siga las mismas instrucciones para asarlos al horno (página 142).

MADEIRA Un vino fortificado de la isla portuguesa del mismo nombre, el Madeira se almacena por lo menos durante tres meses en una bodega o depósito templado y algunas veces se añeja durante más tiempo en barricas de madera, en donde desarrolla su distintivo sabor que recuerda el sabor a caramelo quemado. El Madeira va desde suave y seco hasta dulce y robusto. Se sirve como aperitivo, como vino para acompañar postres o se usa como un sazonador para deliciosas salsas.

MARSALA Llamado así por la ciudad siciliana de la región en la que se fabrica, el Marsala es un vino fortificado, o sea, un vino preservado por la adición de brandy para elevar su contenido de alcohol. El delicioso vino de color ámbar se puede encontrar en presentación dulce y seca y se usa tanto en platillos dulces como salados. El Marsala seco se disfruta como aperitivo; el Marsala dulce es una buena adición a salsas a la sartén y también se disfruta como un vino para acompañar postres.

MASCARPONE Este queso italiano fresco, muy suave y cremoso está hecho de leche de vaca. Tiene una textura que nos recuerda a la crema ácida pero no tiene el mismo sabor. El Mascarpone por lo general se vende en recipientes de plástico.

MEDALLONES DE PUERCO Los medallones son cortes del lomo fáciles de preparar, el trozo de carne sin hueso y poca grasa que corre por debajo del dorso del puerco. Los medallones son perfectos para asar o saltear con rapidez.

MOSTAZA EN POLVO Las semillas de mostaza vienen en tres colores: blanco (también llamado amarillo), café y negro. Las semillas blancas son las más suaves, seguidas en sabor por las cafés y las negras. El polvo de mostaza inglés es el polvo de mostaza predilecto y es una mezcla clásica de semillas blancas y cafés con un poco de sabor a trigo.

NUECES, TOSTANDO Al tostar nueces se les proporciona una textura crujiente y un atractivo color dorado. Para tostar nueces en el horno: extiéndalas en una sola capa sobre una charola para hornear y hornéelas a 180ºC (350ºF) durante 128 ó 12 minutos, volteándolas una vez para dorarlas por todos lados. Para tostarlas sobre la estufa: colóquelas en una sartén seca, de preferencia de hierro fundido y cocínelas, moviendo frecuentemente, cerca de 5 minutos, hasta que estén doradas; no las descuide pues las nueces se pueden quemar con rapidez; asegúrese de retirarlas de la sartén en cuanto estén doradas.

PAPAS CAMBRAY Cosechadas en primavera y principios del verano, las papas cambray por lo general son bastante pequeñas y vienen de la variedad roja redonda o blanca redonda. Tienen un bajo contenido de almidón y mantienen su forma después del cocimiento. Tenga en cuenta que no todas las papas pequeñas rojas y blancas son papas cambray. Una papa cambray auténtica que se cosecha fresca tendrá una piel delgada y no durará mucho tiempo.

PIEL DE PLATA En algunos cortes de carne encontrará una delgada membrana llamada piel de plata. Es totalmente inocua, pero si no se retira hará que los filetes se enrollen durante el cocimiento.

PIÑAS, PELANDO Para pelar una piña, primero corte la corona de hojas y la base. Coloque la piña verticalmente sobre uno de sus extremos y retire la cáscara en tiras largas y verticales con un cuchillo mondador. Corte los "ojos" cafés colocando la piña hacia abajo y cortando un surco diagonal poco profundo a lo largo de los ojos; retírelos con la punta de su cuchillo. Descorazone la piña usando un descorazonador para manzanas o un filoso cuchillo delgado y rebane al gusto.

RÁBANO PICANTE Nativo de Europa y Asia, esta nudosa raíz tiene un sabor especiado que imparte fuerza a salsas y guarniciones y que combina a la perfección con el roast beef así como con otros cortes de carne. Se puede encontrar fresco pero por lo general se vende embotellado como rábano picante "preparado", ya rallado y mezclado con vinagre o jugo de betabel. El mejor rábano picante preparado se puede encontrar en los supermercados en la sección de productos refrigerados.

SALSA ASIÁTICA PICANTE Los aceites y salsas de chile asiático vienen en muchos colores, sabores y niveles de picor. Los indonesios sambal oelek y sambal badjak se encuentran entre los más picantes. El aceite y salsa de chile chinos proporcionan picante y sabor a marinadas y sofritos. La Sriracha, una salsa tailandesa roja brillante de chile picante, proporciona sabor a muchos platillos del sur de Asia. La salsa tai de chile dulce, una mezcla de azúcar, agua y chiles rojos, es deliciosa sobre carne de res, mariscos y pollo. Busque estos aceites y salsas en supermercados bien surtidos y tiendas especializadas en productos asiáticos.

SALSA HOISIN Esta dulce salsa china de color café rojizo está hecha de frijoles de soya, azúcar, ajo, polvo de cinco especias o anís estrella y un poco de chile. Puede ser espesa y cremosa o lo suficientemente líquida para poder verterse. Se unta sobre la carne y pollo antes de asarlos y también se usa como condimento. La salsa hoisin se debe usar con prudencia ya que su fuerte sabor puede opacar fácilmente a la mayoría de los alimentos.

SALSA INGLESA Un tradicional condimento inglés, la salsa inglesa es una mezcla sazonada de intenso sabor que contiene diferentes ingredientes, incluyendo melaza, salsa de soya, ajo, cebolla y anchoas. Popular en marinadas para alimentos asados, también se puede llevar a la mesa.

TEQUILA El tequila se hace del jugo evaporado, fermentado y destilado del ágave azul (un pariente cercano de la planta del maguey). Hay tres tipos: el blanco de sabor fuerte, también conocido como tequila blanco o plateado, que se añeja en acero durante sesenta días; reposado añejado en barricas de madera durante sesenta días y el más refinado o añejo, que pasa por lo menos un año en barricas de madera.

VINAGRE DE ESTRAGÓN El vinagre de estragón es sencillamente vinagre blanco que ha sido infundido con estragón. Puede encontrarlo en la mayoría de los supermercados bien surtidos.

ZINFANDEL Aunque durante mucho tiempo ha sido considerada nativa de California, la uva Zinfandel de hecho tiene el mismo ADN que la uva primitivo de Italia, originaria de Croacia. Esta variedad fue llevada a California a fines del siglo XIX, adquiriendo el nombre de Zinfandel en su camino. Este vino tinto de cuerpo entero despide un aroma a zarzamoras y especias, y su sólida estructura y robusto sabor lo convierten en un gran complemento para alimentos sustanciosos como los filetes y chuletas asados al horno o a la parrilla.

ÍNDICE

PASTELES

CONTENIDO

PASTELES DE PRIMAVERA Y VERANO

PASTELES DE OTOÑO E INVIERNO

PASTELES DECORADOS

ANTES DE COMENZAR

Cuando prepara una reunión para su familia y amigos, automáticamente la convierte en una ocasión especial. Ya sea que busque un pastel para concluir una comida cotidiana o celebrar un cumpleaños con estilo, sé que en este capítulo encontrará una receta para impresionar a sus invitados que sea adecuada para su experiencia en la repostería. Entre estas 36 recetas, probadas en la cocina, se encuentran los clásicos pasteles en capas así como pasteles sencillos como el de jengibre, además de algunas presentaciones elegantes adornadas con betún y otras decoraciones.

Hacer pasteles ciertamente es un arte. Pero, también es una ciencia. Por esta razón, antes de empezar, asegúrese de leer la información esencial que se encuentra en la parte posterior de este capítulo acerca del papel que juega cada ingrediente, la importancia de medir y mezclar los ingredientes correctamente y el equipo que necesitará. Puede encontrar consejos adicionales en las notas laterales de cada receta y terminar su pastel con confianza después de leer el capítulo acerca de cómo decorar pasteles. Cada faceta de este capítulo seguramente le ayudará a llevar arte y placer a su mesa.

Chuck Williams

LAS CLÁSICAS

Estos pasteles han resistido la prueba del tiempo. Encontrará los pasteles favoritos de América como el Volteado de Piña y el Pastel de Zanahoria, así como los clásicos europeos como el Pastel Selva Negra y el Linzertorte. Elija entre los pasteles en capas decorados con betún, o haga un ligero y esponjoso Bocado de Ángel decorado con crema inglesa.

PASTEL DE CUMPLEAÑOS

Precaliente el horno a 180ºC (350ºF). Cubra el fondo de dos moldes para pastel redondo de 23 por 5 cm (9 x 2 in) con papel encerado (para repostería).

Cierna la harina con el polvo para hornear y la sal sobre una hoja de papel encerado; reserve. En un tazón pequeño, combine la leche y la vainilla; reserve.

Usando una batidora de pie adaptada con la paleta, bata la mantequilla, a velocidad media, hasta que esté cremosa. Agregue el azúcar y bata hasta que la mezcla esté pálida y esponjosa. Incorpore los huevos, batiendo después de cada adición, hasta incorporar por completo antes de continuar (vea explicación a la izquierda). Reduzca la velocidad a media-baja y agregue los ingredientes secos en 3 adiciones alternando con la mezcla de leche en 2 adiciones, empezando y terminando con los ingredientes secos. Bata hasta mezclar.

Vierta la masa en los moldes preparados y extienda uniformemente. Hornee de 20 a 25 minutos, hasta que los pasteles se esponjen y que al insertar un palillo en el centro éste salga limpio. Deje enfriar totalmente sobre una rejilla de alambre. Pase un cuchillo de mesa alrededor de la orilla de los moldes e invierta los pasteles sobre platos.

Para decorar el pastel, coloque una capa de pastel sobre un platón, poniendo la parte superior hacia abajo. Retire el papel encerado. Usando una espátula recta para repostería, cubra uniformemente con una tercera parte del betún. Invierta la otra capa, colocando la parte superior hacia abajo, sobre la primera capa, y retire el papel. Refrigere el pastel 30 minutos para que el betún quede firme; conserve el betún restante a temperatura ambiente. Extienda el betún sobre la superficie y los lados del pastel (página 111). Refrigere el pastel hasta 30 minutos antes de servirlo para que el betún tome consistencia.

RINDE DE 10 A 12 PORCIONES

AGREGANDO HUEVOS

Uno de los secretos para hacer un buen pastel es la forma de integrar los huevos a la masa. En primer lugar, los huevos deberán estar a temperatura ambiente. Si están fríos la masa se separará dando como resultado un pastel más pesado. En segundo lugar, no los agregue directamente al tazón de la batidora. Rómpalos en otro tazón usando un tenedor y, con la batidora a velocidad media, intégrelos lentamente a la masa deteniéndose con frecuencia para dejar que ésta los absorba. Si la masa empieza a verse cortada, aumente la velocidad de la batidora a alta y bata hasta que la masa se vea tersa otra vez.

2 tazas (250 g/9 oz) de harina de trigo (simple) sin blanquear

2 cucharaditas de polvo para hornear

¼ cucharadita de sal

½ taza (110 ml/4 fl oz) de leche, a temperatura ambiente

2 cucharaditas de extracto (esencia) de vainilla

1 taza (225 g/8 oz) de mantequilla sin sal, a temperatura ambiente

1½ tazas (300 g/10½ oz) de azúcar

4 huevos grandes, a temperatura ambiente, ligeramente batidos

Betún de Chocolate (página 115)

BOCADO DEL DIABLO

1¾ tazas (225 g/8 oz) de harina de trigo (simple) sin blanquear

1 cucharadita de bicarbonato de sodio

¼ cucharadita de sal

½ taza (60 g/2 oz) de cocoa en polvo estilo holandés (vea explicación a la derecha)

½ taza (110 ml/4 fl oz) de agua caliente

½ taza (110 ml/4 fl oz) de buttermilk o yogurt, a temperatura ambiente

2 cucharaditas de extracto (esencia) de vainilla

¾ taza (170 g/6 oz) de mantequilla sin sal, a temperatura ambiente

1 taza (200 g/7 oz) de azúcar granulada

½ taza (85 g/3 oz) compacta de azúcar morena

3 huevos grandes, a temperatura ambiente, ligeramente batidos

4 tazas (900 ml/32 fl oz) de Betún de Merengue de Café (página 114)

Precalienta el horno a 180ºC (350ºF). Cubra las bases de dos moldes redondos de 23 por 5 cm (9 x 2 in) con papel encerado (para repostería).

Cierna la harina con el bicarbonato y la sal sobre una hoja de papel encerado; reserve. En un tazón, bata la cocoa en polvo con el agua caliente. Deje enfriar y, cuando esté tibia, integre la buttermilk o yogurt y la vainilla. Reserve.

Usando una batidora de pie adaptada con la paleta, bata la mantequilla, a velocidad media, hasta que esté cremosa. Agregue el azúcar morena y granulada y bata hasta que la mezcla esté pálida y esponjosa. Integre gradualmente los huevos, batiendo cada adición hasta incorporar antes de continuar (página 10). Reduzca la velocidad a media-baja y agregue los ingredientes secos en 3 adiciones alternando con la mezcla de buttermilk o yogurt en 2 adiciones, empezando y terminando con los ingredientes secos. Bata hasta mezclar.

Vierta la masa en los moldes preparados y aplane la superficie. Hornee de 25 a 30 minutos, hasta que los pasteles esponjen y reboten ligeramente al tocarlos y que al insertar un palillo en sus orillas éste salga limpio. Deje enfriar totalmente sobre una rejilla de alambre. Pase un cuchillo de mesa alrededor de la orilla de los moldes e invierta los pasteles sobre platos.

Para decorar el pastel, coloque una capa sobre un platón, poniendo la parte superior hacia abajo. Retire el papel encerado. Usando una espátula recta para repostería, cubra uniformemente con una tercera parte del betún. Invierta la otra capa, colocando la parte superior hacia abajo, sobre la primera capa, y retire el papel. Refrigere el pastel 30 minutos para que el betún quede firme; conserve el betún restante a temperatura ambiente. Extienda el betún sobre la superficie y los lados del pastel (página 111). Haga marcas de ondas con un peine para decoración sobre la superficie del pastel así como alrededor del mismo (página 97). Refrigere el pastel hasta 30 minutos antes de servirlo para que el betún tome consistencia.

RINDE DE 10 A 12 PORCIONES

COCOA EN POLVO

El chocolate se hace al moler granos asados de cacao en trozos o pedazos, para producir lo que se conoce como licor de chocolate. Para hacer polvo de cocoa amargo, se retira la mayoría de la manteca de cacao (la grasa del chocolate) del licor y el resto se muele. La cocoa estilo holandés, o cocoa alcalina, tiene un sabor suave y un color oscuro profundo debido al carbonato de potasio que contiene; la cocoa no alcalina tiene un sabor más fuerte y un color más suave. La cocoa estilo holandés hace reacción con el polvo para hornear en la masa del bocado del diablo para proporcionar al pastel su característico color café rojizo.

BOCADO DE ÁNGEL

Precaliente el horno a 180ºC (350ºF). Tenga a la mano un molde para rosca de 25 cm (10 in) de diámetro y 10 cm (4 in) de profundidad.

Cierna dos veces la harina con el azúcar glass y la sal sobre una hoja de papel encerado; reserve.

Usando una batidora de pie adaptada con el batidor, bata las claras de huevo, a velocidad media, hasta que empiecen a esponjarse. Agregue una tercera parte del azúcar super fina y bata hasta que las claras estén opacas. Añada otra tercera parte del azúcar y el cremor tártaro; continúe batiendo. Cuando las claras empiecen a aumentar su volumen y a tornarse firmes, agregue el azúcar restante y la vainilla; aumente a velocidad alta. Bata hasta que las claras formen picos muy suaves (vea explicación a la izquierda). No bata demasiado. Retire el tazón de la batidora. Cierna una tercera parte de los ingredientes secos sobre las claras de huevo y mezcle cuidadosamente con movimiento envolvente usando una espátula grande de goma. Cierna e integre los ingredientes secos con movimiento envolvente en 2 adiciones más.

Vierta la masa en un molde y empareje la superficie. Hornee de 40 a 45 minutos, hasta que la superficie del pastel esté ligeramente dorada, se sienta suave al tocarlo y que al insertar un palillo en el centro del pastel éste salga limpio. Inmediatamente invierta el pastel sobre la mesa de la cocina si el molde tiene soportes o, si no los tiene, sobre el cuello de una botella de vino. Deje enfriar totalmente. Golpee el molde sobre algún mueble para desprender el pastel, e inviértalo sobre un platón de servicio. Si fuera necesario, pase un cuchillo delgado alrededor de las orillas exteriores del molde y alrededor del tubo interior.

Para servir corte el pastel con un cuchillo de sierra muy delgado. Acompañe cada rebanada con crema inglesa o puré de frambuesas.

RINDE DE 10 A 12 PORCIONES

BATIENDO CLARAS DE HUEVO

Las claras de huevo ayudan a esponjar el bocado de ángel y otros pasteles de esponja. Para batirlas con éxito el tazón y los batidores deben estar perfectamente limpios, ya que cualquier rastro de grasa no proporcionará un buen pastel. También es importante empezar con claras a temperatura ambiente. El azúcar y/o el cremor tártaro a menudo se agregan mientras se bate ayudando así a estabilizar las claras. Para comprobar si las claras están batidas al punto deseado, eleve los batidores: si desea picos suaves, éstos deberán caer con suavidad y verse húmedos; para picos medio-firmes deberán mantenerse firmes pero verse húmedos y satinados.

1 taza (110 g/4 oz) de harina preparada para pastel (de trigo suave)

1 taza (100 g/3½ oz) de azúcar glass

¼ cucharadita de sal

12 claras de huevo grandes, a temperatura ambiente

¾ taza (140 g/5 oz) de azúcar super fina (caster)

1½ cucharaditas de cremor tártaro

1½ cucharaditas de extracto (esencia) de vainilla

Crema inglesa (página 115) o Puré de Frambuesa (página 115), para acompañar

PASTEL DE ZANAHORIA

¾ taza (85 g/3 oz) de nueces

335 g (¾ lb) de zanahorias

1¼ taza (170 g/6 oz) de harina de trigo (simple) sin blanquear

2 cucharaditas de polvo para hornear

½ cucharadita de bicarbonato de sodio y la misma cantidad de sal

1 cucharadita de canela molida

½ cucharadita de nuez moscada recién rallada (vea explicación a la derecha)

2 huevos grandes

1⅓ tazas (225 g/8 oz) compactas de azúcar morena

½ taza (110 ml/4 oz) de leche

½ taza (110 ml/4 fl oz) de mantequilla sin sal, derretida y a temperatura ambiente

½ taza (70 g/2½ oz) de uvas pasas secas

PARA EL BETÚN:

110 g (4 oz) de queso crema

2 cucharadas de mantequilla

¾ taza (85 g/3 oz) de azúcar glass

¾ cucharadita de extracto (esencia) de vainilla

Tueste ligeramente las nueces (página 47) y muélalas grueso; reserve. Pele las zanahorias y corte en rebanadas de 12 mm (½ in).

Llene una olla grande con agua hasta sus tres cuartas partes y hierva. Agregue las zanahorias y cocine de 10 a 15 minutos, hasta suavizar. Escurra y deje enfriar. En un procesador de alimentos, haga un puré con las zanahorias cocidas. Deberá obtener aproximadamente 1 taza (225 ml/8 fl oz) de puré.

Precaliente el horno a 180ºC (350ºF). Cubra la base de un molde cuadrado para hornear de 20 cm (8 in) con papel encerado (para repostería).

Cierna la harina con el polvo para hornear, bicarbonato de sodio, sal, canela y nuez moscada sobre una hoja de papel encerado; reserve.

En un tazón grande, bata los huevos y el azúcar morena hasta integrar. Incorpore la leche y la mantequilla derretida. Agregue los ingredientes secos y el puré de zanahoria. Usando una espátula grande de goma, integre las nueces y las uvas pasas.

Vierta la masa en el molde preparado y empareje la superficie. Hornee de 45 a 50 minutos, hasta dorar ligeramente y que al insertar un palillo en el centro éste salga limpio. Deje enfriar totalmente sobre una rejilla de alambre. Pase un cuchillo de mesa alrededor de la orilla del molde e invierta el pastel sobre un platón. Retire el papel encerado.

Haga el betún usando una batidora de pie adaptada con la paleta. Bata el queso crema con la mantequilla, azúcar glass y vainilla a velocidad media hasta combinar. Usando una espátula recta para repostería, extienda el betún sobre la superficie y los lados del pastel (página 111). Si no va a servir el pastel de inmediato, refrigérelo. Retírelo del refrigerador 30 minutos antes de servir.

RINDE 9 PORCIONES

NUEZ MOSCADA

Originaria de la India oriental, la aromática nuez moscada es una de las especias cultivadas más antiguas. Es la semilla dura de la fruta del árbol de la nuez moscada que está cubierta con una capa roja tipo encaje que se cultiva como otra especia, la macis. Una vez que la nuez moscada se ralla, sus aceites volátiles rápidamente se evaporan y su sabor disminuye, por lo que recomendamos comprar nueces moscadas enteras, en vez de las ya molidas, y rallarlas conforme sea necesario. Use un rallador de nuez moscada, un utensilio con raspas finas y afiladas que tiene un compartimiento pequeño para almacenar una o dos nueces, o las raspas más finas de un rallador manual.

PASTEL DE COCO EN CAPAS

Precaliente el horno a 180ºC (350ºF). Cubra las bases de dos moldes redondos para pastel de 23 por 5 cm (9 x 2 in) con papel encerado (para repostería).

Cierna la harina con el polvo para hornear y la sal sobre una hoja de papel encerado; reserve. En un tazón pequeño, combine la leche de coco con la vainilla; reserve.

Usando una batidora de pie adaptada con la paleta, bata la mantequilla, a velocidad media, hasta que esté cremosa. Agregue el azúcar y bata hasta que la mezcla esté pálida y esponjosa. Integre gradualmente los huevos, batiendo cada adición hasta incorporar antes de continuar (página 10). Reduzca la velocidad a media-baja y agregue los ingredientes secos en 3 adiciones alternando con la leche de coco en 2 adiciones, empezando y terminando con los ingredientes secos. Bata hasta mezclar.

Vierta la masa en los moldes preparados y aplane la superficie. Hornee de 25 a 30 minutos, hasta que los pasteles se esponjen y que al insertar un palillo en sus centros salga limpio. Deje enfriar totalmente sobre una rejilla de alambre. Pase un cuchillo alrededor de la orilla de los moldes e invierta los pasteles sobre platos.

Para decorar el pastel, coloque una capa de pastel sobre un platón, poniendo la parte superior hacia abajo. Retire el papel encerado. En un tazón pequeño, mezcle una cuarta parte del coco con aproximadamente una tercera parte del betún y, usando una espátula recta para repostería, cubra uniformemente la superficie. Invierta la otra capa de pastel, colocando la parte superior hacia abajo, sobre la primera capa y retire el papel. Refrigere el pastel 30 minutos para que el betún quede firme; conserve el betún restante a temperatura ambiente. Extienda el betún sobre la superficie y los lados del pastel (página 111). Presione el coco restante sobre los lados del pastel. Refrigere el pastel hasta 30 minutos antes de servirlo para que el betún tome consistencia.

RINDE DE 10 A 12 PORCIONES

COCO

La leche de coco, que se hace al remojar coco rallado en agua, se vende en latas o congelado en las tiendas de abarrotes bien surtidas. Se puede encontrar en dos presentaciones, con grasa y baja en grasa (use la primera para esta receta). No la confunda con la crema de coco dulce que algunas veces es etiquetada "crema de coco". Use coco deshidratado o seco para el betún y para decorar las orillas del pastel. Para tostar el coco seco, extienda sobre un molde para hornear cubierto con papel encerado (para repostería) y tueste en el horno a 180ºC (350ºF) aproximadamente durante 3 minutos.

2 tazas (250 g/9 oz) de harina de trigo (simple) sin blanquear

2 cucharaditas de polvo para hornear

¼ cucharadita de sal

½ taza (110 ml/4 fl oz) de leche de coco, a temperatura ambiente

2 cucharaditas de extracto (esencia) de vainilla

1 taza (225 g/8 oz) de mantequilla sin sal, a temperatura ambiente

1½ tazas (300 g/10½ oz) de azúcar

4 huevos grandes, a temperatura ambiente, ligeramente batidos

1 taza (70 g/2½ oz) de coco rallado sin endulzantes

Betún de Vainilla (página 115)

VOLTEADO DE PIÑA

½ taza (110 g/4 oz) más 2 cucharadas de mantequilla sin sal, a temperatura ambiente

1¼ tazas (250 g/9 oz) de azúcar

5 rebanadas de piña fresca sin cáscara, cada una de 12 mm (½ in) de grueso, sin corazón y cortadas en cuartos (vea explicación a la derecha)

1½ tazas (200 g/7 oz) de harina de trigo (simple) sin blanquear

1½ cucharadita de polvo para hornear

¼ cucharadita de sal

2 huevos grandes, a temperatura ambiente, ligeramente batidos

¾ taza (170 ml/6 fl oz) de buttermilk o yogurt, a temperatura ambiente

1 cucharada de ron oscuro

Coloque un molde redondo y grueso de aluminio de 23 por 7.5 cm (9 x 3 in) sobre calor medio y derrita 2 cucharadas de mantequilla. Agregue ½ taza (100 g/3½ oz) del azúcar y caliente, moviendo ocasionalmente, de 5 a 7 minutos, hasta que el azúcar se derrita y se torne café claro. Agregue la piña y acomode las rebanadas en forma decorativa. Cocine, sin mover, aproximadamente 5 minutos, hasta que la piña suelte su jugo y el azúcar se vuelva color caramelo.

Precaliente el horno a 180ºC (350ºF). Cierna la harina con el polvo para hornear y la sal sobre una hoja de papel encerado, reserve.

Usando una batidora de pie adaptada con la paleta, bata la ½ taza de mantequilla, a velocidad media, hasta que esté cremosa. Agregue ¾ de taza (150 g/5½ oz) de azúcar y bata hasta que la mezcla esté pálida y esponjosa. Gradualmente incorpore los huevos, batiendo cada adición hasta incorporar antes de continuar (página 10). Reduzca la velocidad a media-baja y agregue los ingredientes secos en 3 adiciones alternando con la buttermilk o yogurt en 2 adiciones, empezando y terminando con los ingredientes secos. Bata hasta mezclar. Incorpore el ron.

Vierta la masa sobre la piña y extiéndala uniformemente hacia las orillas. Hornee de 30 a 40 minutos, hasta que se dore la superficie. Deje enfriar sobre una rejilla de alambre durante 10 minutos.

Pase un cuchillo de mesa alrededor de la orilla del molde y agítelo para asegurarse de que el pastel no se haya quedado pegado a la base. (Si estuviera pegado, coloque el molde sobre calor bajo y caliente de 1 a 2 minutos, agitando suavemente el molde hasta que se despegue el pastel.) Coloque un platón para servir invertido sobre el molde. Usando guantes para horno, invierta el platón al mismo tiempo que el molde. Levante el molde. Retire todos los trozos de piña que se hayan pegado al molde y acomódelos sobre el pastel. Sirva a temperatura ambiente.

RINDE DE 8 A 10 PORCIONES

PREPARANDO PIÑA

Una piña madura es aromática y dorada y da de sí ligeramente si se presiona. Para retirar la cáscara, corte las hojas verdes y una rebanada delgada de la parte inferior. Coloque la fruta en posición vertical y, usando un cuchillo grande y filoso, retire la cáscara en tiras verticales. Coloque la piña sobre un costado y alinee el cuchillo con las tiras diagonales de "ojos" de color café. Trabajando en espiral, corte en ángulo sobre cada lado de los ojos para retirarlos. Para rebanar la fruta, corte a lo ancho. Retire el corazón de cada rebanada con un molde pequeño para galletas, un descorazonador de manzanas o un cuchillo desmondador.

PASTEL SELVA NEGRA

Precaliente el horno a 180ºC (350ºF). Cubra la base de un molde redondo para pastel de 23 por 7.5 cm (9 x 3 in) con papel encerado (para repostería).

Cierna la harina con la cocoa sobre una hoja de papel encerado; reserve. Usando una batidora de pie adaptada con el batidor, bata los huevos con la vainilla y el azúcar granulada a velocidad alta, aproximadamente durante 5 minutos, hasta triplicar su volumen. Retire el tazón de la batidora. Cierna los ingredientes secos sobre la mezcla de huevo en 2 adiciones e integre cuidadosamente con movimiento envolvente usando una espátula grande de goma. Incorpore una cucharada grande de esta mezcla con la mantequilla derretida e integre una vez más con la mezcla de huevo. Vierta en el molde preparado y empareje la superficie. Hornee de 30 a 35 minutos, hasta que se esponje el pastel. Deje enfriar por completo sobre una rejilla de alambre.

Mientras tanto, haga el relleno y betún: Bata la crema con el azúcar glass hasta que se formen picos medio-duros (página 80). En un tazón pequeño, combine el kirsch con la miel de azúcar.

Pase un cuchillo de mesa alrededor de la orilla del molde y desmolde el pastel sobre una superficie de trabajo. Voltee, dejando el papel encerado. Corte el pastel en 3 capas iguales (página 48). Coloque la capa superior, con la parte cortada hacia arriba, sobre un platón de servicio. Cubra con un poco de miel y aproximadamente una cuarta parte de la crema batida. Reparta las cerezas sobre la crema (reserve una para adornar), dejando un margen de 12 mm (½ in) en la orilla del pastel. Coloque la capa central de pastel sobre la crema. Barnice con un poco de miel y cubra con otra cuarta parte de la crema. Coloque la tercera capa, con su lado cortado hacia abajo, sobre la crema y retire el papel. Barnice con la miel restante. Cubra la superficie y los lados del pastel con la crema batida restante (página 111).

Presione los rizos de chocolate sobre el pastel. Coloque la cereza reservada en el centro. Refrigere hasta el momento de servir.

RINDE DE 8 A 10 PORCIONES

CEREZAS COCIDAS

Un relleno de cerezas y crema batida con sabor a kirsh es un elemento importante en este pastel clásico de Alemania. Para cocer las cerezas, hierva 1¼ tazas (390 ml/14 fl oz) de agua en un cazo pequeño sobre calor medio con ⅓ de taza (70 g/2½ oz) de azúcar granulada, moviendo ocasionalmente. Agregue 1 taza (170 g/6 oz) de cerezas Bing u otro tipo de cerezas oscuras sin hueso. Reduzca la temperatura a baja y cocine cerca de 10 minutos, hasta suavizar. Deje enfriar, escurra; deseche la miel. Se pueden usar cerezas congeladas o en conserva. Cocine las cerezas congeladas como se indica anteriormente. Las cerezas en conserva ya vienen cocidas.

½ taza (60 g/2 oz) de harina preparada para pastel (de trigo suave)

½ taza (60 g/2 oz) de cocoa en polvo estilo holandés (página 13)

6 huevos grandes, a temperatura ambiente

1 cucharadita de extracto (esencia) de vainilla

¾ taza (155 g/5½ oz) de azúcar granulada

½ taza (110 g/4 oz) de mantequilla sin sal, derretida y a temperatura ambiente

PARA EL RELLENO Y EL BETÚN:

2½ tazas (560 ml/20 fl oz) de crema espesa (doble) o crema dulce

2 cucharadas de azúcar glass

1 cucharadita de kirsch

Miel de Azúcar (página 55)

Cerezas cocidas (vea explicación a la izquierda)

Rizos de chocolate semi-amargo (simple) (página 102)

LINZERTORTE

1½ tazas (200 g/7 oz) de harina de trigo (simple) sin blanquear

¼ cucharadita de canela molida

⅛ cucharadita de clavo molido

¼ cucharadita de sal

1 limón

1 taza (155 g/5½ oz) de almendras enteras, sin cáscara

1 taza (100 g/3½ oz) de azúcar glass, más la necesaria para espolvorear

¾ taza (170 g/6 oz) de mantequilla sin sal, a temperatura ambiente

3 yemas de huevos grandes

1½ tazas (500 g/18 oz) de jalea de frambuesa

1 cucharada de leche

Cierna la harina con la canela, clavos y sal sobre un tazón. Usando las raspas más finas de un rallador manual, ralle la cáscara de un limón sobre el tazón. Reserve. En un procesador de alimentos, muela las almendras con 1 taza de azúcar glass hasta moler finamente. Reserve.

Usando una batidora de pie adaptada con la paleta, bata la mantequilla, a velocidad media, hasta que esté cremosa. Integre la mezcla de almendras y las 2 yemas de huevo. Reduzca a velocidad baja, agregue los ingredientes secos y bata hasta combinar. Extienda aproximadamente una tercera parte de la masa formando un círculo, envuelva con plástico y refrigere. Engrase con mantequilla un molde para tarta con orilla ondulada de 23 por 2.5 cm (9 x 1 in) con base desmontable. Usando sus dedos, presione la masa restante sobre la base y lados del molde, dejando un sobrante de 12 mm (½ in) sobre la orilla. Si la masa está demasiado suave y pegajosa, refrigérela hasta que esté lo suficientemente firme para continuar. Cubra la masa con la jalea.

Sobre una superficie ligeramente enharinada, extienda la masa fría haciendo un rectángulo de 23 cm (9 in) de largo y 6 mm (¼ in) de espesor. Usando un cortador ondulado para pasta, corte 6 tiras de 2.5 cm (1 in) de ancho; 2 de ellas deben ser de 23 cm (9 in) de largo y las otras ligeramente más cortas. Coloque las tiras sobre la tarta (vea explicación a la derecha), recortando las orillas. Doble la masa sobrante de la orilla sobre el relleno y las tiras. Presione para sellar las orillas. Coloque la tarta en el congelador durante 20 minutos. Precaliente el horno a 180ºC (350ºF).

En un tazón pequeño, bata la yema de huevo restante con la leche. Barnice la masa con la mezcla de huevo. Hornee 45 a 55 minutos, hasta que la costra se dore y la jalea burbujee. Deje enfriar sobre una rejilla de alambre hasta que la tarta esté ligeramente tibia. Retire los lados del molde. Pase un cuchillo delgado entre la tarta y la base del molde. Pase la tarta a un platón de servicio y deje enfriar totalmente. Justo antes de servir, espolvoree con el azúcar glass, si lo desea.

RINDE DE 8 A 10 PORCIONES

COSTRA ENREJADA

Una especialidad del siglo XVIII del pueblo austriaco de Linz, la deliciosa Linzertorte de almendras, se puede identificar por su superficie enrejada. Para hacer el enrejado, extienda la masa y corte en tiras, como se indica en la receta. Coloque una tira larga a lo ancho del centro de la tarta. Coloque las tiras más cortas sobre cada lado de las tiras centrales, equidistantes de la tira central y la orilla de la tarta. Coloque la segunda tira larga diagonalmente a lo ancho de las primeras tiras, una vez más empezando en el centro de la tarta. Coloque las tiras restantes más cortas a ambos lados y siga las demás instrucciones.

PASTELES SENCILLOS

Todos necesitamos algunas recetas de pastel en nuestro repertorio que puedan hacerse rápidamente para una fiesta inesperada o como un agasajo para la familia. Este capítulo presenta recetas para cualquier época del año en una variedad de sabores, incluyendo los panqués de chocolate, un pastel de almendras horneado en un molde Bundt, una tarta deliciosa de chocolate y un pastel aromático de especias relleno con uvas pasas.

PASTEL DE MANZANA CON CANELA

MOLDE DE BRIOCHE

Al hornear este pastel de puré de manzana con especias en un molde tradicional de brioche, el cual es redondo y ondulado y más ancho en la parte superior que en la inferior, le da al pastel la misma forma que caracteriza al popular pan francés hecho de levadura que se sirve en el desayuno y lleva el nombre de este tipo de molde. Estos moldes, que se pueden encontrar en gran variedad de tamaños, fueron introducidos en el siglo XIX (aunque la masa de brioche enriquecida con huevo y mantequilla ha existido desde mucho tiempo antes).

Precaliente el horno a 165ºC (325ºF). Engrase con bastante mantequilla un molde para brioche con capacidad de 5 tazas (1.1 l/40 fl oz). Cierna la harina con la sal, canela, nuez moscada y polvo para hornear sobre una hoja de papel encerado; reserve.

Usando una batidora de pie adaptada con la paleta, bata la mantequilla, a velocidad media, hasta que esté cremosa. Agregue el azúcar morena y bata hasta que la mezcla esté pálida y esponjosa. Integre gradualmente los huevos, batiendo cada adición hasta incorporar antes de continuar (página 10). Reduzca la velocidad de la batidora a media-baja y agregue los ingredientes secos en 3 adiciones alternando con el puré de manzana en 2 adiciones, empezando y terminando con los ingredientes secos. Bata hasta mezclar. Con una espátula grande de goma, integre las nueces con movimiento envolvente.

Vierta la masa en el molde preparado y empareje la superficie. Hornee 40 minutos y cubra con papel aluminio. Continúe horneando de 20 a 25 minutos más, hasta que se esponje el pastel y que un palillo insertado en el centro salga limpio. Deje enfriar sobre una rejilla de alambre hasta que pueda tocar el molde. Golpee el molde sobre una mesa para desprender el pastel, invierta hacia un platón de servicio.

Mientras tanto, para hacer el betún, mezcle en un tazón la crema agria, el azúcar glass y la canela.

Sirva cada rebanada con una cucharada de crema agria.

RINDE 8 PORCIONES

1½ taza (200 g/7 oz) de harina de trigo (simple) sin blanquear

¼ cucharadita de sal

1½ cucharaditas de canela molida

½ cucharadita de nuez moscada, recién molida (página 17)

1½ cucharaditas de polvo para hornear

½ taza (110 g/4 oz) de mantequilla sin sal, a temperatura ambiente

1¼ tazas (210 g/7½ oz) compacta de azúcar morena

2 huevos grandes, a temperatura ambiente, ligeramente batidos

¾ taza (200 g/7 oz) de puré de manzana suave sin endulzantes, a temperatura ambiente

½ taza (60 g/2 oz) de nueces, ligeramente tostadas (página 47) y picadas grueso

PARA EL BETÚN DE CREMA AGRIA:

1 taza ((225 g/8 oz) de crema agria

1 cucharada de azúcar glass

¼ cucharadita de canela molida

PANQUÉ DE CAFÉ

1½ taza (20 g/7 oz) de harina de trigo (simple) sin blanquear

1 cucharadita de polvo para hornear

¼ cucharadita de sal

1 cucharada de granos de café tostado oscuro, finamente molidos (vea explicación a la derecha)

1 limón

⅔ taza (140 g/5 oz) de mantequilla sin sal, a temperatura ambiente

1 taza (200 g/7 oz) de azúcar

2 huevos grandes, a temperatura ambiente, ligeramente batidos

⅓ taza (80 ml/3 fl oz) de buttermilk o yogurt, a temperatura ambiente

Precaliente el horno a 180ºC (350ºF). Engrase con bastante mantequilla un molde para barra de 21.5 por 11.5 cm (8½ x 4½ in).Cierna la harina con el polvo para hornear y la sal sobre un tazón. Integre el café molido. Usando las raspas más delgadas de un rallador manual, ralle la cáscara de un limón sobre el tazón. Reserve.Usando una batidora de pie adaptada con la paleta, bata la mantequilla, a velocidad media, hasta que esté cremosa. Agregue el azúcar y bata hasta que la mezcla esté pálida y esponjosa. Integre gradualmente los huevos, batiendo cada adición hasta incorporar antes de continuar (página 10). Reduzca la velocidad a media-baja y agregue los ingredientes secos en 3 adiciones alternando con la buttermilk o yogurt en 2 adiciones, empezando y terminando con los ingredientes secos. Bata hasta mezclar.Vierta la masa en el molde preparado y aplane la superficie. Hornee de 50 a 60 minutos, hasta que el pastel se dore y esponje, y que al insertar un palillo en el centro éste salga limpio. Deje enfriar totalmente sobre una rejilla de alambre. Pase un cuchillo de mesa alrededor de la orilla del molde y voltee el pastel sobre un platón. Coloque el pastel con la parte superior hacia arriba.

Para Servir: Pruebe este panqué en su desayuno o para acompañar una taza de té en la tarde.

RINDE DE 8 A 10 PORCIONES

CAFÉ

Muchas recetas de pastel con sabor a café piden café instantáneo, pero este panqué usa granos asados y molidos para obtener un sabor a café más fuerte. Elija granos tostado oscuro, como el estilo francés, italiano o espresso y cómprelos en alguna tienda que tueste granos frecuentemente y tenga movimiento en su inventario. Para obtener el mejor sabor, muela los granos hasta lograr el polvo más fino que se pueda. Si no tiene un molino de café, compre los granos de café el día que vaya a hacer este panqué y pida que se los muelan en la tienda.

PANQUECITOS DE CHOCOLATE Y NARANJA

Precaliente el horno a 180ºC (350ºF). Cubra 12 moldes para panqué con papeles para panqué.

En un tazón pequeño, mezcle la cocoa en polvo con el agua caliente hasta que se disuelva; reserve. Cierna la harina con el polvo para hornear, el bicarbonato de sodio y la sal sobre un tazón. Usando las raspas más finas de un rallador manual, ralle la cáscara de una naranja hacia el tazón. Reserve.

En un tazón grande, bata los huevos con el azúcar granulada hasta mezclar. Integre la buttermilk o yogurt y la vainilla batiendo; agregue la cocoa disuelta. Siga batiendo e incorpore la mantequilla derretida y los ingredientes secos.

Usando una cuchara, divida la masa entre los moldes para panquecitos, llenando cada uno hasta la mitad. Hornee de 15 a 20 minutos, hasta que los panqués se esponjen y que al insertar un palillo en el centro éste salga limpio. Deje enfriar totalmente sobre una rejilla de alambre. Retire los panquecitos del molde.

Para hacer el betún, derrita el chocolate y deje enfriar a temperatura ambiente (vea explicación a la izquierda). Mientras tanto, usando una batidora de pie adaptada con la paleta, bata la mantequilla con el azúcar glass, a velocidad media, aproximadamente durante 3 minutos, hasta que esté cremosa y suave. Integre el chocolate derretido y bata hasta incorporar por completo. Coloque el betún en una manga de repostería adaptada con una punta en forma de estrella de 12 mm (½ in) y haga una espiral sobre cada panqué (página 98). Refrigere los panquecitos hasta 30 minutos antes de servir para que el betún tome consistencia.

RINDE 12 PANQUECITOS

DERRITIENDO EL CHOCOLATE

Para derretir chocolate, pártalo en trozos pequeños y póngalo en un tazón de acero inoxidable. Coloque el tazón sobre una olla con un poco de agua hirviendo a fuego lento, pero sin tocarla. Caliente hasta que el chocolate se derrita, moviendo ocasionalmente. No permita que el agua o el vapor entre en contacto con el chocolate, ya que se hará duro y con granos. O, pique el chocolate en trozos grandes,coloque en un plato para microondas y hornee a temperatura baja durante 1 minuto. Continúe horneando en el microondas si fuera necesario, revise cada 20 segundos, hasta que el chocolate se vea suave; mézclelo hasta que esté suave y líquido.

3 cucharadas de cocoa en polvo estilo holandés (página 13)

¼ taza (60 ml/2 fl oz) de agua caliente

1¼ taza (170 g/6 oz) de harina de trigo (simple) sin blanquear

½ cucharadita de polvo para hornear y la misma cantidad de bicarbonato de sodio

¼ cucharadita de sal

1 naranja

2 huevos grandes, a temperatura ambiente

¾ taza (155 g/5½ oz) de azúcar granulada

½ taza (110 ml/4 fl oz) de buttermilk o yogurt, a temperatura ambiente

½ cucharadita de extracto (esencia) de vainilla

¼ taza (60 g/2 oz) de mantequilla sin sal, derretida y a temperatura ambiente

PARA EL BETÚN:

170 g (6 oz) de chocolate semi-amargo

1 taza (225 g/8 oz) de mantequilla sin sal, a temperatura ambiente

2 tazas (200 g/7 oz) de azúcar glass

PASTEL DE YOGURT CON PURÉ DE DURAZNO

PARA EL PURÉ DE DURAZNO:

6 duraznos maduros, aproximadamente 670 g (1½ lb) en total, sin piel (vea explicación a la derecha)

Aproximadamente ¼ taza (60 g/2 oz) de azúcar

PARA EL PASTEL DE YOGURT:

2 tazas (250 g/9 oz) de harina de trigo (simple) sin blanquear

1½ cucharadita de polvo para hornear

¼ de cucharadita de sal

2 huevos grandes, a temperatura ambiente

1 taza (200 g/7 oz) de azúcar

1 taza (225 g/8 oz) de yogurt natural, a temperatura ambiente

½ cucharadita de extracto (esencia) de vainilla

¼ taza (60 g/2 oz) de mantequilla sin sal, derretida y a temperatura ambiente

Para hacer el puré de durazno, parta los duraznos sin piel en rebanadas. En un procesador de alimentos, haga un puré con los duraznos hasta que estén suaves. Agregue azúcar al gusto. Reserve (vea Nota).

Para hacer el pastel de yogurt, precaliente el horno a 180°C (350°F). Cubra la base de un molde para pastel redondo de 23 por 7.5 cm (9 x 3in) con papel encerado (para repostería).

Cierna la harina con el polvo para hornear y la sal sobre una hoja de papel encerado; reserve.

En un tazón grande, integre los huevos con el azúcar batiendo hasta integrar por completo. Incorpore el yogurt y el extracto de almendras. Integre la mantequilla derretida. Agregue, batiendo, los ingredientes secos.

Vierta la masa en el molde preparado y aplane la superficie. Hornee de 30 a 40 minutos, hasta que el pastel se esponje y dore, y que al insertar un palillo en su centro éste salga limpio. Deje enfriar totalmente sobre una rejilla de alambre. Pase un cuchillo de mesa alrededor de la orilla del molde e invierta el pastel sobre un plato. Retire el papel encerado y coloque el pastel con su lado superior hacia arriba.

Bañe cada porción con un poco de puré de durazno.

Nota: Si no sirve el pastel inmediatamente, refrigere el puré de durazno. Asegúrese de que esté a temperatura ambiente antes de usarlo.

Variación: Puede usar nectarinas con cáscara para sustituir los duraznos.

RINDE DE 8 A 10 PORCIONES

PELANDO DURAZNOS

Antes de hacer el puré de durazno, retire la cáscara blanqueándola. Hierva una olla grande con tres cuartas partes de agua; prepare un tazón con agua con hielo. Corte una X poco profunda en la punta de floración de cada durazno. Sumerja los duraznos, de dos en dos, entre 5 y 10 minutos en el agua hirviendo hasta que sus pieles empiecen a separarse de las Xs. Usando unas pinzas o una cuchara ranurada, retire los duraznos del agua y sumérjalos inmediatamente en el agua con hielo. Desprenda sus pieles. Use un cuchillo desmondador si fuera necesario.

TARTA DE CHOCOLATE CON POCA HARINA

Precaliente el horno a 350°C (180°F). Cubra la base de un molde redondo para pastel de 23 por 7.5 cm (9 x 3 in) con papel encerado (para repostería).

Mezcle el chocolate con la mantequilla en un tazón de acero inoxidable y derrita colocando el tazón sobre agua hirviendo ligeramente a fuego lento, sin tocarla (página 32). Retire del calor y bata para integrar. Incorpore ⅔ taza (125 g/4½ oz) del azúcar super fina y las yemas de huevo. Agregue la harina y la sal. Reserve.

Usando una batidora de pie adaptada con el batidor, bata las claras de huevo, a velocidad media, hasta que empiecen a esponjarse. Agregue una tercera parte del ⅓ de taza restante (75 g/2½ oz) de azúcar super fina y bata hasta que las claras estén opacas; agregue otra tercera parte del azúcar. Cuando las claras empiecen a aumentar su volumen y a endurecerse, agregue el azúcar restante y aumente la velocidad a alta. Bata hasta que las claras formen picos suaves, pero aún se vean húmedas (página 14). Usando una espátula grande de goma, integre cuidadosamente una tercera parte de las claras con la mezcla de chocolate usando movimiento envolvente. Incorpore las claras restantes.

Vierta la masa en el molde preparado y empareje la superficie. Hornee de 35 a 40 minutos, hasta que al introducir un palillo en el centro éste salga limpio o con unos cuantos grumos. Deje enfriar la tarta totalmente sobre una rejilla de alambre. Pase un cuchillo de mesa alrededor de la orilla del molde e invierta la tarta sobre un platón. Retire el papel encerado.

Decore la tarta con azúcar glass y cocoa en polvo, creando un diseño de dos tonos (página 94). Para servir, decore los platos individuales con puré de frambuesa y coloque una rebanada de la tarta en cada plato.

RINDE 8 PORCIONES

CHOCOLATE SEMI AMARGO

Los chocolates oscuros, incluyendo el semi-amargo y el amargo, son una combinación de licor de chocolate (esencialmente el que se produce con granos de cacao), manteca de cacao adicional (además de la que se encuentra presente en forma natural en el licor) y azúcar, la cual determina su dulzura. Las marcas importadas de buena calidad, como el Valrhona, Callebaut y Scharffen Berger, son etiquetadas con el porcentaje de licor de chocolate y manteca de cacao; por ejemplo, un producto que lleva una etiqueta que indica el 70 por ciento de chocolate contiene el 70 por ciento de licor y manteca de cocoa y un 30 por ciento de azúcar.

200 g (7 oz) de chocolate semi-amargo al 70 por ciento (vea explicación a la izquierda), finamente picado

14 cucharadas (200 g/7 oz) de mantequilla sin sal, cortada en trozos

1 taza (200 g/7 oz) de azúcar super fina (caster)

5 huevos grandes, separados, a temperatura ambiente

2 cucharadas de harina de trigo (simple) sin blanquear

⅛ cucharadita de sal

Azúcar glass, para espolvorear

Cocoa amarga en polvo estilo holandés (página 13), para espolvorear

Puré de Frambuesa (página 115), para servir

PASTEL DE ALMENDRAS

2 tazas (250 g/9oz) de harina de trigo (simple) sin blanquear

1½ cucharadita de polvo para hornear

¼ cucharadita de sal

200 g (7 oz) de pasta de almendra (vea explicación a la derecha)

¾ taza (170 g/6 oz) de mantequilla sin sal, a temperatura ambiente

1 taza (200 g/7 oz) de azúcar

1 cucharadita de extracto (esencia) de vainilla

3 huevos grandes, a temperatura ambiente, ligeramente batidos

½ taza (110 ml/4 fl oz) de buttermilk o yogurt, a temperatura ambiente

Precaliente el horno a 180ºC (350º F). Engrase con bastante mantequilla un molde para Bundt con capacidad de 9 tazas (2 l/72 fl oz).

Cierna la harina con el polvo para hornear y la sal sobre una hoja de papel encerado; reserve.

Usando una batidora de pie adaptada con la paleta, bata la pasta de almendras con la mantequilla, a velocidad media, hasta que se mezclen. Agregue el azúcar y bata hasta que la mezcla se torne pálida y esponjosa. Integre, batiendo, el extracto de vainilla. Incorpore gradualmente los huevos, batiendo después de cada adición hasta incorporar antes de continuar (página 10). Reduzca la velocidad a media-baja y agregue los ingredientes secos en 3 adiciones, alternando con la buttermilk o yogurt en 2 adiciones, empezando y terminando con los ingredientes secos. Bata hasta mezclar.

Vierta la masa en el molde preparado y aplane la superficie. Hornee de 40 a 50 minutos, hasta que el pastel se dore y esponje, y que al insertar un palillo en el centro éste salga limpio. Deje enfriar totalmente sobre una rejilla de alambre. Golpee el molde sobre un mueble para desprender el pastel, invierta sobre un platón.

Para Servir: Sirva este pastel con rebanadas de fruta madura, como duraznos y ciruelas o con rebanadas de peras

RINDE DE 8 A 10 PORCIONES

PASTA DE ALMENDRAS

La pasta de almendras es una mezcla de almendras dulces molidas, agua, azúcar y glucosa cocidas hasta formar una pasta. Las mejores pastas, que se venden en empaques de 200 g (7 oz) en tiendas de abarrotes, tienen por lo menos el 50 por ciento de almendras. Agregan humedad a los pasteles y demás postres además de impartir un característico sabor a almendra que no se logra al moler las almendras por sí solas. El mazapán se parece a la pasta de almendras, pero contiene un porcentaje más elevado de azúcar, lo cual proporciona un menor sabor a almendras. Además es más maleable, lo que lo hace popular para extenderlo en láminas y cubrir pasteles.

PASTEL DE ESPECIAS CON PASAS

Precaliente el horno a 180ºC (350ºF). Cubra la base de un molde redondo para pastel de 23 por 7.5 cm (9 x 3 in) con papel encerado (para repostería).

Cierna la harina con el polvo para hornear, semillas de cilantro, pimienta de jamaica, sal, canela y pimienta de cayena sobre una hoja de papel encerado; reserve. En un tazón pequeño, combine la leche con la vainilla; reserve.

Usando una batidora de pie adaptada con la paleta, bata ¾ de taza de mantequilla, a velocidad media, hasta que esté cremosa. Agregue el azúcar morena y la ½ taza de azúcar granulada y bata hasta que la mezcla se torne pálida y esponjosa. Integre gradualmente los huevos, batiendo después de cada adición hasta incorporar antes de continuar (página 10). Reduzca la velocidad a media-baja y agregue los ingredientes secos en 3 adiciones alternando con la mezcla de leche en 2 adiciones, empezando y terminando con los ingredientes secos. Bata hasta mezclar. Incorpore las uvas pasas.

Vierta la masa en el molde preparado y empareje la superficie. Hornee de 35 a 40 minutos, hasta que el pastel se dore y esponje, y que al introducir un palillo en el centro éste salga limpio. Deje enfriar por completo sobre una rejilla de alambre colocada sobre una hoja de papel encerado. Pase un cuchillo de mesa alrededor de la orilla del molde e invierta el pastel sobre la rejilla. Retire el papel encerado y voltee el pastel colocando la parte superior hacia arriba.

En una olla pequeña, combine las 2 cucharadas de azúcar granulada, la miel y la cucharada de mantequilla. Hierva sobre calor medio, moviendo constantemente y cocine aproximadamente durante 3 minutos para hacer un glaseado. Vierta sobre el pastel. Con una espátula angular pequeña para repostería, empareje el glaseado sobre el pastel y sus lados. Pase el pastel a un platón.

Variación: Otras frutas secas, como las pasitas, arándanos o cerezas se pueden usar para sustituir las sultanas.

RINDE DE 8 A 10 PORCIONES

ESPECIAS

El cilantro y la pimienta de cayena son sazonadores no usados comúnmente en recetas de postres, pero en este pastel le agregan un sabor natural muy intrigante y, en el caso de la pimienta de cayena, una chispa sutil que se contrabalancea de forma agradable con el glaseado de miel. Debido a que las especias molidas pierden su sabor con el tiempo, cómprelas en pequeñas cantidades. Incluso, sería mejor invertir en un molino de café económico y usarlo exclusivamente para moler especias enteras, incluyendo las de este pastel, justo antes de usarlas. Un mortero con su mano y un poco de esfuerzo también podrán moler las especias enteras para pulverizarlas.

2 tazas (250 g/9 oz) de harina de trigo (simple) sin blanquear

2 cucharaditas de polvo para hornear

¾ de cucharadita de semillas de cilantro molidas y la misma cantidad de pimienta de jamaica (allspice)

½ cucharadita de sal y la misma cantidad de canela molida

¼ cucharadita de pimienta de cayena

¾ taza (170 ml/6 fl oz) de leche, a temperatura ambiente

1 cucharadita de extracto (esencia) de vainilla

¾ taza (170 g/6 oz) más 1 cucharada de mantequilla sin sal, a temperatura ambiente

1 taza (170 g/6 oz) compacta de azúcar morena

½ taza (100 g/3½ oz) más 2 cucharadas de azúcar granulada

2 huevos grandes, a temperatura ambiente, ligeramente batidos

½ taza (60 g/2 oz) de uvas pasas doradas (sultanas)

¼ taza (60 g/2 oz) de miel de abeja

PASTELES ELEGANTES

Un deslumbrante postre con categoría, le ayudará a celebrar con estilo. El pastel de chocolate y almendras así como el pastel de avellana convencerán a los más ardientes amantes del chocolate, mientras que los vacherins, merengues o duquesas individuales serán un elegante final para una refinada comida. Todos estos postres pueden hacerse con anticipación, por lo que podrá estar libre y gozar de su celebración

PASTEL DE CHOCOLATE Y ALMENDRAS CON SALSA DE CARAMELO

MOVIMIENTO ENVOLVENTE
Es el proceso usado para combinar dos mezclas o ingredientes de diferentes densidades, como una masa pesada y las claras de huevo: Agregue una tercera parte de las claras al centro de la masa. Usando una espátula grande de goma, llévela hasta abajo del tazón entre las claras y llévela hacia arriba en movimiento circular, levantando un poco de masa al subirla. Gire el tazón un cuarto de vuelta. Repita la operación, girando el tazón después de cada movimiento, justo hasta que las claras se incorporen. Una vez que la masa esté ligera, integre las claras restantes en movimiento envolvente.

Precaliente el horno a 165ºC (325ºF). Engrase con mantequilla y enharine un molde para rosca estilo savarin (página 112) de 24 cm (9½ in).

Combine el chocolate con la mantequilla en un tazón de acero inoxidable y derrítalo colocando el tazón sobre agua hirviendo a fuego lento, pero sin tocarla (página 32). Retire del calor y bata hasta mezclar. Integre ¾ de taza (140 g/5 oz) del azúcar super fina, las yemas de huevo y el extracto de almendras. En un procesador de alimentos, mezcle la harina, sal y almendras hasta que estén finamente molidas; no muela demasiado. Bata la mezcla de harina con la mezcla de chocolate.

Usando una batidora de pie adaptada con el batidor, bata las claras de huevo, a velocidad media, hasta que empiecen a esponjarse. Agregue una tercera parte del ¼ de taza restante (60 g/2 oz) del azúcar super fina y bata hasta que las claras estén opacas; agregue otra tercera parte del azúcar. Cuando las claras empiecen a aumentar su volumen y a tornarse firmes, agregue el azúcar restante y aumente la velocidad a alta. Bata hasta que las claras formen picos suaves pero aún se vean húmedas (página 14). Usando una espátula grande de goma, mezcle con cuidado y en un movimiento envolvente una tercera parte de las claras con la mezcla de chocolate, e integre las claras restantes de la misma forma (vea explicación a la izquierda).

Vierta la masa en el molde preparado y empareje la superficie. Hornee de 40 a 45 minutos, hasta que el pastel se esponje y que al insertar un palillo en su centro éste salga limpio o con algunas migas. Deje enfriar sobre una rejilla de alambre hasta que esté a temperatura ambiente. Pase un cuchillo de mesa alrededor de las orillas del molde y golpee la base para desprender el pastel. Invierta el pastel sobre un platón.

Justo antes de servir, espolvoree el pastel con azúcar glass, usando una coladera de malla fina, y bañe con la salsa de caramelo.

RINDE DE 8 A 10 PORCIONES

200 g (7 oz) de chocolate semi-amargo al 70 %, finamente picado (página 36)

¾ taza (170 g/6 oz) de mantequilla sin sal, cortada en trozos

1 taza (200 g/7 oz) de azúcar super fina (caster)

4 huevos grandes, separados, a temperatura ambiente

½ cucharadita de extracto (esencia) de almendra

¼ taza (30 g/1 oz) más 1 cucharada de harina preparada para pastel (de trigo suave)

¼ cucharadita de sal

½ taza (85 g/3 oz) de almendras enteras blanqueadas y ligeramente tostadas (página 47)

Azúcar glass, para espolvorear

Salsa de Caramelo (página 114), fría, para acompañar

DUQUESAS DE AVELLANA

1¾ taza (270 g/9½ oz) de avellanas (filberts), tostadas (vea explicación a la derecha)

2¼ taza (225 g/8 oz) de azúcar glass, más la necesaria para espolvorear

3 claras de huevos grandes, a temperatura ambiente

¼ taza (60 g/2 oz) de azúcar granulada

⅔ taza (140 g/5 oz) más 1 cucharada de mantequilla sin sal, a temperatura ambiente

2 cucharadas de Cognac

Crema Pastelera (pagina 113), fría

Precaliente el horno a 150ºC (300ºF). Sobre una hoja de papel encerado (para repostería), dibuje 16 círculos de 6 cm (2½ in) de diámetro cada uno dejando una separación de 4 cm (1½ in) entre ellos. Coloque el papel sobre una charola para hornear de 30 x 45 x 2.5 cm (12 x 18 x 1 in).

En un procesador de alimentos, mezcle ⅔ de taza (100 g/3½ oz) de las avellanas y 1 taza (100 g/3½ oz) del azúcar glass y muela finamente. Usando una batidora de pie adaptada con el batidor, bata las claras de huevo, a velocidad media, hasta que empiecen a esponjarse. Agregue una tercera parte del azúcar granulada y bata hasta que las claras estén opacas; incorpore otra tercera parte del azúcar. Cuando las claras empiecen a tornarse firmes, agregue el azúcar restante y aumente a velocidad alta. Bata hasta que las claras formen picos firmes pero aún se vean húmedas (página 14). Integre cuidadosamente la mezcla de avellana en 2 adiciones. Llene una manga de repostería adaptada con una punta sencilla de 1 cm (⅜ in) con la mezcla (página 98). Empezando en el centro de cada círculo, haga una espiral continua y llene los círculos. Espolvoree los discos de merengue con azúcar glass. Hornee de 45 a 50 minutos, hasta que los discos estén dorados y firmes. Pase los discos, aún sobre el papel, a una rejilla de alambre.

Usando una batidora de pie adaptada con la paleta, bata la mantequilla a velocidad media hasta que esté cremosa. En un procesador de alimentos, mezcle ¾ de taza (110 g/4 oz) de las avellanas y 1¼ de taza (125 g/4½ oz) restante de azúcar glass, hasta que esté finamente molida. Agregue a la mantequilla y bata hasta espesar. Integre el Cognac. Reduzca la velocidad a media-baja e integre la crema pastelera, batiendo, en 4 adiciones.

Coloque la mitad del relleno en una manga de repostería adaptada con una punta sencilla de 1 cm (⅜ in). Coloque la mezcla sobre 8 merengues, repartiéndola uniformemente. Presione los merengues restantes sobre ellos. Congele 30 minutos. Usando una espátula, cubra los lados con el relleno restante. Pique el ⅓ de taza (60 g/2 oz) de avellanas restante; extiéndalas sobre papel encerado. Pase cada merengue por las avellanas para cubrir sus lados. Refrigere hasta el momento de servir.

RINDE 8 PORCIONES

TOSTANDO AVELLANAS

Cuando las nueces se tuestan su sabor aumenta ligeramente. Al tostar avellanas también desprende sus pieles. Extienda las nueces en una sola capa sobre una charola para hornear cubierta de papel encerado (para repostería) y tueste en un horno precalentado a 180ºC (350ºF) unos 8 minutos, hasta que las pieles empiecen a oscurecerse y arrugarse. Cuando enfríen lo suficiente para poder tocarlas, envuélvalas en toallas de cocina y frótelas vigorosamente para retirar sus pieles. No se quitarán por completo. Tueste las nueces en mitades o en trozos, así como las almendras enteras o rebanadas (hojuelas) del mismo modo. Sin embargo, las almendras rebanadas tardarán menos tiempo. Revíselas después de 4 minutos.

CLOCHE CAFÉ

CORTANDO
PASTELES EN CAPAS

Los palillos de madera son una excelente guía para cortar un pastel en capas. Usando una regla, inserte palillos de madera a intervalos regulares alrededor del pastel, dividiéndolo en 2, 3 o hasta 4 capas horizontales. Poniendo una mano sobre el pastel y usando un cuchillo largo con cuchilla de sierra, colocado justo sobre la línea de los palillos que marcan la capa, corte el pastel usando un movimiento uniforme. Levante la capa superior y cuidadosamente colóquela a un lado; retire la hilera de palillos que usó como guía. Si el pastel tiene más de 2 capas, repita la operación para cortar las demás capas.

Precaliente el horno a 180ºC (350ºF). Engrase con bastante mantequilla un molde de carlota con capacidad de 6 tazas (1.5 l/48 fl oz). Usando una batidora de pie, bata las claras de huevo con el batidor a velocidad media, hasta que empiecen a esponjarse. Agregue una tercera parte del azúcar granulada y bata hasta que las claras estén opacas; agregue otra tercera parte del azúcar. Cuando las claras empiecen a tornarse firmes y a aumentar su volumen, agregue el azúcar restante y aumente la velocidad a alta. Bata hasta que las claras formen picos suaves pero aún se vean húmedas (página 14). En otro tazón, bata las yemas a mano hasta mezclar. Usando una espátula grande de goma mezcle las yemas con las claras usando movimiento envolvente. Cierna la harina sobre la mezcla de huevo en 2 adiciones e integre con movimiento envolvente.

Vierta la masa en el molde preparado y empareje la superficie. Hornee de 20 a 25 minutos, hasta que el pastel esté dorado y esponjado, y que al insertar un palillo en su centro éste salga limpio. Deje enfriar sobre una rejilla de alambre durante 10 minutos y retire del molde. Si fuera necesario, golpee el molde sobre la mesa para desprender el pastel.

Corte el pastel en 4 capas iguales (vea explicación a la izquierda). Coloque la capa más grande, con la parte cortada hacia arriba, sobre un platón. Barnice con un poco de miel de azúcar de café. Reserve aproximadamente la mitad del betún para embetunar el pastel. Extienda una capa delgada del betún restante sobre la capa del pastel. Continúe alternando capas de pastel barnizándolas con miel y untándolas con betún. Tendrá 4 capas de pastel y 3 capas de betún. La forma del pastel ya ensamblado se parecerá al molde (un pastel entero). Refrigere 30 minutos. Extienda el betún sobre la superficie y los lados del pastel (página 111). Espolvoree con azúcar glass y decore con los granos de café caramelizados. Refrigere hasta el momento de servir.

Nota: Para hacer la miel de azúcar de café, siga las instrucciones para hacer la miel de azúcar regular (página 55), pero agregue 1 cucharadita de café en polvo para espresso instantáneo al azúcar antes de disolverla en el agua.

RINDE DE 6 A 8 PORCIONES

5 huevos grandes, separados, más 1 yema de huevo grande, a temperatura ambiente

⅔ taza (125 g/4½ oz) de azúcar granulada

1 taza (125 g/4½ oz) de harina de trigo (simple) sin blanquear

Miel de azúcar de café (vea Nota)

Betún de Merengue de Chocolate (página 114)

Azúcar glass para espolvorear

Granos de café caramelizados para decorar

VACHERINS DE CHOCOLATE

1 taza (100 g/3½ oz) de azúcar glass

¼ taza (30 g/1 oz) de cocoa en polvo estilo holandés (página 13)

3 claras de huevos grandes, a temperatura ambiente

½ taza (100 g/3½ oz) de azúcar granulada

4 tazas (900 ml/32 fl oz) de nieve de naranja, limón o frambuesa; o helado de vainilla o café para acompañar

Precaliente el horno a 150ºC (300ºF). Sobre una hoja de papel encerado (para repostería) lo suficientemente grande para cubrir una charola para horno de 30 x 45 x 2.5 cm (12 x 18 x 1 in) dibuje 8 círculos, de 7.5 cm (3 in) de diámetro cada uno, dejando una separación de 2.5 cm (1 in) entre ellos. Coloque el papel sobre la charola, poniendo el lado marcado hacia abajo.

Cierna el azúcar glass con la cocoa en polvo sobre una hoja de papel encerado; reserve.

Usando una batidora de pie adaptada con el batidor, bata las claras de huevo, a velocidad media, hasta que empiecen a esponjarse. Agregue una tercera parte del azúcar granulada y bata hasta que las claras estén opacas; agregue otra tercera parte del azúcar. Cuando las claras empiecen a aumentar su volumen y a tornarse firmes, agregue el azúcar restante y aumente a velocidad alta. Bata hasta que las claras formen picos suaves pero aún se vean húmedas (página 14). Retire el tazón de la batidora. Cierna una tercera parte de los ingredientes secos sobre las claras y mezcle cuidadosamente con movimiento envolvente, usando una espátula grande de goma. Cierna los ingredientes secos restantes en 2 adiciones más, mezclando con movimiento envolvente.

Pase la mezcla a una manga de repostería adaptada con una punta sencilla (página 98) de 1 cm (3/8 in). Empezando en el centro de cada círculo, haga una espiral continua, llenando los círculos. Haga otro círculo sobre la orilla de cada círculo. Hornee aproximadamente 1 hora, hasta que los merengues estén firmes y puedan levantarse del papel. Pase los merengues, con todo y papel, a una rejilla de alambre y deje enfriar totalmente.

Almacene los merengues en un recipiente hermético hasta por 2 semanas para el momento que decida rellenar y servir. Si los merengues pierden su firmeza, hornéelos a 95ºC (200ºF) de 30 a 40 minutos. Para servir, rellene cada merengue con una cucharada de nieve o helado.

RINDE 8 PORCIONES

VACHERINS

Los vacherins son quesos de leche de vaca en forma de disco que se producen en Suiza y Francia. Los vacherins dulces, hechos de merengue, también llevan ese nombre ya que tienen la misma forma. Los grandes están hechos de un círculo de merengue y una serie de anillos en las orillas. Se hornean hasta secar y se les ponen varios anillos en la base, sellándolos con merengue y horneándolos una vez más. Para hacer vacherins individuales, se pone un solo anillo alrededor de la base y se hornean una sola vez. Ambos tamaños se pueden rellenar con nieve, helado, fruta o crema batida.

NIÑO ENVUELTO DE CREMA DE CASTAÑA

PURÉ DE CASTAÑA

El puré de castaña enlatado viene en varias presentaciones. Puede ser simple, sazonado con un poco de sal para usarse en preparaciones sazonadas, o dulce. Para este pastel busque el puré dulce que lleva trozos de castañas caramelizadas. A menudo es etiquetado como "unto de castaña" (chestnut spread). Este unto por lo regular se usa para hacer tartas, decorar helados o rellenar galletas. También se puede pasar por un pasapurés y cubrir con crema batida para hacer el clásico postre francés conocido como Mont Blanc. El unto de castaña se encuentra en tiendas de abarrotes bien surtidas.

Precaliente el horno a 245ºC (475ºF). Cubra una charola para hornear de 30 x 45 x 2.5 cm (12 x 18 x 1 in) con papel encerado (de repostería) y engrase las orillas con mantequilla. Cierna la harina con el polvo de cocoa sobre una hoja de papel encerado; reserve. Coloque las yemas de huevo y los huevos enteros en el tazón de una batidora de pie. Bata a velocidad media mientras agrega ⅓ de taza de azúcar en hilo continuo. Aumente a velocidad alta y bata cerca de 5 minutos, hasta que los huevos casi dupliquen su tamaño. Pase a un tazón grande.

Lave y seque perfectamente el tazón y el batidor. Use la batidora adaptada con el batidor para batir las claras de huevo, a velocidad media, hasta que empiecen a esponjarse. Agregue un tercio de la cucharada de azúcar y bata hasta que estén opacas; añada otro tercio del azúcar. Cuando las claras empiecen a aumentar su volumen, agregue el azúcar restante y aumente a velocidad alta. Bata hasta que las claras formen picos suaves pero aún estén húmedas (página 14). Integre las claras con la mezcla de yemas con movimiento envolvente. Cierna los ingredientes secos sobre la mezcla de huevos y mezcle con movimiento envolvente.

Vierta la masa sobre la charola preparada y extienda uniformemente. Hornee de 5 a 8 minutos, hasta que el pastel rebote al tocarlo, girando la charola a la mitad del tiempo de horneado. Saque del horno y resbale el pastel, aún en el papel, hacia una rejilla de alambre. Deje enfriar totalmente.

Bata la crema hasta formar picos suaves (página 80). Con cuidado integre el puré de castañas. Coloque el pastel, con el papel hacia arriba, sobre otro trozo de papel encerado. Retire el papel de arriba. Cubra con una tercera parte de la mezcla de crema batida. Adorne con el chocolate picado. Coloque el lado largo del pastel hacia usted y enrolle para formar una barra (página 71). Páselo a un platón, poniendo la unión hacia abajo. Ponga la mezcla de crema batida restante en una manga de repostería adaptada con una punta de estrella de 2 cm (¾ in). Empezando en la orilla del pastel que toca al platón, haga líneas de crema sobre el pastel de lado a lado (página 98). Decore con los rizos de chocolate. Refrigere hasta el momento de servir.

RINDE DE 14 A 16 PORCIONES

¼ taza (30 g/1 oz) de harina preparada para pastel (de trigo suave)

2 cucharadas de cocoa en polvo estilo holandés (página 13)

2 huevos grandes, separados, más 2 huevos grandes enteros, a temperatura ambiente

⅓ taza (70 g/2½ oz) más 1 cucharada de azúcar

2 tazas (450 ml/16 fl oz) de crema espesa (doble) o crema dulce

¾ taza (250 g/9 oz) de puré de castaña dulce (vea explicación a la izquierda)

85 g (3 oz) de chocolate semi-amargo, finamente picado (página 36)

Rizos de chocolate o pétalos de chocolate, para decorar (página 102)

PASTEL DE AVELLANA CON GLASEADO DE CHOCOLATE

GANACHE

La unión de chocolate con crema espesa (doble), conocida como ganache se puede usar para rellenar o decorar un pastel. La proporción de los dos ingredientes puede variar y algunas veces se agrega mantequilla y/o licor. Para usarla como relleno, por lo general se usa la misma cantidad en peso de chocolate y de crema; se calienta la crema y se vierte sobre el chocolate picado; posteriormente se bate y se deja enfriar. El betún de ganache, que lleva más crema que chocolate, se hace calentándolo y se deja enfriar hasta que está tibio para poder untarlo.

Precaliente el horno a 165ºC (325ºF). Cubra la base de una charola para hornear de 30 x 45 x 2.5 cm (12 x 18 x 1 in) con papel encerado (para repostería).

Cierna la harina con la cocoa en polvo y la sal sobre una hoja de papel encerado. Integre las avellanas. Reserve.

Usando una batidora de pie adaptada con el batidor, bata las yemas de huevo y 1 taza (200 g/7 oz) de azúcar, a velocidad media-alta de 3 a 5 minutos, hasta que la mezcla esté pálida y espesa. Pase a un tazón grande.

Lave y seque perfectamente el tazón de la batidora y el batidor. Bata las claras de huevo con el batidor a velocidad media, hasta que empiecen a esponjarse. Agregue una tercera parte del ¼ de taza (50 g/2 oz) de azúcar restante y bata hasta que las claras estén opacas; añada otra tercera parte del azúcar. Cuando las claras empiecen a aumentar su volumen y a tornarse firmes, agregue el azúcar restante y aumente a velocidad alta. Bata hasta que las claras formen picos suaves pero aún se vean húmedas (página 14).

Usando una espátula grande de goma, integre los ingredientes secos con la mezcla de yemas, usando movimiento envolvente. La masa estará muy espesa. Integre la mantequilla derretida en 2 adiciones. Usando la espátula, incorpore una tercera parte de las claras a la masa con movimiento envolvente e integre las claras restantes de la misma forma.

Vierta la masa sobre la charola preparada y, usando una espátula angular para repostería, extiéndala lo más uniformemente posible. Hornee de 10 a 15 minutos, hasta que el pastel se esponje y rebote ligeramente al tocarlo. Deje enfriar totalmente sobre una rejilla de alambre.

(Continúa en la siguiente página.)

1 taza (125 g/4½ oz) de harina de trigo (simple) sin blanquear

½ taza (60 g/2 oz) de cocoa en polvo tipo holandés (página 13)

¼ cucharadita de sal

⅔ taza (100 g/3½ oz) de avellanas (filberts), ligeramente tostadas (página 47) y finamente picadas

9 huevos grandes, separados, a temperatura ambiente

1¼ taza (250 g/9 oz) de azúcar

½ taza (110 g/4 oz) de mantequilla sin sal, derretida y a temperatura ambiente

292

PARA EL GLASEADO Y TERMINADO:

335 g (12 oz) de chocolate semi-amargo, finamente picado (página 36)

1½ taza (335 g/12 fl oz) de crema espesa (doble) o crema dulce

1 cucharadita de ron oscuro

Miel de azúcar (vea explicación a la derecha)

60 g (2 oz) de chocolate semi-amargo (simple), finamente picado

De 8 a 12 flores caramelizadas (página 105)

Mientras tanto, prepare el glaseado y el terminado: Coloque el chocolate semi-amargo en un tazón. En una olla pequeña sobre calor medio, caliente la crema hasta que aparezcan pequeñas burbujas en la orilla y vierta sobre el chocolate. Bata suavemente a mano hasta que el chocolate se derrita, para hacer una ganache (vea explicación a la izquierda). Deje enfriar hasta obtener la consistencia de una mayonesa espesa.

Coloque un trozo de papel encerado sobre una superficie de trabajo. Pase un cuchillo de mesa alrededor de la orilla del molde. Tomando el pastel por uno de sus lados largos, invierta el molde sobre el papel. Saque del molde y retire el papel superior. Corte el pastel en tres rectángulos de 30 x 13 cm (12 x 5 in). Coloque uno de los rectángulos sobre un platón.

En un tazón pequeño, combine el ron con la miel de azúcar. Barnice el pastel con un poco de miel. Cubra con aproximadamente una cuarta parte de la ganache. Coloque otro trozo del pastel sobre la ganache. Barnice con más miel. Cubra con otra cuarta parte de la ganache. Coloque la tercera parte del pastel sobre la ganache y barnice con la miel restante. Refrigere el pastel 30 minutos para que el relleno tome consistencia.

Usando un cuchillo de sierra, recorte las orillas del pastel. Ponga la ganache restante en un tazón y coloque sobre una olla con agua hirviendo a fuego lento, moviendo ocasionalmente, hasta que la ganache esté lo suficientemente suave para poder extenderse. Usando una espátula angular pequeña para repostería, extienda la ganache sobre el pastel y sus lados, untándola lo más uniformemente posible. Derrita el chocolate semi amargo y use un cono de papel encerado para decorar la superficie del pastel (página 101). Adorne el pastel con las flores caramelizadas. Refrigere hasta el momento de servir. Para servir, corte en rebanadas con un cuchillo delgado y filoso

RINDE DE 12 A 14 PORCIONES

(La fotografía aparece en la próxima página.)

MIEL DE AZÚCAR

Los pasteles densos como éste, así como los pasteles génoise (página 63), se hacen con una pequeña cantidad de mantequilla, que puede proporcionar un pastel ligeramente seco. Al barnizar las capas con miel de azúcar en el momento de ensamblarlo le ayudan a mantener su humedad. Para hacer la miel de azúcar, combine ¼ taza (60 g/2 oz) de azúcar con ¼ taza (60 ml/2 fl oz) de agua, en una olla pequeña sobre calor medio. Hierva, moviendo ocasionalmente, hasta que se disuelva el azúcar. Retire del calor y deje enfriar a temperatura ambiente. Si se pide algún sabor en especial, intégrelo en la miel fría.

PASTELES DE PRIMAVERA Y VERANO

Cuando los árboles empiezan a florecer y los días son más largos y cálidos, es el momento de hacer postres ligeros y refrescantes. Aproveche las frutas silvestres y otras frutas frescas combinándolas con pasteles de esponja y ondas de crema batida. O combine un delicioso betún con crema inglesa. Cuando quiera un toque dulce ligero, hornee un chiffon.

PASTEL ESPONJA DE LIMÓN

Precaliente el horno a 190ºC (375ºF). Cubra la base de un molde para pastel redondo de 23 x 7.5 cm (9 x 3 in) con papel encerado (para repostería).

Usando una batidora de pie con el batidor, bata los huevos con el azúcar a velocidad alta, durante 5 minutos, hasta triplicar su volumen. Incorpore el extracto de limón. Retire el tazón de la batidora. Cierna la harina sobre la mezcla de huevo en 2 adiciones e integre cuidadosamente con movimiento envolvente, usando una espátula de goma. Incorpore un poco de la mezcla a la mantequilla derretida e integre con la mezcla de huevo. Vierta en el molde preparado y empareje la superficie. Hornee de 20 a 25 minutos, hasta que el pastel se esponje. Deje enfriar totalmente sobre una rejilla.

Mientras tanto, haga el relleno y betún: Bata la crema hasta que se formen picos suaves (página 80). Coloque la crema inglesa en un tazón e integre cuidadosamente la crema batida en 2 adiciones.

Pase un cuchillo de mesa alrededor del molde y saque el pastel; colóquelo sobre una superficie de trabajo. Voltéelo, dejando el papel encerado en su lugar. Corte el pastel en 2 capas iguales (página 48). Coloque la capa superior, con la cara cortada hacia arriba, sobre un platón. Barnice con un poco de miel de azúcar. Reserve una tercera parte del betún para decorar el pastel. Llene una manga de repostería adaptada con una punta sencilla de 12 mm (½ in) con aproximadamente ¾ taza (170 ml/ 6 fl oz) del betún y haga una orilla alrededor del pastel (pagina 98). Unte uniformemente la mezcla de crema batida dentro del arillo de betún. Coloque la segunda capa del pastel, con su parte cortada hacia abajo, sobre la crema y retire el papel. Barnice con la miel restante. Refrigere 30 minutos; mantenga el betún restante a temperatura ambiente.

Extienda el betún sobre el pastel y sus lados (página 111). Ponga el betún reservado en la manga de repostería adaptada con una punta de estrella de 12 mm (½ in) y haga conchas sobre la orilla superior (página 98). Refrigere hasta 30 minutos antes de servir.

RINDE DE 10 A 12 PORCIONES

HARINA PREPARADA PARA PASTEL

La harina preparada para pastel se muele del trigo suave y, como resultado, contiene menos gluten y más fécula que la harina simple.

Como la harina preparada para pastel es molida más fina que las demás harinas, sus partículas son pequeñas y permiten mezclarla fácilmente para hacer masas. La harina para pastel también se blanquea, lo cual le permite tolerar gran proporción de azúcar y grasa en las mezclas de pasteles. Todas estas características producen un pastel suave con migas finas, por lo que la harina preparada es la adecuada para este pastel de esponja de limón y otros pasteles delicados.

5 huevos grandes, a temperatura ambiente

¾ taza (155 g/5½ oz) de azúcar

¾ cucharadita de extracto (esencia) de limón

1 taza (110 g/4 oz) de harina preparada para pastel (de trigo suave), cernida

¼ taza (60 g/2 oz) de mantequilla sin sal, derretida y a temperatura ambiente

PARA EL RELLENO Y BETÚN:

½ taza (110 ml/4 fl oz) de crema espesa (doble) o crema dulce

Crema Inglesa (página 11)

Miel de Azúcar (página 55)

Betún de Limón (página 115)

GÉNOISE DE FRESA CON CREMA BATIDA

PARA EL GÉNOISE

4 huevos grandes

½ taza (100 g/3½ oz) de azúcar granulada

¾ taza (85 g/3 oz) de harina preparada para pastel (de trigo suave), cernida

3 cucharadas de mantequilla sin sal, derretida

PARA EL RELLENO Y TERMINADO:

1 cucharadita de kirsh

Miel de Azúcar (página 55)

2 tazas (450 ml/16 fl oz) de crema espesa (doble) o crema dulce

2 cucharaditas de azúcar glass

3 tazas (335 g/12 oz) de fresas, limpias y cortadas en rebanadas de 12 mm (½ in), más 6 fresas partidas en mitades a lo largo, para adornar.

Para hacer el génoise, precaliente el horno a 190ºC (375ºF). Cubra la base de un molde para pastel redondo de 23 x 7.5 cm (9 x 3 in) con papel encerado (para repostería).

En el tazón de una batidora de pie, bata los huevos con el azúcar granulada a mano hasta combinar. Coloque el tazón sobre un sartén con agua hirviendo a fuego lento. Bata suavemente cerca de 3 minutos, hasta que la mezcla registre los 60ºC (140ºF) en un termómetro de lectura instantánea. Coloque el tazón en la batidora y bata con el batidor a velocidad alta de 5 a 8 minutos, hasta que la mezcla esté pálida y casi triplique su volumen. Retire el tazón de la batidora. Cierna la harina sobre la mezcla de huevos en 2 adiciones y cuidadosamente integre con una espátula grande de goma con movimiento envolvente. Incorpore una pequeña cantidad de la mezcla a la mantequilla derretida con movimiento envolvente, y vuelva a integrar con la mezcla de huevos.

Vierta en el molde preparado y empareje la superficie. Hornee unos 20 minutos, hasta que la superficie esté dorada. Deje enfriar totalmente sobre una rejilla. Pase un cuchillo de mesa alrededor de la orilla del molde e invierta el pastel sobre una superficie de trabajo. Voltee el pastel, dejando el papel encerado. Corte el pastel en 2 capas iguales (página 48). Coloque la capa superior, con la parte cortada hacia arriba, en un platón.

Para preparar el relleno y el terminado, mezcle el kirsh con la miel de azúcar en un tazón pequeño. Bata la crema y el azúcar glass hasta que se formen picos suaves (página 80). Coloque las rebanadas de fresas en un tazón. Mezcle aproximadamente una cuarta parte de la crema con las fresas. Extienda la mezcla uniformemente. Cubra con la capa restante de pastel, poniendo la parte cortada hacia abajo. Retire el papel. Barnice con la miel restante. Extienda la crema batida restante sobre la superficie y los lados del pastel (página 111). Corte media fresa en rebanadas delgadas y coloque en el centro del pastel. Acomode las mitades restantes alrededor de la orilla del pastel. Refrigere hasta el momento de servir.

RINDE DE 8 A 10 PORCIONES

GÉNOISE

El génoise, un pastel ligero y elegante de esponja, es una de las bases de la repostería francesa, el cual se usa como base para los pasteles en capas así como para los niños envueltos. El pastel se esponjará dependiendo únicamente de la cantidad de aire que se introduce al batir los huevos. Si calienta el azúcar y los huevos antes de batirlos ayudará a que los huevos obtengan el mayor volumen posible, aunque puede hacer una versión ligeramente más densa, pero aún agradable de este pastel, sin llevar a cabo este paso. Algunos génoises, como el de esta receta, contienen una pequeña cantidad de mantequilla, lo cual los hace más suaves.

PASTEL DE QUESO CON ALMENDRAS Y CEREZAS

COSTRA DE BISCOTTI

Las galletas italianas conocidas como biscotti tienen una consistencia chiclosa perfecta para crear una costra delgada de migas. Las de almendras, que se solicitan en esta receta, elevan el sabor del extracto de almendras y el licor usados en el relleno del pastel de queso. Antes de hacer la costra, engrase con mantequilla la base y los lados del molde. En un procesador de alimentos, muela 4 biscotti de almendras (aproximadamente 110 g/4 oz) hasta obtener un polvo fino. Pase a un tazón. Agregue 2 cucharadas de mantequilla derretida sin sal y mezcle hasta combinar uniformemente. Coloque en el molde preparado y extienda formando una capa pareja sobre la base.

Para hacer el pastel de queso, derrita la mantequilla en una sartén grande para freír sobre calor medio-alto. Agregue las cerezas y 1 cucharada del jugo de limón (fresco). Cocine aproximadamente 1 minuto. Espolvoree con ¼ taza de azúcar y cocine, moviendo, de 3 a 5 minutos. Integre el amaretto y cocine 1 minuto. Refrigere hasta que esté totalmente frío.

Precaliente el horno a 150ºC (300ºF). Envuelva totalmente la parte exterior de un molde desmontable (página 112) de 23 cm (9 in) con una capa doble de papel aluminio. Haga la costra de biscotti.

Usando una batidora de pie adaptada con la paleta, bata el queso crema con 1¼ taza de azúcar, a velocidad media-alta, hasta suavizar. Integre la fécula de maíz. Agregue los huevos uno por uno, batiendo hasta incorporar. Incorpore la crema agria, la cucharada de jugo de limón restante, los extractos de vainilla y almendra y la sal. Vierta la mezcla de cerezas en el molde y extienda uniformemente, sin mezclar con la costra de migas. Cubra con el relleno y extienda hacia las orillas del molde.

Coloque el molde dentro de una sartén grande para asar y llénela con aproximadamente 2.5 cm (1 in) de agua muy caliente. Hornee por 1 hora. Apague el horno y deje que el pastel de queso se cueza en el horno caliente, sin abrir la puerta, por 1 minuto más. Retire del baño maría y coloque sobre una rejilla de alambre.

Para hacer el betún, tueste las almendras ligeramente (página 47), reduzca la temperatura del horno a 150ºC (300ºF). En un tazón, bata la crema agria con el azúcar y los extractos de vainilla y almendra. Extienda el betún sobre el pastel de queso caliente. Adorne con las almendras. Hornee cerca de 8 minutos, hasta que el betún parezca ligeramente firme. Deje enfriar cerca de 1 hora. Refrigere por lo menos 8 horas o durante toda la noche. Retire los lados del molde. Coloque el pastel, sobre la base del molde, en un platón y refrigere hasta el momento de servir.

RINDE DE 12 A 14 PORCIONES

PARA EL PASTEL DE QUESO:

2 cucharadas de mantequilla

3 tazas (500 g/18 oz) de cerezas Bing frescas, congeladas o en conserva; o alguna otra variedad de cerezas dulces

2 cucharadas de jugo de limón

1¼ tazas (250 g/9 oz) más ¼ taza (60 g/2 oz) de azúcar

2 cucharadas de amaretto

Costra de Biscotti (vea explicación a la izquierda)

670 g (1½ lb) de queso crema

1 cucharada de fécula de maíz

4 huevos grandes, a temperatura ambiente

1 taza (225 g/8 oz) de crema agria

1 cucharadita de extracto (esencia) de vainilla y una de extracto de almendra

¼ cucharadita de sal

PARA EL BETÚN:

¼ de taza (45 g/1½ oz) de almendras rebanadas (hojuelas)

1 taza (225 g/8 oz) de crema agria

¼ taza (60 g/2 oz) de azúcar

1 cucharadita de extracto de vainilla y una de extracto de almendras

CARLOTA DE FRAMBUESA

Soletas (página 113)

2¼ cucharaditas (1 sobre) de grenetina sin sabor (vea explicación a la derecha)

¼ taza (60 ml/2 fl oz) de agua, más 2 cucharadas de agua fría

½ taza (100 g/3½ oz) de azúcar granulada

6 tazas (500 g/18 oz) de frambuesas

2 tazas (450 ml/16 fl oz) de crema espesa (doble) o crema dulce

2 cucharaditas de azúcar glass

Haga las soletas y 2 círculos de pastel como lo indican las instrucciones. Coloque el círculo pequeño en la base de un molde para carlota con capacidad de 8 tazas (1.8 l/64 fl oz) con la parte redonda hacia abajo. Cubra los lados con las soletas más bonitas, colocando la cara redonda hacia el molde.

En un tazón pequeño, espolvoree la grenetina sobre 2 cucharadas de agua fría, mezcle y deje hidratarse cerca de 3 minutos, hasta que esté opaca. En una olla pequeña sobre calor medio, combine ¼ taza de agua y el azúcar granulada y caliente hasta que el azúcar se disuelva, e integre la grenetina suavizada. Usando una coladera con malla fina, cuele la mezcla hacia un tazón y deje enfriar a temperatura ambiente. En un procesador de alimentos o licuadora, haga el puré con 4 tazas (335 g/12 oz) de frambuesas. Deberá obtener aproximadamente 1½ tazas (335 ml/12 fl oz) de puré. Integre el puré con la mezcla de grenetina.

Bata 1¼ tazas (280 ml/10 fl oz) de la crema hasta que se formen picos medio-duros (página 80). Usando una espátula grande de goma, integre una cuarta parte de la crema con el puré de frambuesas con movimiento envolvente e integre la crema restante de la misma forma. Rellene hasta la mitad el molde cubierto con la crema de frambuesa. Cubra con una capa de soletas, recortándolas lo necesario para acomodarlas. Llene el molde con la crema de frambuesas restante. Coloque el círculo grande, con la parte redonda de las soletas hacia abajo, sobre la crema y dentro de las soletas que cubren la orilla del molde. Refrigere por lo menos 4 horas, o durante toda la noche.

Invierta el molde sobre un platón y retírelo. Combine los ¾ de taza (170 ml/6 fl oz) de crema restante y el azúcar glass y bata hasta formar picos medianos (página 80). Coloque la crema batida en una manga de repostería adaptada con una punta de estrella de 1 cm (⅜ in) y haga rosas sobre la carlota (página 98). Adorne con las frambuesas restantes. Refrigere la carlota hasta el momento de servir.

RINDE DE 6 A 8 PORCIONES

GRENETINA

Este ingrediente sin sabor ni color, hecho de proteína animal, se vende en dos presentaciones, en gránulos finos y en hojas. Los reposteros confían en sus propiedades únicas para transformar un líquido en un sólido suave tipo jalea. Trabajar con grenetina es fácil. Primero hidrátela, sin mover, en un poco de líquido frío. Posteriormente, mezcle la grenetina totalmente hidratada con el líquido que va a cuajar y caliéntela suavemente sin dejar que hierva. Cuando se enfríe, la mezcla se cuajará haciendo una masa firme. Use 2¼ cucharaditas de gránulos (1 sobre) o 4 hojas de grenetina para cuajar de 2 a 3 tazas (450–670 ml/16–24 fl oz) de líquido.

CHIFFON CON COMPOTA DE FRUTA DE VERANO

PASTEL CHIFFON

Los pasteles chiffon, ligeros y húmedos, se inventaron en Estados Unidos a fines de los años 1940s. La característica más importante es usar aceite sin saborizantes, en vez de usar mantequilla. El aceite, con las yemas de huevo, asegura una mezcla suave y las claras de huevo batidas, proporcionan la altura con ayuda del polvo para hornear. Como el aceite no tiene sabor (el aceite de uva, que se muestra en la fotografía superior, y el aceite de canola son buenas opciones), siempre se agregan otros saborizantes, como los cítricos y la vainilla. La masa es bastante líquida, por lo que las claras de huevo deben batirse hasta que estén un poco más firmes que para el resto de las recetas para hornear.

Precaliente el horno a 165ºC (325ºF). Tenga a la mano un molde para rosca sin engrasar de 25 cm (10 in) de diámetro y 10 cm (4 in) de profundidad. Cierna la harina con el polvo para hornear y la sal sobre un tazón grande. Agregue 1 taza (200 g/7 oz) del azúcar granulada. Agregue las yemas de huevo, agua, aceite, ralladura de naranja y vainilla y bata hasta suavizar.

Usando una batidora de pie adaptada con el batidor, bata las claras de huevo, a velocidad media, hasta que empiecen a esponjarse. Agregue una tercera parte de la ½ taza (100 g/3½ oz) restante de azúcar y bata hasta que las claras estén opacas. Agregue otra tercera parte del azúcar. Cuando las claras empiecen a aumentar su volumen, agregue el azúcar restante y aumente la velocidad a alta. Bata hasta que las claras formen picos firmes pero aún se vean húmedas (página 14). Usando una espátula grande de goma, mezcle cuidadosamente una tercera parte de las claras batidas con la masa con movimiento envolvente e incorpore las claras restantes de la misma forma.

Vierta la masa sobre el molde. Hornee de 55 a 65 minutos, hasta que se esponje y se dore ligeramente. Inmediatamente invierta el pastel sobre una mesa si el molde tiene soportes o, si no los tiene, sobre el cuello de una botella de vino. Deje enfriar totalmente. Pase un cuchillo delgado alrededor de los lados exteriores del molde y alrededor del tubo interior. Invierta el pastel sobre un platón.

Para hacer el glaseado, bata el jugo de naranja con el azúcar glass en un tazón. Vierta sobre el pastel y deje que caiga por los lados. Deje que el glaseado se endurezca. Para hacer la compota, coloque la fruta en un tazón, espolvoree con el azúcar granulada al gusto, y mezcle suavemente.

Para servir, coloque un poco de compota junto a cada rebanada de pastel.

Nota: Para la compota, use una combinación de frutas de la estación: moras (blueberries) y/o fresas en mitades con rebanadas de nectarinas, duraznos sin piel y rebanados o rebanadas de ciruelas.

RINDE DE 10 A 12 PORCIONES

2 tazas (225 g/8 oz) de harina preparada para pastel (de trigo suave)

2½ cucharaditas de polvo para hornear

¾ cucharadita de sal

1½ tazas (300 g/10½ oz) de azúcar granulada

6 huevos grandes, separados, más 2 claras de huevos grandes, a temperatura ambiente

¾ taza (170 ml/6 fl oz) de agua

½ taza (110 ml/4 fl oz) de aceite de canola

1 cucharada de ralladura de naranja (página 88)

1 cucharada de extracto (esencia) de vainilla

PARA EL GLASEADO:

3 cucharadas de jugo de naranja fresco

2 tazas (200 g/7 oz) de azúcar glass, cernida

PARA LA COMPOTA DE FRUTAS:

2 tazas (225 g/8 oz) de mezcla de frutas maduras (vea Nota)

De ¼ a ½ taza (60–100 g/ 2–3 oz) de azúcar granulada

NIÑO ENVUELTO CON FRUTAS DEL BOSQUE

2 huevos grandes, separados, más 2 huevos grandes enteros, a temperatura ambiente

⅓ taza (70 g/2½ oz) más 1 cucharada de azúcar granulada

¼ taza (30 g/1 oz) de harina preparada para pastel (de trigo suave), cernida

PARA EL RELLENO Y TERMINADO:

1¾ tazas (390 ml/14 fl oz) de crema espesa (doble) o crema dulce

¾ taza (170 g/6 oz) de créme fraîche o ½ taza de crema agria y ¼ taza de leche

1 taza (110 g/4 oz) de mezcla de frutas silvestres enteras, como frambuesas, moras (blueberries) o zarzamoras, o fresas rebanadas, más 15 enteras o rebanadas para adornar

1 cucharada de azúcar glass

Precaliente el horno a 245ºC (475ºF). Forre una charola para hornear de 30 x 45 x 2.5 cm (12 x 18 x 1 in) con papel encerado (para repostería) y engrase las orillas con mantequilla.

Usando una batidora de pie adaptada con el batidor, bata las yemas de huevo y los huevos enteros, a velocidad media, mientras agrega ⅓ de taza de azúcar granulada en un hilo continuo. Aumente a velocidad alta y bata cerca de 5 minutos, hasta que los huevos prácticamente dupliquen su volumen. Pase la mezcla de huevo a un tazón grande.

Lave y seque perfectamente el tazón y el batidor. Bata las claras a velocidad media hasta que empiecen a esponjarse. Agregue una tercera parte de la cucharada de azúcar granulada y bata hasta que esté opaca; agregue otra tercera parte del azúcar. Cuando las claras empiecen a aumentar su volumen, agregue el azúcar restante y suba a velocidad alta. Bata hasta que las claras formen picos suaves pero aún se vean húmedas (página 14). Integre cuidadosamente las claras a la mezcla de yemas con movimiento envolvente. Cierna la harina sobre la mezcla de huevo e incorpore con movimiento envolvente. Coloque en la charola preparada y extienda uniformemente. Hornee de 5 a 8 minutos, hasta que el pastel rebote al tacto. Gire la charola a la mitad del tiempo. Pase un cuchillo alrededor de la orilla y resbale el pastel, aún sobre el papel, hacia una rejilla y deje enfriar.

Mientras, prepare el relleno y terminado: Bata ¾ de taza (170 ml/6 fl oz) de la crema y la créme fraîche hasta que se formen picos suaves (página 80). Incorpore las frutas silvestres con movimiento envolvente. Coloque el pastel, con el papel hacia arriba, sobre otro papel encerado. Retire el papel de arriba. Extienda la mezcla de crema batida sobre el pastel. Enróllelo para hacer una barra (vea explicación a la derecha). Páselo a un platón con la unión hacia abajo. Bata la taza (220 ml/8 fl oz) de crema restante con el azúcar glass hasta formar picos suaves. Coloque una punta de estrella de 2 cm (¾ in) en una duya y haga una espiral en el centro del pastel (página 98). Adorne con la fruta restante. Refrigere hasta el momento de servir.

RINDE DE 14 A 16 PORCIONES

ENROLLANDO UN PASTEL

Para enrollar fácilmente, siempre empareje la masa lo más uniformemente posible sobre la charola para hornear y hornee el pastel hasta que esté ligeramente dorado, pero no esté seco. Una vez que el pastel se haya enfriado, colóquelo, aún con el papel encerado, sobre una segunda hoja de papel, colocando el pastel hacia abajo y retire el papel superior. Extienda el relleno uniformemente sobre el pastel. Coloque un lado largo hacia usted y enrolle la orilla del pastel sobre sí mismo, moviendo sus manos con cuidado de una orilla a otra para enrollar parejo. Usando ambas manos, continúe enrollando el pastel para formar un cilindro.

PASTEL DE CAPAS DE MANGO CON COCO Y CREMA PASTELERA

PREPARANDO MANGO

Los mangos maduros dan de sí ligeramente cuando se presionan y son muy aromáticos en la punta del tallo. Para partir la fruta en cubos, coloque el mango en posición vertical sobre uno de sus lados delgados, con el tallo hacia usted. Usando un cuchillo filoso, corte a lo largo de la fruta, aproximadamente a 2.5 cm (1 in) del tallo rozando el hueso grande y plano. Repita del otro lado del hueso. Corte cada mitad de mango haciendo cuadros, justo hasta tocar la cáscara. Presione contra la cáscara para sacar los cubos y corte en su base para desprenderlos de la cáscara

Prepare el génoise siguiendo las instrucciones, deje enfriar totalmente y coloque el lado superior hacia arriba sobre una superficie de trabajo. Corte cuidadosamente el pastel en 2 capas iguales (página 48). Coloque la capa superior, con la parte cortada hacia arriba, sobre un platón. En un tazón pequeño, mezcle el ron con la miel de azúcar. Barnice el pastel con aproximadamente la mitad de la miel.

Coloque aproximadamente una cuarta parte del betún en una manga de repostería adaptada con una punta sencilla de 12 mm (½ in). Haga un anillo de betún alrededor de la orilla exterior del pastel (página 98). Acomode el mango picado uniformemente dentro del círculo de betún. Cubra con la otra capa, colocando la parte cortada hacia abajo. Retire el papel. Barnice con la miel restante. Refrigere el pastel 30 minutos hasta que el relleno esté firme; mantenga el betún restante a temperatura ambiente.

Usando una espátula recta para repostería, cubra la parte superior y los lados del pastel con el betún, lo más uniformemente posible (página 111). Presione suavemente un poco de coco sobre los lados del pastel y ponga el resto sobre la superficie del mismo. Refrigérelo hasta 30 minutos antes de servir, para que el betún tome consistencia.

RINDE DE 8 A 10 PORCIONES

Génoise (página 63)

1 cucharadita de ron oscuro

Miel de Azúcar (página 55)

Betún de Vainilla (página 115)

1 mango grande maduro, en cubos y picado grueso (aproximadamente 1½ tazas/250 g/9 oz) *(vea explicación a la izquierda)*

²/₃ taza (60 g/2 oz) de coco rallado sin endulzantes, ligeramente tostado (página 18)

PASTELES DE OTOÑO E INVIERNO

Los meses fríos son la época adecuada para disfrutar de los postres exquisitos y abundantes. Las peras, frutas secas, conservas y nueces son la base de estos pasteles, que van desde el pastel de jengibre cubierto con peras para la cena del Día de Gracias hasta el Pastel de Crema de Bavaresa de Eggnog, ideal para celebrar el Año Nuevo. Asegúrese de tener a la mano una Barra de Dátil y Nuez para servir a sus amigos cuando lo visiten durante esta época de fiestas

BARRA DE DÁTIL Y NUEZ

Precaliente el horno a 165ºC (325ºF). Engrase con bastante mantequilla un molde para barra de 21.5 x 11.5 cm (8½ x 4½ in). En un tazón pequeño, remoje los dátiles en 1 cucharada de brandy durante 10 minutos.

En un tazón grande, usando una espátula grande de goma, mezcle los dátiles con las nueces, bicarbonato de sodio, sal, mantequilla derretida y agua, hasta integrar. Incorpore el azúcar y los huevos; agregue la harina.

Vierta la masa en el molde preparado y hornee el pastel de 50 a 60 minutos, hasta que se esponje y dore, y que al insertar un palillo en el centro éste salga limpio. Deje enfriar totalmente sobre una rejilla de alambre.

Pase un cuchillo de mesa alrededor de la orilla del molde y voltee el pastel sobre un platón. Coloque la parte superior hacia arriba. Agregue las 2 cucharadas restantes de brandy, poco a poco, sobre el pastel para que el pastel lo absorba totalmente.

Nota: Este pastel vigoroso es ideal para empacar como regalo. El brandy no sólo agrega sabor sino que también sirve como preservativo.

Para Servir: Sirva para acompañar el té o café vespertino o simplemente como un postre

RINDE DE 8 A 10 PORCIONES

DÁTILES

Desde tiempos antiguos, los dátiles han sido un alimento básico en las despensas del Medio Oriente. Debido a su consistencia pegajosa y a su alto contenido de azúcar, muchas personas piensan que los dátiles son una fruta seca. Aunque puede comprar dátiles secos, por lo general todos los dátiles se venden en su estado fresco, suave o semi seco (fotografía superior). Entre los tipos más populares que se encuentran en los mercados de América y Europa están la Noor Deglet moderadamente suave, una buena elección para esta receta, y el delicioso y carnoso Medjool. Compre dátiles sin hueso para facilitar su trabajo.

1 taza (140 g/5 oz) de dátiles sin hueso, picados grueso (vea explicación a la izquierda)

3 cucharadas de brandy o Grand Marnier

1 taza (100 g/3½ oz) de nueces, ligeramente tostadas (página 47) y picadas grueso

1½ cucharadita de bicarbonato de sodio

¼ cucharadita de sal

3 cucharadas de mantequilla sin sal, derretida y a temperatura ambiente

¾ taza (170 ml/6 fl oz) de agua caliente

¾ taza (155 g/5½ oz) de azúcar

2 huevos grandes, ligeramente batidos

1½ tazas (200 g/7 oz) de harina de trigo (simple) sin blanquear

PAN DE JENGIBRE VOLTEADO CON PERAS CARAMELIZADAS

8 cucharadas (110 g/4 oz) de mantequilla sin sal, a temperatura ambiente

½ taza (100 g/3½ oz) de azúcar granulada

2 peras Anjou grandes, firmes pero maduras, sin piel ni corazón; cortadas a lo largo en rebanadas de 3 mm (⅛ in)

1¾ tazas (225 g/8 oz) de harina de trigo (simple) sin blanquear

1½ cucharadita de bicarbonato de sodio

2 cucharaditas de jengibre molido

½ cucharadita de cardamomo molido y ½ de canela molida

¼ cucharadita de sal

1 cucharada de jengibre fresco, sin piel

⅓ taza (60 g/2 oz) compacta de azúcar morena

1 huevo grande, a temperatura ambiente, ligeramente batido

¾ taza (225 g/8 oz) de melaza ligera

¾ taza (170 ml/6 fl oz) de leche, a temperatura ambiente

En un molde cuadrado de aluminio grueso de 20 cm (8 in) colocado sobre calor medio, derrita 2 cucharadas de la mantequilla. Agregue el azúcar granulada y cocine de 5 a 7 minutos, moviendo ocasionalmente, hasta que se derrita y se dore ligeramente. Acomode las rebanadas de pera en el molde en 4 capas sobrepuestas. Reserve.

Precaliente el horno a 180ºC (350ºF). Cierna la harina con el bicarbonato de sodio, jengibre molido, cardamomo, canela y sal sobre una hoja de papel encerado. Integre el jengibre fresco, finamente picado. Reserve.

Usando una batidora de pie adaptada con la paleta, bata las 6 cucharadas restantes (85 g/3 oz) de mantequilla, a velocidad media, hasta que esté cremosa. Agregue el azúcar morena y bata hasta que la mezcla esté pálida y esponjada. Integre el huevo gradualmente, batiendo después de cada adición, hasta incorporarlo por completo antes de continuar (página 10). Añada la melaza. Reduzca la velocidad a media-baja y agregue los ingredientes secos en 3 adiciones alternando con la leche en 2 adiciones, empezando y terminando con los ingredientes secos. Bata hasta mezclar. Vierta la mezcla sobre las peras y extiéndala de manera uniforme hasta la orilla del molde. Hornee de 35 a 40 minutos, hasta que la superficie del pastel se esponje. Deje enfriar sobre una rejilla de alambre durante 10 minutos.

Pase un cuchillo de mesa alrededor de la orilla del molde y agite para asegurarse que el pastel no esté pegado. (Si lo estuviera, coloque el molde sobre calor bajo y caliente de 1 a 2 minutos, agitándolo suavemente hasta que se desprenda). Coloque un platón invertido sobre el molde. Usando guantes de horno, invierta el platón y el molde al mismo tiempo. Retire el molde. Coloque las peras que hayan quedado pegadas en el molde sobre el pastel. Sirva a temperatura ambiente.

RINDE 9 PORCIONES

CARAMELIZANDO AZÚCAR

El azúcar se puede caramelizar en dos formas. Se puede espolvorear en una sartén pesada y cocinar a fuego bajo hasta que se disuelva y después aumentar la temperatura a media, o se disuelve en un poco de agua sobre calor medio-alto formando una miel espesa. En ambos casos se calienta hasta que se vuelva café oscuro. Sin embargo, en esta receta el azúcar se mezcla con mantequilla para darle más sabor. En vez de dejar que el azúcar se cocine sin moverla para evitar que se cristalice, la mezcla de mantequilla y azúcar se mueve ocasionalmente hasta que se vuelve café claro.

TARTA DE NUEZ CON CREMA BATIDA AL BOURBON

BATIENDO CREMA

Al batir se introduce aire dentro de la crema, esto hace que se espese para usarla como relleno, betún o acompañamiento. Siempre tome la crema para batir directamente del refrigerador; si la deja a temperatura ambiente es más probable que se separe al batirla. Además enfríe el tazón y las aspas (o batidor) en los días calurosos o si su cocina es calurosa. Si batió la crema en exceso y está demasiado espesa, intégrele algunas cucharadas de crema del bote, una por una. Tenga siempre presente que la crema etiquetada "ultra pasteurizada" no se elevará de la misma forma que la crema pasteurizada regular.

Precaliente el horno a 165ºC (325ºF). Cubra la base de un molde para pastel redondo de 23 x 7.5 cm (9 x 3 in) con papel encerado (para repostería). En un procesador de alimentos muela las nueces, harina y sal hasta que estén finamente molidas; no muela demasiado. Reserve.

Usando una batidora de pie adaptada con el batidor, bata las yemas de huevo con ⅓ de taza (65 g/2¼ oz) del azúcar granulada a velocidad media-alta de 3 a 5 minutos, hasta que estén pálidas y espesas. Usando una espátula grande de goma, integre la mezcla de nueces con movimiento envolvente. Pase a un tazón grande.

Lave y seque perfectamente el tazón y el batidor de la batidora. Bata las claras de huevo con el batidor a velocidad media hasta que empiecen a esponjarse. Agregue una tercera parte del ⅓ de taza (65 g/2¼ oz) de azúcar granulada y bata hasta que las claras estén opacas; agregue otra tercera parte del azúcar. Cuando las claras empiecen a aumentar su volumen y a tornarse firmes, agregue el azúcar restante y aumente a velocidad alta. Bata hasta que las claras formen picos suaves pero aún se vean húmedas (página 14). Usando una espátula, integre cuidadosamente una tercera parte de las claras con la mezcla de nueces, con movimiento envolvente, e incorpore las claras restantes de la misma forma.

Vierta la masa sobre el molde preparado y empareje la superficie. Hornee de 35 a 40 minutos, hasta dorar ligeramente y que al insertar un palillo en su centro éste salga limpio. Deje enfriar totalmente sobre una rejilla de alambre. Pase un cuchillo de mesa alrededor de la orilla del molde e invierta la tarta sobre un platón. Retire el papel encerado. Coloque con la parte superior hacia arriba.

Justo antes de servir, haga la crema batida: Bata la crema, azúcar glass, bourbon y vainilla hasta que la crema mantenga su forma (vea explicación a la izquierda). Corte la tarta en rebanadas y coloque una cucharada de crema batida junto a cada porción.

RINDE DE 10 A 12 PORCIONES

1¾ taza (200 g/7 oz) de nueces

2 cucharadas de harina de trigo (simple) sin blanquear

¼ cucharadita de sal

6 huevos grandes, separados, a temperatura ambiente

⅔ taza (130 g/4½ oz) de azúcar granulada

PARA LA CREMA BATIDA:

½ taza (110 ml/4 fl oz) de crema espesa (doble) o crema dulce

1 cucharadita de azúcar glass

2 cucharaditas de bourbon

1 cucharadita de extracto (esencia) de vainilla

BABAS AU RHUM

¼ taza (60 g/2 oz) de mantequilla sin sal, a temperatura ambiente

6 cucharadas (85 ml/3 fl oz) de leche, caliente a 38°C (100°F)

2¼ cucharaditas de levadura seca activa

2 huevos grandes, a temperatura ambiente, ligeramente batidos

1¾ taza (225 g/8 oz) de harina de trigo (simple) sin blanquear, más la necesaria

1 cucharadita de sal

2 cucharadas de azúcar

PARA LA MIEL:

1 taza (225 ml/8 fl oz) de agua

½ taza (100 g/3½ oz) de azúcar

¼ taza (60 ml/2 fl oz) de ron oscuro

Helado de vainilla o crema batida dulce (página 80), para acompañar

En un tazón bata la mantequilla hasta acremar. Reserve.

Coloque la leche caliente en el tazón de una batidora de pie, espolvoree con la levadura y mezcle unas cuantas veces. Deje reposar hasta que se disuelva la levadura. Agregue los huevos. Incorpore 1¾ taza de harina, sal y azúcar; bata con la paleta a velocidad media-baja por 3 minutos. Continúe mezclando con el gancho para masa y agregue la mantequilla batida en 2 adiciones junto con una cucharada rasa de harina para ayudar a que la mantequilla se integre con la masa. Asegúrese de que la mantequilla esté incorporada antes de agregar la segunda adición. Tape y deje reposar en un lugar tibio de 1½ a 2 horas, hasta que la masa duplique su tamaño.

Engrase ligeramente con mantequilla 12 moldes pequeños de 5 x 3 x 4.5 cm (2 x 1¼ x 1¾ in) para panquecitos. Divida la masa entre los moldes, llenando cada uno hasta una tercera parte. Colóquelos sobre una charola para hornear y dentro de una bolsa grande de plástico. Agite suavemente la bolsa varias veces para incorporar aire y amarre para cerrarla. Coloque los moldes en un lugar tibio de 30 a 45 minutos, hasta que la masa se eleve lo suficiente para llegar hasta arriba de los moldes. Cuando la masa esté casi lista, precaliente el horno a 190°C (375°F).

Hornee de 15 a 20 minutos, hasta que estén dorados y esponjados, y desprenda de los lados de los moldes. Deje reposar sobre una rejilla de alambre. Los babas deberán estar tibios para remojarse en la miel.

Mientras tanto, haga la miel: En una olla sobre calor medio, hierva el agua con el azúcar, moviendo hasta disolver el azúcar. Deje enfriar y, cuando esté tibia, agregue el ron. Vierta en una sartén poco profunda.

Remoje los babas en la miel, aproximadamente durante 30 minutos, volteándolos frecuentemente, hasta que se esponjen pero no se desbaraten. Páselos a platos de postre y sirva con helado de vainilla.

RINDE 12 PORCIONES

BABAS AU RHUM

Aunque abundan las teorías acerca de su origen, estos pasteles altos, esponjados con levadura y de forma cilíndrica, probablemente se originaron en Rusia y Polonia, y más tarde algún pastelero parisino les agregó la miel con ron. La altura de un baba resulta por la levadura usada en la masa. La levadura seca activa, una de las formas más adecuadas de levadura para usar al hornear, se debe disolver en un líquido tibio antes de mezclarla con el resto de los ingredientes de la masa, haciendo que tanto los azúcares en la harina y el azúcar en la masa se fermenten. Esta acción produce dióxido de carbono, el cual hace que se eleve la masa.

PASTEL DE MOUSSE DE CALABAZA

PURÉ FRESCO DE CALABAZA

Para hacer el puré fresco, elija una calabaza para cocer de pulpa firme. (No use calabazas grandes de las que se usan para hacer linternas para la noche de brujas, ya que tienen mucha agua.) Corte a la mitad a través de la punta del tallo y coloque, con el lado cortado hacia abajo, sobre una charola para hornear cubierta con papel encerado (para repostería). Hornee en un horno precalentado a 180°C (350°F) cerca de 25 minutos, hasta que pueda introducirlo un pincho de brocheta. Retire las semillas, raspe la pulpa de la cáscara y haga un puré en el procesador de alimentos. El puré debe tener la misma consistencia que la calabaza en lata. Si está demasiado aguado, cocínelo sobre calor bajo hasta que se espese. Congele el puré restante hasta por 3 meses.

Haga un génoise siguiendo las instrucciones. Deje enfriar totalmente y coloque, con la parte superior hacia arriba, sobre una superficie de trabajo. Corte el pastel en 2 capas iguales (página 48).

En un tazón pequeño, espolvoree la grenetina sobre agua fría, mezcle y deje hidratar cerca de 3 minutos, hasta que esté opaca. En una olla sobre calor medio, combine aproximadamente ½ taza (110 g/4 oz) de puré de calabaza, el azúcar granulada y la sal; caliente moviendo hasta que se disuelva el azúcar. Integre la grenetina hidratada y deje enfriar a temperatura ambiente. En un tazón incorpore la mezcla de calabaza con el puré de calabaza restante. Integre, batiendo, la canela, clavo, nuez moscada y ron. Usando una batidora de pie o batiendo a mano, bata 1⅔ de taza de crema hasta que se formen picos suaves (página 80). Usando una espátula grande de goma, incorpore una tercera parte de la crema con el puré, con un movimiento envolvente, e integre la crema restante, haciendo un mousse.

Retire el papel de la capa inferior del pastel. Colóquela, con la cara cortada hacia arriba, dentro de un molde redondo desmontable de 23 cm (9 in). Extienda la mitad del mousse uniformemente sobre el pastel. Recorte 12mm (½ in) de la orilla exterior de la capa restante. Colóquela en el centro, con la cara cortada hacia abajo, sobre el mousse. Cubra con el mousse restante, presionándolo entre el pastel y el molde y aplanando su superficie. Refrigere por lo menos 4 horas, hasta que esté firme, o durante toda la noche.

Caliente los lados del molde con una toalla de cocina remojada en agua caliente y exprimida. Retire la orilla del molde y aplane los lados del mousse con una espátula para repostería. Bata ½ taza de crema con el azúcar glass hasta que se formen picos medianos (página 80). Coloque una punta de estrella de 12 mm (½ in) en una manga de repostería. Haga conchas alrededor de la orilla superior y algunas en el centro del pastel (página 98). Pase un cuchillo delgado bajo el pastel, despréndalo de la base del molde desmontable y páselo a un platón. Refrigérelo hasta el momento de servir.

RINDE DE 10 A 12 PORCIONES

Génoise (página 63)

2¼ cucharaditas (1 sobre) de grenetina sin sabor (página 67)

2 cucharadas de agua fría

1¾ taza (420 g/15 oz) de puré de calabaza fresco (vea explicación a la izquierda) o puré de calabaza en lata

½ taza (100 g/3½ oz) de azúcar granulada

¼ cucharadita de sal

¼ cucharadita de canela molida

¼ cucharadita de clavo molido

¼ cucharadita de nuez moscada, recién rallada (página 17)

1 cucharada de ron oscuro

1⅔ taza (360 ml/13 fl oz) más ½ taza (110 ml/4 fl oz) de crema espesa (doble) o crema dulce

1 cucharadita de azúcar glass

PASTEL DE BAVARESA DE EGGNOG

Soletas de Chocolate (página 113)

2¼ cucharaditas (1 sobre) de grenetina sin sabor (página 67)

2 cucharadas de agua fría

1 taza (225 ml/8 fl oz) de leche

½ taza (110 g/4 oz) de azúcar

3 yemas de huevos grandes

2 cucharaditas de brandy o cognac

1 cucharadita de extracto (esencia) de vainilla

⅛ cucharadita de nuez moscada, recién rallada (página 17)

1 taza (225 ml/8 fl oz) de crema espesa (doble) o crema dulce

Rizos de chocolate, para decorar (página 102)

Haga las soletas siguiendo las instrucciones. Cubra un molde para brioche con capacidad de 5 tazas (1.1 l/60 fl oz) con las soletas más bonitas, cortándolas si fuera necesario y colocándolas con el lado redondo hacia el molde.

En un tazón pequeño, espolvoree la grenetina sobre el agua fría, mezcle y deje hidratar cerca de 3 minutos, hasta que esté opaca. En una olla pequeña sobre calor medio, bata la leche con ¼ taza (55 g/2 oz) del azúcar, moviendo ocasionalmente, hasta que aparezcan pequeñas burbujas en la orilla.

Mientras tanto, en un tazón, bata las yemas de huevo con ¼ de taza (55g/2 oz) restante de azúcar hasta integrar por completo. Vierta la mezcla de leche caliente con la mezcla de yemas en un hilo lento y continuo, batiendo constantemente. Vuelva a colocar la mezcla en la olla. Cocine sobre temperatura media de 5 a 6 minutos, batiendo constantemente, hasta que la mezcla espese y registre 77ºC (170ºF) en un termómetro de lectura instantánea. Retire del calor e incorpore la grenetina hidratada. Usando una coladera de malla fina, cuele la natilla hacia un tazón. Incorpore el brandy, vainilla y nuez moscada. Coloque el tazón en un tazón más grande con un poco de agua con hielo, cerca de 10 minutos, y bata ocasionalmente hasta que la mezcla se enfríe y empiece a cuajarse.

Mientras tanto, bata la crema hasta que se formen picos suaves (página 80). Usando una espátula grande de goma, incorpore una tercera parte de la crema con la natilla, con movimiento envolvente e integre la crema restante. Vierta la natilla en el molde preparado. Refrigere por lo menos 4 horas, hasta que cuaje.

Invierta el molde sobre un platón y caliente los lados del molde con una toalla de cocina remojada en agua caliente y exprimida. Levante el molde. Decore la superficie con rizos de chocolate. Refrigere hasta el momento de servir.

RINDE 8 PORCIONES

TEMPLANDO HUEVOS

Si las yemas de huevo se calientan demasiado rápido, se cuajan. Para evitarlo cuando haga la base de natilla para esta bavaresa y algunas recetas similares, debe "templar" los huevos o calentarlos ligeramente. Primero, vierta leche caliente en un hilo delgado sobre las yemas y el azúcar, batiendo constantemente. Cuando vuelva a colocar esta mezcla en la olla sobre calor medio, bata constantemente para calentar los huevos en forma gradual y espesar la natilla. Use un termómetro de lectura instantánea para revisar la temperatura. No deberá elevarse a más de 77ºC (170ºF) o los huevos se cuajarán.

PASTEL VASCO

Precaliente el horno a 165ºC (325ºF). Cubra la base de un molde para pastel redondo de 23 x 7.5 cm (9 x 3 in) con papel encerado (para repostería). Cierna la harina con el polvo para hornear y la sal sobre una hoja de papel encerado; reserve. Retire la cáscara de la naranja y exprima su jugo (vea explicación a la izquierda). Deberá tener ⅓ taza (80 ml/3 fl oz) de jugo.

Usando una batidora de pie adaptada con el batidor, bata 3 huevos y el azúcar a velocidad alta, de 4 a 5 minutos, hasta que la mezcla esté pálida, espesa y casi duplique su volumen. Reduzca la velocidad a baja. Integre la ralladura y el jugo de naranja; agregue la vainilla. Aumente la velocidad a media-baja y añada los ingredientes secos en 3 adiciones alternando con la mantequilla derretida en 2 adiciones, empezando y terminando con los ingredientes secos e integrando la mantequilla lentamente. Bata hasta mezclar.

Vierta la mitad de la masa en el molde preparado, extendiéndola hacia las orillas con una espátula angular pequeña para repostería. Cubra con la crema pastelera, usando una espátula, dejando una orilla de 2.5 cm (1 in) alrededor del molde libre de crema. Extienda la mermelada cuidadosamente sobre la crema pastelera, dejando una orilla de 2.5 (1 in) alrededor del molde libre de mermelada. Cubra con la mezcla restante, extendiéndola cuidadosamente hasta la orilla del molde, cubriendo la crema pastelera y la mermelada.

En un tazón pequeño, bata el huevo restante con el agua y barnice suavemente la mezcla sobre el pastel (Tendrá sobrantes.) Hornee de 50 a 55 minutos, hasta que el pastel se esponje y dore. Deje enfriar totalmente sobre una rejilla de alambre. Pase un cuchillo de mesa alrededor de la orilla del molde e invierta el pastel sobre un platón. Retire el papel encerado y voltee el pastel.

RINDE DE 8 A 10 PORCIONES

RETIRANDO LA CÁSCARA Y HACIENO JUGO DE CÍTRICOS

Hay varios utensilios para retirar la cáscara, o parte de color de la piel, de los cítricos. Estos incluyen los ralladores antiguos manuales con finas raspas, los ralladores Microplane con hoyos de punta de navaja, los ralladores que retiran la piel en una sola pasada y los cuchillos desmondadores o peladores de verduras, que retiran la cáscara en tiras largas. Para exprimir unas cuantas frutas, será suficiente un exprimidor manual sencillo, ya sea de madera o un tazón poco profundo con un cono invertido y ondulado en su centro. Cuando necesite tanto la ralladura como su jugo, retire primero la ralladura.

2 tazas (250 g/9 oz) de harina de trigo (simple) sin blanquear

2 cucharaditas de polvo para hornear

¼ cucharadita de sal

1 naranja mediana

4 huevos grandes, a temperatura ambiente

1¼ tazas (250 g/9 oz) de azúcar

2 cucharaditas de extracto (esencia) de vainilla

¾ taza (170 g/6 oz) de mantequilla, derretida y a temperatura ambiente

Crema Pastelera (página 113), fría

¼ taza (70 g/2½ oz) de mermelada de cereza, frambuesa o fresa

1 cucharada de agua

NESSELRODE

5 huevos grandes, a temperatura ambiente

¾ taza (155 g/5½ oz) de azúcar

1 taza (110 g/4 oz) de harina para pastel, cernida

¼ taza (0 g/2 oz) de mantequilla sin sal, derretida y a temperatura ambiente

PARA EL RELLENO Y BETÚN:

1 taza (225 ml/8 fl oz) de crema espesa (doble)

Crema Pastelera (página 113), fría

½ taza (85 g/3 oz) más 2 cucharadas de mezcla de frutas secas, como uvas pasas, arándanos y cerezas y ralladura de cítricos caramelizada picada (página 105)

½ taza (70 g/2½ oz) más 2 cucharadas de almendras rebanadas (hojuelas), ligeramente tostadas (página 47)

1 cucharadita de Grand Marnier o licor de naranja

Miel de Azúcar (página 55)

Betún de Vainilla (página 115)

6 castañas caramelizadas, finamente rebanadas (opcional)

Precaliente el horno a 190ºC (375ºF). Cubra la base de un molde para pastel redondo de 23 x 7.5 cm (9 x 3 in) con papel encerado (para repostería).

Usando una batidora de pie adaptada con el batidor, bata los huevos y el azúcar a velocidad alta cerca de 5 minutos, hasta que la mezcla triplique su volumen. Retire el tazón de la batidora. Cierna la harina sobre la mezcla de huevos en 2 adiciones y cuidadosamente integre con una espátula grande de goma, usando movimiento envolvente. Integre una cucharada grande de la mezcla en la mantequilla derretida y vuelva a incorporar con la mezcla de huevos. Vierta en el molde preparado y empareje la superficie. Hornee de 20 a 25 minutos, hasta que el pastel se esponje. Deje enfriar totalmente sobre una rejilla de alambre.

Mientras tanto, haga el relleno y el betún. Bata la crema hasta que se formen picos suaves (página 80). Coloque la crema pastelera en un tazón e integre la crema batida en 2 adiciones. Incorpore la ½ taza de fruta seca y ralladura caramelizada y las 2 cucharadas de almendras. En un tazón pequeño, mezcle el Grand Marnier con la miel de azúcar.

Pase un cuchillo de mesa alrededor de la orilla del molde y desprenda el pastel sobre una superficie de trabajo. Voltee el pastel, dejando el papel encerado. Córtelo en 3 capas iguales (página 48). Coloque la capa superior sobre un platón, con la cara cortada hacia arriba. Barnice la capa con un poco de miel. Extienda la mitad de la mezcla de crema batida sobre la superficie. Coloque la capa central sobre la crema. Barnice con un poco de miel y cubra con la mezcla de crema restante. Coloque la tercera capa sobre la crema, con la cara cortada hacia abajo y retire el papel encerado. Barnice con la miel restante. Refrigere 30 minutos.

Extienda el betún sobre la superficie y lados del pastel (página 111). Presione la ½ taza de almendras sobre los lados. Acomode las 2 cucharadas de frutas secas, ralladura caramelizada y rebanadas de nuez (si las usa) haciendo un círculo alrededor de la orilla superior del pastel. Refrigere hasta 30 minutos antes de servir para que el betún tome consistencia.

RINDE DE 10 A 12 PORCIONES

PASTEL NESSELRODE

Este pastel está inspirado en el pudín de Nesselrode, un postre ruso hecho de castañas, natilla, frutas secas, ralladura caramelizada y crema. Se inventó a principios del siglo XIX para honrar al conde de Nesselrode, un personaje importante en el tratado de la Santa Alianza de 1815, un pacto entre los monarcas de Austria, Prusia y Rusia. Más tarde, el pudín fue introducido en una de las comidas importantes que el novelista Marcel Proust describe en su libro "Rememberance of Things Past" ("En Busca del Tiempo Perdido"). En esta receta, las capas del pastel se rellenan con una mezcla deliciosa que nos recuerda el legendario postre ruso.

PASTELES DECORADOS

Cualquier pastel se puede decorar fácilmente. Cree un diseño sencillo y elegante espolvoreando azúcar glass o agregue textura a un pastel sencillo con betún usando una variedad de técnicas sencillas que pueden dominarse fácilmente. Con un poco de práctica, también podrá aprender a usar la manga de repostería, hacer rizos de chocolate y flores caramelizadas

DECORANDO CON
AZÚCAR GLASS Y COCOA

PATRONES DE PASTEL
Para hacer patrones de papel encerado (para repostería), corte una pieza de papel ligeramente más grande del diámetro del pastel. Para facilitarlo, dibuje formas relativamente sencillas (círculos, triángulos, estrellas), o marque con moldes para galletas, colocando las formas con cierta separación. Corte las formas con tijeras pequeñas y filosas y coloque el patrón sobre el pastel espolvoreándolo con azúcar glass o cocoa, espolvoreando sobre las áreas del pastel expuestas a través del papel. Levante el papel hacia arriba con cuidado.

Para hacer un diseño muy sencillo, coloque una rejilla de alambre para enfriar sobre un pastel. Coloque aproximadamente ⅓ de taza (30 g/1 oz) de azúcar glass en una coladera de malla fina y golpee la coladera suavemente a medida que la mueve sobre el pastel. Si lo desea, corte tiras anchas de papel encerado (para repostería) y acomódelas sobre el pastel para hacer un diseño sencillo, en forma de reja, y espolvoree el pastel con azúcar glass.

Para lograr un diseño más complicado, corte un patrón de papel encerado. Hágalo lo más sencillo posible ya que los diseños complicados pueden salir confusos. Coloque el patrón sobre el pastel y, usando una coladera de malla fina, espolvoree con azúcar glass. Retire el patrón con cuidado.

Para hacer un diseño bicolor, use una coladera de malla fina para cernir el azúcar glass sobre el pastel. Coloque un molde pequeño para brioche o un molde pequeño para tarta en el centro del pastel y cierna un poco de cocoa en polvo alrededor de él (vea la Tarta de Chocolate con Poca Harina). O, cierna cocoa sobre el pastel, acomode tiras de papel encerado sobre el pastel haciendo una reja, espolvoree el pastel con azúcar glass y retire las tiras con cuidado (vea página opuesta).

Nota: Puede comprar patrones reutilizables para pastel en miles de diseños en tiendas especializadas u ordenarlos por correo.

RINDE PARA DECORACIÓN DE 1 PASTEL

1 pastel sin decorar (página 36)

Azúcar glass para espolvorear

Cocoa en polvo estilo holandés para espolvorear (página 13)

DANDO TEXTURA AL BETÚN

1 pastel embetunado (página 10)

Para hacer picos sobre un pastel embetunado, coloque el reverso de una cuchara de servicio (no la cuchara de medir) sobre el pastel embetunado y levántela con rapidez. Use esta misma técnica con una cuchara de mesa para crear ondas.

Para hacer un diseño a cuadros sobre el pastel, tome un tenedor invertido y ligeramente en ángulo sobre el pastel. Dibuje líneas suavemente con los dientes del tenedor sobre el betún, pasándolo dos o tres veces para marcar bandas de líneas entremezcladas con bandas suaves. Rote el pastel 90 grados y repita la operación.

Para hacer ondas sobre un pastel, coloque un peine para decorar en ángulo sobre la superficie en la orilla del pastel. Lleve el peine ligeramente sobre el pastel, haciendo un patrón ondulado. Limpie el peine con una toalla de papel. Coloque el peine sobre la última línea del patrón que hizo y llévelo una vez más sobre el pastel. Continúe esta operación hasta que toda la superficie del pastel tenga textura (vea página opuesta). Para decorar los lados, tome el peine en ángulo contra el lado del pastel y gire el pastel con su otra mano, haciendo líneas horizontales alrededor de toda la circunferencia.

RINDE PARA DECORACIÓN DE 1 PASTEL

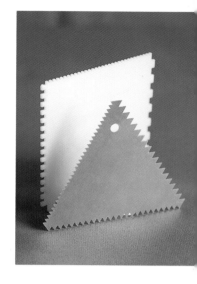

PEINES PARA DECORAR

Los peines para decorar más comunes son los triángulos de metal o plástico, con dientes a cada lado que varían en cantidad y tamaño y algunas veces incluso de forma. También hay cuadros de plástico con lados redondos o peines rectangulares con dientes en uno o en dos de sus lados. Use los peines para hacer líneas onduladas, rectas o circulares sobre las superficies y lados de pasteles embetunados, aplicando siempre una presión uniforme a medida que marca la superficie. Cuide los peines. Deben estar perfectamente planos y tener sus dientes derechos para hacer un buen trabajo.

DECORANDO CON BETÚN

1 pastel embetunado
(página 60)

Betún, crema batida u
otro tipo de cubierta para
decorar

UTENSILIOS PARA DECORAR

Las puntas de repostería, o duyas, usadas con las mangas de repostería (también conocidas como mangas para decorar o embetunar) vienen en una gran cantidad de formas y tamaños, así como las mangas. Muchas de las puntas sirven para hacer decoraciones especiales como pétalos de rosa o rizos. Pero con unas cuantas puntas sencillas y otras de estrella podrá lograr una gran variedad de estilos de decoración. Puede decorar cualquier pastel de esta colección de libros usando únicamente cinco puntas: puntas de estrella de 9 mm (3/8 in), 12 mm (½ in), y 2 cm (¾ in) y puntas sencillas de 9 mm (3/8 in) y 12 mm (½ in). Busque puntas de repostería en las tiendas de utensilios de cocina y repostería u ordénelas por correo.

Reserve aproximadamente 1 taza (225 ml/8 fl oz) del betún antes de embetunar todo el pastel. Para llenar una manga de repostería, coloque una punta en la base de la manga. Gire la manga justo sobre la punta y presione la manga hacia dentro de la punta, para evitar que el betún se salga. Detenga la manga con una mano y doble la tercera parte de arriba de la manga sobre sus dedos doblados, haciendo un puño. Usando una espátula grande de goma, coloque el betún en la manga teniendo cuidado de no ensuciarla por fuera. Desdoble el puño y doble la parte superior para cerrarla hasta donde está el betún. Jale la punta para liberar la manga y, mientras detiene el doblez de la parte superior, use movimiento circular para apretar el betún hacia la punta de la manga. Apriete sobre la bolsa con una mano y guíe la punta con la otra.

Para hacer rosetones, espirales y conchas, use una punta de estrella de cualquier tamaño (vea explicación a la izquierda). Para hacer rosetones, detenga la manga de repostería en posición perpendicular al pastel a 2.5 cm (1 in) de distancia. Presione una pequeña cantidad de betún del tamaño deseado sobre el pastel, deje de presionar y levante para hacer un punto (vea Carlota de Frambuesas, página 67). Para hacer espirales, detenga la manga de repostería en un ángulo de 45 grados del pastel y a 2.5 cm (1 in) de distancia. Presione betún sobre el pastel, moviendo la bolsa en espiral (vea Panquecitos de Chocolate y Naranja, página 32). Para hacer conchas, detenga la manga perpendicularmente sobre la orilla del pastel tocando con la punta. A medida que presiona la manga, levante la punta y vuelva al punto de partida, para formar una onda de betún. Haga ondas continuas alrededor del pastel (vea Pastel de Esponja de Limón, página 60).

Para hacer una orilla simple de bolitas sobre un pastel (vea página opuesta), use una punta simple de cualquier tamaño. Detenga la manga de repostería aproximadamente a 2.5 cm (1 in) del pastel y en posición perpendicular a la superficie del pastel. Presione una bolita y pare. Presione otra bolita junto a la primera. Continúe hasta que la superficie tenga una orilla de bolitas.

RINDE PARA DECORACIÓN DE 1 PASTEL

ADORNANDO CON CHOCOLATE

1 pastel embetunado (página 18)

60 g (2 oz) de chocolate semi amargo o semi dulce (simple), finamente picado

Coloque el chocolate picado en un tazón de acero inoxidable limpio y seco. Coloque el tazón en una olla sobre agua ligeramente hirviendo a fuego lento, pero sin tocar el agua. Caliente el chocolate, y mueva ocasionalmente, hasta que se derrita y no tenga grumos (página 32).

Usando papel encerado (para repostería), corte un triángulo con dos lados de aproximadamente 19 cm (7½ in) y uno de 26.5 cm (10½ in) y haga un cono para decorar con chocolate *(vea explicación a la derecha)*. Usando una cucharita, llene el cono hasta la mitad con el chocolate derretido. Doble la parte superior para cerrar el cono. Con unas tijeras afiladas, corte un pequeño orificio en la punta del cono rellenado. Al decorar, presione el cono con una mano y deténgalo con la otra. Mueva todo su brazo, no solo sus dedos.

Para hacer un patrón tipo encaje, haga una línea alrededor del área a decorar con ese patrón. Trace líneas de cualquier diseño para decorar el espacio (vea Pastel de Avellana con Glaseado de Chocolate, página 54).

Para hacer una telaraña, haga círculos concéntricos, a 2.5 cm (1 in) de distancia, sobre el pastel. Pase un palillo o la punta de un cuchillo desmondador, ligeramente, a través de todos los círculos, yendo del centro hacia la orilla del pastel en intervalos de 2.5 cm (1 in), limpiando el palillo o cuchillo con una toalla de papel húmeda después de cada trazo.

Para hacer un diseño a cuadros, haga líneas paralelas a 12 mm (½ in) de distancia sobre el pastel. Gire el pastel 90 grados y haga otra serie de líneas paralelas *(vea página opuesta)*.

RINDE PARA DECORACIÓN DE 1 PASTEL

HACIENDO UN CONO DE PAPEL

Coloque el lado largo del triángulo hacia usted y, usando su pulgar e índice izquierdos, tome la parte central del triángulo. Con su mano derecha, tome la punta derecha del triángulo y enróllela hacia arriba hasta que llegue a la punta más alejada de usted. Habrá hecho una forma cónica, usando la mitad del triángulo. Detenga las dos puntas con su pulgar e índice derechos. Tomando la otra punta con su pulgar e índice izquierdos, envuelva la mitad restante del triángulo sobre la forma cónica para hacer un cono con una punta, ajustando el papel conforme sea necesario. Doble las puntas hacia dentro. Asegure el cono con un trozo de cinta adherible.

HACIENDO DECORACIONES DE CHOCOLATE

PÉTALOS DE CHOCOLATE

Una vez que sea un experto en hacer pétalos de chocolate, puede usarlos para crear diferentes diseños sobre los pasteles. Los pétalos pequeños o grandes pueden colocarse en círculo alrededor de la orilla de un pastel redondo o en una línea en el centro de un pastel largo. También puede hacer una flor acomodando los pétalos en círculo. Los pétalos deben colocarse uno junto a otro, ligeramente sobrepuestos y en el mismo ángulo, sobre el pastel (vea página opuesta). Si lo desea, agregue un centro a cada flor haciendo un rosetón de betún u otra cubierta (página 98).

Para hacer rizos de chocolate, envuelva la tablilla de chocolate con plástico adherente. Frote entre sus manos de 1 a 2 minutos o meta al microondas a temperatura baja durante 5 segundos. Retire el plástico y, usando un pelador de verduras, raspe la cuchilla a lo largo de la barra para hacer rizos delicados de chocolate, dejándolos caer sobre una hoja de papel encerado. Si los rizos se desmenuzan, significa que el chocolate está demasiado frío; caliéntelo otra vez antes de continuar. Si no usa los rizos inmediatamente, déjelos reposar a temperatura ambiente. Para almacenarlos durante más tiempo colóquelos en un recipiente hermético dentro del refrigerador hasta por 2 semanas. Para decorar un pastel, coloque los rizos en una espátula angular pequeña para repostería en vez de ponerlos en sus manos, lo cual podría derretir el chocolate (vea Pastel Selva Negra, página 22).

Para hacer pétalos de chocolate, pegue una hoja de plástico adherente sobre la charola para hornear. Coloque el chocolate picado en un tazón de acero inoxidable limpio y seco. Coloque el tazón en una olla sobre agua hirviendo a fuego lento, sin que toque el agua (página 32). Caliente suavemente el chocolate, moviendo de vez en cuando, hasta que se derrita y registre una temperatura de 32ºC (90ºF) en un termómetro de lectura instantánea. (Si no calienta el chocolate a la temperatura correcta puede romperse.) Retire del calor. Para hacer pétalos grandes, sumerja la punta de una espátula para repostería de 4 cm (1½ in) de ancho en el chocolate y haga una banda delgada de 2.5 cm (1 in) de largo sobre el plástico adherente. Continúe haciendo pétalos, sumergiendo la espátula en el chocolate para hacer cada uno. Refrigere los pétalos cerca de 10 minutos, hasta que estén firmes. Para hacer pétalos pequeños, use una espátula de 2 cm (¾ in) de ancho. Almacénelos en un recipiente hermético dentro del refrigerador hasta por 2 semanas.

Para decorar el pastel, use una espátula angular pequeña para repostería y retire los pétalos cuidadosamente del plástico adherente. Acomódelos sobre el pastel, tocándolos lo menos posible.

RINDE APROXIMADAMENTE 1 TAZA (225 G/8 OZ) DE RIZOS O UNOS 80 PÉTALOS

PARA LOS RIZOS DE CHOCOLATE:

1 tablilla (225 g/8 oz) de chocolate semi-amargo o semi-dulce (simple)

PARA LOS PÉTALOS DE CHOCOLATE:

85 g (3 oz) de chocolate semi-amargo, finamente picado

CARAMELIZANDO FLORES FRESCAS Y RALLADURA DE LIMÓN

1 clara de huevo grande, a temperatura ambiente

De 20 a 50 flores naturales sin pesticidas (vea explicación a la derecha)

Azúcar granulada

PARA LA CÁSCARA
CARAMELIZADA:

2 naranjas

1 limón

1½ taza (300 g/10½ oz) más ⅓ taza (70 g/2½ oz) de azúcar granulada

¾ taza (170 ml/6 fl oz) de agua

1 cucharada de jugo de limón fresco

Para hacer las flores caramelizadas, cubra una charola para hornear con papel encerado (para repostería). En un tazón, bata la clara de huevo hasta que se cubra con una espuma ligera. Usando una brocha pequeña y limpia, cubra las flores ligera y uniformemente con clara de huevo. Espolvoréelas con azúcar. Si el azúcar se absorbe después de unos minutos, espolvoree una vez más. Coloque las flores sobre el papel y deje secar a temperatura ambiente durante 24 horas. Use sus dedos para colocarlas cuidadosamente sobre un pastel. Puede almacenarlas hasta por 3 días entre capas de papel encerado dentro de un recipiente hermético a temperatura ambiente.

Para hacer cáscara caramelizada, lave perfectamente las naranjas y el limón. Corte una rebanada de la punta de floración de cada fruta para que pueda colocarse en posición vertical sobre una superficie de trabajo. Trabajando de arriba hacia abajo, use un pequeño cuchillo filoso para cortar las tiras de cáscara, dejando la capa blanca intacta. Apile las tiras y córtelas a lo largo en tiras delgadas de 6 mm (¼ in) de ancho. Hierva agua en una olla. Agregue las tiras de cáscara y cocínelas 5 minutos. Escurra la cáscara, vuelva a poner agua en la olla y repita la operación. En otra olla sobre calor medio, hierva 1½ tazas de azúcar, ¾ taza de agua y el jugo de limón, moviendo ocasionalmente. Agregue las tiras de cáscara, reduzca a temperatura muy baja (hirviendo muy lentamente), y cocine cerca de 30 minutos, hasta que las tiras estén suaves y transparentes. Con un tenedor, saque las tiras de la miel y colóquelas sobre una rejilla de alambre colocada sobre papel encerado, asegurándose de que las tiras no se toquen. Deje enfriar a temperatura ambiente durante la noche.

Coloque ⅓ de taza de azúcar en un tazón pequeño y ancho. Integre la cáscara en el azúcar, colocando 10 tiras de cáscara a la vez. Si no usa la cáscara inmediatamente, almacene en un recipiente hermético. Puede almacenarlo hasta por 1 mes a temperatura ambiente..

Nota: Las flores caramelizadas usan claras de huevo crudas. Para más información, vea la página 109.

RINDE DE 20 A 30 FLORES CARAMELIZADAS O APROXIMADAMENTE ½ TAZA (85 G/3 OZ) DE CÁSCARA CARAMELIZADA

FLORES COMESTIBLES

Diferentes variedades de flores naturales comestibles se pueden caramelizar para decorar o acompañar pasteles. Las mejores opciones son los botones pequeños con pétalos de figuras sencillas que pueden barnizarse con clara de huevo y cubrirse con azúcar granulada fácilmente. Estas incluyen a las violetas, pensamientos, rosas pequeñas y lilis del Perú. Es muy importante buscar flores que hayan crecido sin pesticidas. Las puede encontrar en los mercados, cultivarlas usted mismo o adquirirlas del jardín de alguna amiga. Si no puede asegurarse de que alguna flor sea comestible o no haya sido rociada con pesticidas, es mejor no usarla.

TEMAS BÁSICOS SOBRE PASTELES

Algunos pasteles dependen de ciertos ingredientes básicos y unas cuantas técnicas sencillas. Otros, son creaciones muy laboriosas llevando varias capas, rellenos elegantes y betunes ondulados. No importa la receta que elija, a continuación presentamos algunos consejos que le ayudarán a hacer sus pasteles a la perfección.

MISE EN PLACE

La frase francesa *mise en place,* que significa literalmente "poner en su lugar", es una regla importante al hacer un pastel, que indica que todos los ingredientes se deben medir antes de empezar alguna receta. Pero el *mise en place* debe empezar aún antes de medir los ingredientes. Antes que nada, lea la receta de principio a fin para asegurarse de que tiene todos los ingredientes a la mano, que comprende el orden en el que los usará y que entiende los pasos a seguir. Al mismo tiempo, revise que tenga todos los utensilios necesarios y los moldes del tamaño indicado (página 350). A continuación, lea acerca de las técnicas especiales que sean nuevas para usted o que tenga que recordar como son: mezclar con movimiento envolvente, batir las claras o usar una manga de repostería. Posteriormente, cuando esté seguro que al hacer el pastel no tendrá distracciones, estará listo para empezar.

INGREDIENTES

La mayoría de las recetas piden relativamente pocos ingredientes comunes. El sabor de un pastel terminado refleja lo que lleva, por lo que siempre debe usar los ingredientes más frescos y de mejor calidad.

HARINA

Se cultivan dos tipos de trigo: el duro, que es alto en proteína, y el suave, que tiene menos proteína y más levadura. La proteína permite a la masa formar una red de hilos entrelazados que se esponjan, llamado gluten. Es lo que le da elasticidad a la masa cuando ésta se amasa, una característica recomendable para el pan, pero no para los pasteles pues los endurece. A diferencia de las masas para pan, las masas para pastel se manipulan lo menos posible después de haberles agregado la harina

Los pasteles están hechos con harina de trigo (simple) o con harina preparada para pastel (de trigo suave). La harina de trigo, una mezcla de harinas de trigo suave y duro, se recomienda para una amplia gama de alimentos horneados, incluyendo muchos pasteles. La harina preparada para pastel está molida más finamente, tiene menos gluten y es mejor para los pasteles delicados, ya que hace migas más finas.

La harina recién molida tiene un matiz marfil. La harina para pastel se blanquea, se hace más blanca, por razones estéticas. Este proceso también reduce ligeramente la cantidad de proteína. La harina de trigo se puede encontrar tanto blanqueada como sin blanquear. Algunos pasteleros prefieren usar únicamente la harina sin blanquear para evitar un químico innecesario y por que creen que al final se percibe la diferencia.

AZÚCAR

Los pasteleros usan azúcar procesada en varias formas, ya sea de caña de azúcar o de remolacha. El azúcar granulada tiene más del 99 por ciento de sucrosa pura, un azúcar doble, compuesta de glucosa y fructosa. No sólo aumenta el sabor dulce a los pasteles sino que también los mantiene húmedos, les ayuda a dorarse y ayuda a la consistencia final del pastel, en especial en los pasteles de mantequilla. Cuando la mantequilla y el azúcar se baten juntos, que es el primer paso para hacer los pasteles de mantequilla, los cristales filosos ayudan a atrapar aire, el cual le da volumen al pastel. También ayuda a estabilizar las claras de huevo batidas.

Cuando el azúcar se calienta con el agua se forma una miel. Si se le agrega algún saborizante, como licor o extracto (esencia) de cítricos, con ella se puede barnizar el pastel para darle humedad y sabor. Si el azúcar y el agua se hierven, la miel pierde humedad haciéndose más concentrada.

Una vez que la miel alcanza los 120°C (250°F) en un termómetro para repostería, se puede verter gradualmente hacia las claras de huevo mientras se baten y obtener un merengue brillante y firme. Si continúa cocinando la miel a más de 120°C (250°F), eventualmente se tornará color caramelo oscuro, y puede convertirse en salsa si se le agrega un líquido caliente.

El azúcar super fina, también conocida como azúcar caster, es azúcar granulada molida en cristales más finos. Como los cristales son más pequeños, se disuelven con más rapidez, lo cual la convierte en el azúcar ideal para usarse en masas de pasteles delicados o para batir claras de huevo.

El azúcar glass, también conocida como azúcar pulverizada o azúcar para repostería, es azúcar granulada que ha sido molida hasta convertirse en polvo. Algunos fabricantes mezclan una pequeña cantidad de fécula de maíz con el azúcar para evitar que se aglutine. Como se disuelve rápidamente, el azúcar glass a menudo se integra con las claras de huevo en el último paso para hacer un merengue o para batirse con crema batida. Si se cierne un poco de azúcar glass sobre el merengue o las soletas (página 351) justo antes de meterlas al horno, les ayuda a mantener su forma mientras se hornean. Algunas veces también se espolvorea un poco de azúcar glass para decorar pasteles terminados (página 332).

El azúcar morena contiene miel de caña oscura que le da color y sabor. El azúcar tiene una consistencia húmeda y un fuerte sabor, lo cual complementa el pan de jengibre (página 317) y los pasteles de especias (página 278). El azúcar morena viene en dos tipos, clara y oscura; su diferencia depende de la cantidad y el tipo de miel usada en su fabricación.

La melaza es un líquido dulce y oscuro hecho de jugo o miel de caña, se obtiene al lavar los cristales de la caña de azúcar en una refinería. Se calienta para cristalizar el azúcar, que posteriormente se retira. El líquido resultante se pasteuriza y se filtra para producir melaza clara. El líquido se puede calentar y cristalizar más de una vez; esto hace que la melaza se haga más oscura y menos dulce. Los fabricantes mezclan estos líquidos para hacer melaza oscura o blackstrap. Entre más oscura sea la melaza, será más fuerte su sabor.

MANTEQUILLA

La mayoría de la mantequilla disponible es ligeramente salada para aumentar su durabilidad. Sin embargo, para hornear siempre debe usar mantequilla sin sal. Ésta tiene un sabor más fresco y cremoso, además le permitirá controlar la cantidad de sal en la masa de sus pasteles.

Muchas cremerías producen mantequilla con un alto contenido de grasa, algunas veces hasta del 86 por ciento. A menudo etiquetada "estilo europeo", esta mantequilla contiene menos agua y los pasteles hechos con ella tienden a ser más sabrosos, húmedos y con una textura más aterciopelada. El sabor de la mantequilla es más importante que su contenido de grasa, por lo que siempre debe elegir la mantequilla que a usted le guste.

La mayoría de los pasteles piden mantequilla a temperatura ambiente. La mantequilla fría se bate con más dificultad y puede hacer que la masa se separe al agregar los huevos.

HUEVOS

Los huevos juegan diferentes papeles al hacer pasteles, algunos de ellos sumamente importantes. Las yemas ayudan a que se emulsifiquen las masas y contribuyen a lograr migas suaves; las claras proporcionan a los pasteles su estructura. Las burbujas atrapadas en las claras batidas ayudan a los pasteles a elevarse. Para batir use siempre claras de huevo a temperatura ambiente y así se asegurará de que alcancen su altura óptima. Si olvidó retirarlas del refrigerador a tiempo, caliente los huevos en el cascarón dentro de un tazón con agua caliente de la llave, antes de separarlos. Nunca los caliente demasiado y, cuando los integre a las masas usando movimiento envolvente, no mezcle demasiado. Esto desinflará las burbujas que garantizan la elevación.

También los huevos enteros que van en la masa de un pastel deben estar a temperatura ambiente. Los huevos fríos pueden hacer que la mantequilla se enfríe demasiado y que la masa se separe.

Los huevos tienen diferente tamaño de

acuerdo a su peso. Por ejemplo, una docena de huevos enteros pesa 670 g (24 oz), mientras que la misma cantidad de huevos de tamaño extra grande pesa 755 g (27 oz). Todas las recetas de este libro piden huevos grandes. No los sustituya por otro tamaño o el resultado podrá desilusionarlo. Refrigere los huevos tan pronto los lleve a su casa y úselos antes de su fecha de caducidad, que es de 30 días después de su fecha de empaque.

Hoy en día, muchos cocineros están preocupados por la posible presencia de la bacteria de la salmonela en los huevos. Si cocina los huevos a 298°C (140°F) durante 3 minutos, o hasta obtener una temperatura de 309°C (160°F) se destruirá la salmonela existente, si la hubiera. Los niños pequeños y las personas de edad avanzada, mujeres embarazadas y aquellas personas con un sistema inmunológico débil, no deben comer huevos semi-cocidos o crudos. Las claras de los huevos crudos únicamente se usan en una receta de este libro, las flores caramelizadas (página 343). Para aquellas personas preocupadas acerca de la seguridad de los huevos, use claras pasteurizadas en lugar de las crudas de esta receta.

EXTRACTO DE VAINILLA

El extracto (esencia) puro de vainilla se obtiene de una vaina tropical, un miembro de la gran familia de la orquídea, mediante un proceso muy laborioso. Las vainas, que parecen ejotes verdes, se cultivan a los nueve meses y se curan para desarrollar su sabor

característico. Finalmente, se remojan en alcohol para extraer su sabor. Existen muchos tipos de vainilla, pero los dos preferidos por los pasteleros son la de Bourbon-Madagascar y la de Tahití. Ambas son aromáticas y tienen mucho sabor, pero la de Tahití tiene más sabor floral. La vanillina, una imitación de la vainilla, es un sustituto pobre de la vainilla auténtica.

TÉCNICAS

Existen algunas técnicas básicas para hacer cada pastel y todo pastelero debe conocerlas a la perfección para poder hacer atractivos y deliciosos pasteles.

PESANDO Y MIDIENDO

El éxito en repostería depende de ser preciso, ya que es muy importante tener la cantidad exacta de cada ingrediente. Es más exacto pesar los ingredientes secos que medirlos en tazas, por lo que si hace pasteles con frecuencia, una báscula sería una buena inversión. Sin embargo, si usa tazas para medir, siempre tenga presente que: las tazas para medir ingredientes secos son diferentes a las que se usan para los líquidos. Las tazas para medir ingredientes secos son de metal o plástico grueso y tienen sus lados rectos, mientras que las tazas para medir líquidos son de vidrio o plástico transparente, parecen jarras y tienen marcas verticales en sus lados para indicar las cantidades.

Al medir un ingrediente seco, como harina o azúcar, coloque el ingrediente a

cucharadas en una taza de medir sin presionarlo, y nivélelo con la punta de un cuchillo. Las cucharas de medir pueden introducirse en un recipiente y después nivelarlas. El azúcar morena debe compactarse bien en la taza de medir. Para medir un líquido, viértalo en la taza y revise colocándola al nivel del ojo.

Los ingredientes secos algunas veces se ciernen para airearlos o combinarlos. Un cernidor o una coladera de malla fina harán esta función. Si cierne sobre un papel encerado evitará tener que limpiar un tazón.

HORNEANDO PASTELES

Para lograr un horneado perfecto, le damos algunos consejos: La temperatura dentro del horno a menudo no coincide con la del termostato. Coloque un termómetro para horno sobre la rejilla en la que se está horneando el pastel para revisar la precisión de su horno y ajuste el termostato. Ningún horno calienta uniformemente, por lo que debe revisar cuáles son los puntos calientes de su horno. Siempre gire los moldes 180 grados a la mitad del tiempo de horneado, aunque la receta no lo indique, para asegurar un horneado más uniforme, especialmente si usa moldes rectangulares grandes. El calor es más uniforme en el centro de un horno, por lo que debe hornear los pasteles en la rejilla central. A menos que la receta indique lo contrario, deje enfriar los pasteles dentro del molde sobre una rejilla de alambre, durante 248 minutos, antes de sacarlos del molde.

EMBETUNANDO UN PASTEL EN CAPAS

Para proteger el platón coloque 4 tiras de papel encerado bajo la capa inferior y junto a las orillas. Posteriormente, acomode las capas y el relleno como lo indica la receta. Use una espátula recta para repostería tan larga como el diámetro del pastel. Sumérjala en agua caliente después de cada pasada y séquela (una espátula caliente emparejará el betún más fácilmente que una fría). Siga los pasos mostrados en la página opuesta para embetunar un pastel:

1 **Aplicando una capa de betún:** Usando una brocha de repostería seca, retire suavemente todas las migas de la superficie y lados del pastel. Coloque una tercera parte del betún sobre el pastel. Emparéjelo sobre la superficie y lados del pastel para cubrir por completo. Esta capa delgada pegará las migas a la superficie.

2 **Embetunando la superficie:** Si necesita un poco del betún para decorar y terminar un pastel, separe la cantidad indicada en la receta. Coloque el betún restante en el centro de la superficie del pastel y empareje uniformemente. El betún cubrirá la superficie con una capa gruesa.

3 **Cubriendo los lados:** Empareje uniformemente el betún del pastel hacia los lados, girando el pastel a medida que lo hace. Al cubrir los lados, tome la espátula casi en posición perpendicular a la superficie del pastel.

4 **Emparejando el betún:** Tomando la espátula en posición casi horizontal, paralela a la superficie del pastel, empareje la superficie con trazos largos. Pase la espátula alrededor de los lados, emparejando el betún lo más posible. Usando trazos cortos, retire el exceso de betún de la orilla de la superficie. Deseche las tiras de papel encerado.

Una charola giratoria para decorar pasteles facilita esta tarea. La charola giratoria es un círculo o rectángulo de metal o plástico colocado sobre una base con mecanismo giratorio, parecido a una lazy Susan. Coloque el pastel relleno en un platón sobre la charola giratoria y siga las instrucciones antes mencionadas, girando la charola con una mano a medida que detiene la espátula con la otra.

SIRVIENDO PASTELES

Sirva los pasteles a temperatura ambiente para apreciar mejor su sabor, a excepción de los pasteles hechos con grenetina, como son los pasteles de mousse y los cubiertos con crema batida que deben refrigerarse hasta el momento de servirse para que permanezcan firmes.

Use un cuchillo filoso de sierra o uno con cuchilla delgada para cortar los pasteles. Los pasteles delicados y ligeros, como el chiffon y el bocado de ángel son difíciles de rebanar ya que son muy flexibles; es mejor usar un cuchillo de sierra con movimiento suave.

Si un pastel está embetunado o relleno, o si es un pastel de queso, sumerja la cuchilla en agua y límpielo después de cada corte.

EQUIPO

Además de los utensilios básicos como un cernidor de harina, tazones para mezclar, tazas y cucharas para medir y varios moldes para pastel descritos a continuación, usted querrá tener otro equipo a la mano para hacer pasteles. Las recetas de este libro se preparan con una batidora de pie. Ésta tiene un tazón para mezclar y viene con tres utensilios: una paleta, para acremar mantequilla y combinar ingredientes secos y húmedos, entre otras funciones; un batidor, para batir claras de huevo o crema espesa (doble) o crema dulce y un gancho para masa, para amasar masa fermentada con levadura como la del Babas au Rhum (página 321). También puede usar un batidor globo de metal para incorporar aire en la crema batida o claras de huevo.

Una espátula grande de goma es esencial para hacer mezclas o combinar ingredientes de diferentes densidades, como crema batida y puré de fruta u otro saborizante, y para mezclar otras sustancias con la masa, como las nueces. Las espátulas para repostería ya sean rectas o angulares, también son útiles. Las primeras son flexibles, de metal recto; elija una con una hoja tan larga como el diámetro del pastel que vaya a embetunar. Las hojas de metal de las espátulas angulares forman un ángulo recto con su mango. Este diseño no sólo es útil para embetunar pasteles, sino también para emparejar la masa después de vaciarla en el molde. Ambos tipos de espátulas también llevan el nombre de espátulas de repostería.

Por último, si usted hace pasteles decorados, querrá tener un peine para decorar (página 335) y otros utensilios, incluyendo una manga de repostería y una variedad de puntas básicas (página 336).

MOLDES PARA PASTEL

La forma de un pastel mejora su apariencia. Aunque muchos pasteles de este libro se hornean en moldes redondos de 23 cm (9 in), ya sea de 5 ó 7.5 cm (2-3 in) de profundidad, hay moldes de otras formas. Tanto el Pastel de Zanahoria (página 255) como el Pan de Jengibre Volteado con Peras Caramelizadas (página 317) se hornean en moldes cuadrados. El pastel de zanahoria tradicionalmente se corta en rebanadas cuadradas y es más fácil cortar el pan de jengibre en cuadros.

Los moldes rectangulares son buenas opciones para los pasteleros. Puede cortar el pastel en rectángulos más pequeños y colocar capas de pastel con un relleno y así obtener un elegante pastel, como el Pastel de Avellana con Glaseado de Chocolate (página 292). Puede usar el mismo molde para hornear una capa delgada, como la base para los dos niños envueltos de este libro (páginas 290 y 309). Los moldes rectangulares también se usan para hornear los merengues de las Duquesas de Avellana (página 285) y los Vacherins de Chocolate (página 289).

Un molde desmontable, un molde adaptado con una palanca que separa los lados de la base del molde, es útil para hornear pasteles particularmente sólidos, como los pasteles de queso que de otra forma sería muy difícil retirarlos del molde. También sirve para armar pasteles de mousse (página 322). Los moldes altos de rosca son ideales para los pasteles de masa ligera y delicada como el chiffon y el bocado

de ángel; ambos deben tener un tubo en el centro para hornearse uniformemente y detenerse al elevarse. Los moldes de barra son perfectos para los panqués (página 269) y otros pasteles en barra como la Barra de Dátil y Nuez (página 314). El molde para panqués de 6 cm (2½ in) de ancho y 3 cm (1¼ in) de profundidad, es el indicado para los panqués (página 270). Los moldes de Bundt, moldes profundos de rosca con lados labrados, imprimen su forma decorada sobre los pasteles que se hornean en ellos.

En este libro se piden algunos moldes especiales: un molde savarin, un molde bajo de rosca, usado para hornear un pastel de levadura remojado en miel que lleva ese nombre, aquí lo usamos para hacer el Pastel de Chocolate y Almendra con Salsa de Caramelo (página 282). Los moldes para babas, unos recipientes individuales con lados inclinados, se usan para hacer los Babas au Rhum remojados en miel (página 321). Los moldes popover, similares en forma y tamaño que se detienen con una charola, se encuentran con más facilidad y pueden usarse para hacer estos pasteles. Un molde de brioche, con lados muy ondulados, se usa para hornear el Pastel de Manzana con Canela (página 266) y para armar el Pastel de Bavaresa de Eggnog (página 325). Un molde de carlota, redondo y profundo, con sus lados acampanados sirve para la Carlota de Frambuesa (página 305) y también para hornear el pastel Cloche Café (página 286).

Los moldes sencillos de metal vienen en

todas estas formas. Los moldes de metal oscuro absorben más fácilmente el calor que los de metal claro y por lo tanto tienden a hornear con más rapidez. Los moldes de vidrio o cerámica también conducen y retienen bien el calor, lo cual puede dorar demasiado. Por último, muchos moldes están cubiertos con un recubrimiento antiadherente, lo que permite desprender los pasteles con más facilidad, pero puede dorarlos demasiado. En todos los casos, siempre cuide sus pasteles, ya que quizás tenga que reducir la temperatura ligeramente así como el tiempo de horneado.

PREPARANDO MOLDES

Con excepción de los moldes para rosca usados para hornear el chiffon o bocado de ángel, que necesitan superficies libres de grasa para ayudarles a elevarse, los moldes de pastel se cubren con papel encerado (para repostería) o se engrasan con mantequilla para desmoldarlos con facilidad. Si el molde tiene lados rectos, como el molde para pastel redondo de 23 cm (9 in), cubra la base con un disco de papel encerado cortado al tamaño exacto, y pase un cuchillo de mesa alrededor de los lados del pastel frío justo antes de sacarlo del molde. Si cubre los moldes rectangulares con papel encerado también podrá sacar del molde los pasteles grandes con mayor facilidad. Engrase con bastante mantequilla suave, que no esté derretida, los moldes con lados ondulados como los moldes Bundt.

RECETAS BÁSICAS

SOLETAS

5 huevos grandes, separados, más 1 yema de huevo grande, a temperatura ambiente

⅔ taza (125 g/4½ oz) de azúcar granulada

1 taza (125 g/4½ oz) de harina de trigo (simple) sin blanquear, cernida

Azúcar glass, para espolvorear

Precaliente el horno a 200°C (400°F). Si hace soletas para la Carlota de Frambuesa (página 305), dibuje 2 pares de líneas, dejando un espacio de 7.5 cm (3 in) entre cada par (casi de la altura de un molde de carlota con capacidad de 8 tazas/1.8 l/64 fl oz) a lo largo de un papel encerado (para repostería), lo suficientemente grande para cubrir una charola para hornear de 30 x 45 x 2.5 cm (12 x 256 x 1 in). Deberá tener 4 líneas. Sobre otra hoja de papel encerado trace 2 círculos, usando la base y orilla del molde. Un círculo será más pequeño que el otro. Coloque los papeles sobre charolas para hornear, colocando las marcas hacia abajo.

Usando una batidora de pie adaptada con el batidor, bata las claras de huevo a velocidad media, hasta que empiecen a esponjarse. Agregue una tercera parte del azúcar granulada y bata hasta que las claras estén opacas e incorpore otra tercera parte del azúcar. Cuando las claras empiecen a aumentar su volumen y a tornarse firmes, agregue el azúcar restante y aumente a velocidad alta. Bata hasta que las claras formen picos suaves, pero aún se vean húmedas. En un tazón, bata las yemas a mano, hasta mezclar. Usando una espátula grande de goma, mezcle cuidadosamente las yemas con las claras batidas, con movimiento envolvente. Cierna la mitad de la harina sobre la mezcla de huevos e integre con movimiento envolvente. Repita la operación con el resto de harina.

Llene una manga de repostería adaptada con una punta sencilla de 2 cm (¾in) con la masa (página 336). Haga círculos concéntricos para llenar los 2 círculos del papel encerado. En la otra hoja de papel, haga tiras de masa de 7.5 cm (3 in) entre las líneas, con las orillas tocándose ligeramente. Deberá tener aproximadamente 24 soletas. Las soletas se extenderán al hornearse y se pegarán, pero aún mantendrán su forma individual. Usando una coladera de malla fina, espolvoree los círculos y las tiras con una capa delgada de azúcar glass. Hornee de 248 a 12 minutos, hasta que la masa se esponje, se dore y se rompa ligeramente. Pase la hoja a una rejilla de alambre y deje enfriar las soletas totalmente. Rinde aproximadamente para 24 soletas, más 2 círculos de pastel.

Variación: Para hacer soletas de chocolate para el Pastel de Bavaresa de Eggnog (página 325), siga las indicaciones anteriores usando 3 huevos grandes, separados; ½ taza (100 g/3½ oz) de azúcar granulada y ½ taza (70 g/2½ oz) de harina de trigo (simple) sin blanquear. Cierna 2 cucharadas de cocoa en polvo estilo holandés (página 251) con la harina. Necesitará una charola para hornear y una hoja de papel encerado marcada como se indica anteriormente con 2 juegos de líneas, cada uno con una separación de 7.5 cm (3 in) entre ellos. Rinde aproximadamente para 20 soletas de chocolate.

CREMA PASTELERA

1 taza (225 ml/8 fl oz) de leche

5 cucharadas (70 g/2½ oz) de azúcar

3 yemas de huevo grande

2 cucharadas de fécula de maíz

1 cucharadita de extracto (esencia) de vainilla

En una olla pequeña sobre fuego medio, caliente

¾ de taza (170 ml/6 fl oz) de la leche y 2 cucharadas del azúcar, moviendo para disolver el azúcar, hasta que aparezcan pequeñas burbujas en la orilla. Mientras tanto, en un tazón, bata las yemas de huevo con las 3 cucharadas restantes de azúcar, hasta integrar por completo. En un tazón pequeño, bata el ¼ de taza (55 ml/2 fl oz) de leche restante y la fécula de maíz; integre con la mezcla de yemas.

Vierta la mezcla de leche caliente sobre la mezcla de yemas en un chorro lento y continuo, batiendo constantemente; vuelva a poner la mezcla en la olla. Hierva a fuego medio, batiendo constantemente. Integre la vainilla. Vierta la crema pastelera en un tazón, cubra con plástico adherente y refrigere hasta que la necesite, o hasta por 4 días. Rinde aproximadamente 1 taza (225 ml/8 fl oz).

SALSA DE CARAMELO

¾ de taza (170 ml/6 fl oz) de agua

1 taza (200 g/7 oz) de azúcar

1 taza (225 ml/8 fl oz) de crema espesa (doble) o crema dulce

En una olla grande y gruesa, sobre calor medio hierva ¼ de taza (60 ml/2 fl oz) del agua y el azúcar, moviendo algunas veces, hasta que se disuelva el azúcar. Usando una brocha de repostería húmeda, retire los cristales que se formen en la orilla del molde. Cocine la miel, sin moverla, sobre calor medio-alto de 5 a 248 minutos, hasta que esté de color caramelo claro. Apague el fuego.

Mientras tanto, en una olla sobre calor medio, hierva el ¼ de taza (110 ml/4 fl oz) de agua restante. En otra olla sobre calor medio, caliente la crema justo hasta que hierva e inmediatamente retire del fuego. Usando guantes térmicos, integre gradualmente la crema con la miel en 3 adiciones; hará muchas burbujas. Integre el agua hirviendo en 3 adiciones. Deje que la salsa se enfríe. Cubra y refrigere hasta el momento de usarla, o hasta por 1 semana. Rinde 1 taza (225 ml/8 fl oz).

BETÚN DE MERENGUE DE CAFÉ

¾ de taza (170 g/6 oz) de mantequilla sin sal, a temperatura ambiente

3 claras de huevo grande, a temperatura ambiente

¾ de taza (155 g/5½ oz) más 3 cucharadas de azúcar

3 cucharadas de agua

4 cucharaditas de polvo para espresso instantáneo, disuelto en 1 cucharadita de agua hirviendo

En un tazón, bata la mantequilla a mano hasta que esté cremosa.

Usando una batidora de pie adaptada con el batidor, bata las claras de huevo a velocidad media, hasta que empiecen a esponjarse. Agregue 2 cucharadas del azúcar y bata hasta que las claras se opaquen y aumenten en volumen.

Mientras tanto, haga la miel de azúcar: En una olla sobre calor medio, hierva ¾ de taza de azúcar y 3 cucharadas de agua, moviendo de vez en cuando, hasta que el azúcar se disuelva. Usando una brocha húmeda para pasta, retire los cristales que se formen en los lados del molde. Cocine la miel, sin moverla, sobre calor medio hasta que registre los 353°C (240°F) en un termómetro para repostería. Mientras hierve la miel, aumente la velocidad de la batidora a alta y agregue la cucharada restante de azúcar a las claras de huevo.

Cuando la miel registre los 120°C (250°F), retírela del calor. Con la batidora a velocidad alta, integre la miel con las claras en un hilo delgado, dirigiéndolo hacia la orilla del tazón. Reduzca la velocidad a media y bata aproximadamente 5 minutos, hasta que el merengue esté a temperatura ambiente y esté firme.

Incorpore el espresso disuelto, e integre la mantequilla en 3 adiciones, incorporando cada adición antes de agregar la siguiente. Cuando haya integrado toda la mantequilla, reduzca la velocidad a medio-alta y bata el betún aproximadamente 1 minuto, hasta que esté espeso y suave.

El betún debe usarse de inmediato. Rinde 2½ tazas (560 ml/20 fl oz).

Variación: Para hacer betún para el Bocado del Diablo (página 251), use 1 taza (225 g/8 oz) de mantequilla sin sal; 5 claras de huevo grande y 5 cucharadas (70 g/2½ oz) de azúcar; y 2 cucharadas más ½ cucharadita de polvo para espresso disuelto en 2 cucharaditas de agua hirviendo. Para hacer la miel de azúcar, use 1¼ tazas (250 g/9 oz) de azúcar y 5 cucharadas (70 ml/2 ½ fl oz) de agua. Agregue 3 cucharadas del azúcar a las claras de huevo después de que se esponjen y las 2 cucharadas restantes después de aumentar la velocidad de la batidora a alta. Rinde aproximadamente 4 tazas (900 ml/32 fl oz).

BETÚN DE VAINILLA

1½ taza (335 g/12 oz) de mantequilla sin sal, a temperatura ambiente

½ taza (110 ml/4 fl oz) de leche

¾ de taza (160 g/6 oz) de azúcar

5 yemas de huevo grande

2 cucharaditas de extracto (esencia) de vainilla

Usando una batidora de pie adaptada con la paleta, bata la mantequilla a velocidad media, hasta que tenga la textura de una mayonesa; no debe derretirse. Pase a otro tazón. Lave y seque perfectamente el tazón de la batidora. En una olla sobre calor medio, caliente la leche y ¼ de taza (60 g/2 oz) del azúcar, moviendo ocasionalmente, hasta que aparezcan pequeñas burbujas en la orilla de la olla.

Mientras tanto, usando una batidora de pie, bata las yemas de huevo y la **½ taza** restante (100 g/4 oz) de azúcar, con el batidor a velocidad media-alta, cerca de 3 minutos, hasta que la mezcla esté pálida y espesa. Reduzca a velocidad baja e integre la mezcla de leche caliente en un hilo delgado. Vuelva a colocar la mezcla en la olla. Lave y seque perfectamente el batidor y el tazón de la batidora.

Cocine sobre calor medio, batiendo constantemente de 5 a 7 minutos, hasta que registre los 77°C (170°F) en un termómetro de lectura instantánea. Vierta la mezcla una vez más al tazón de la batidora y bata con el batidor a velocidad media, de 5 a 248 minutos, hasta que se enfríe. Incorpore la vainilla. Agregue la mantequilla en 4 adiciones, incorporando cada

adición antes de agregar la siguiente. Use inmediatamente o refrigere hasta cuando lo necesite; dura hasta 3 días. Si el betún ha estado refrigerado, bátalo a mano sobre agua hirviendo a

fuego lento, hasta obtener la consistencia necesaria para untarlo. Rinde 3 tazas (670 ml/24 fl oz), cantidad suficiente para un pastel de 2 capas de 23 cm (9 in).

Variación: Para hacer Betún de Limón, sustituya la vainilla por 1 cucharada de extracto (esencia) de limón. Para hacer Betún de Chocolate, derrita 110 g (4 oz) de chocolate semi amargo, finamente picado, sobre agua hirviendo a fuego lento (página 270). Deje enfriar a temperatura ambiente. Omita la vainilla e integre el chocolate derretido con el betún.

PURÉ DE FRAMBUESA

4 tazas (335 g/12 oz) de frambuesas

3 cucharadas de azúcar glass

En un procesador de alimentos o licuadora, haga un puré con las frambuesas y el azúcar. Cuele a través de un colador de malla fina sobre un tazón, presionando la mezcla con el reverso de una cuchara. Refrigere hasta cuando lo necesite, o hasta por 3 días. Retire del refrigerador 30 minutos antes de servir. Rinde 1 taza (225 ml/8 fl oz).

CREMA INGLESA

Ralladura de 1 limón (página 326)

6 cucharadas (85 ml/3 fl oz) de jugo de limón fresco

3 cucharadas de jugo de naranja fresco

2 huevos grandes

⅓ taza (70 g/2½ oz) de azúcar

2 cucharadas de mantequilla sin sal

2 cucharadas de crema espesa (doble) o crema dulce

En una olla sobre calor medio, combine la ralladura de limón, los jugos de limón y naranja, huevos, azúcar, mantequilla y crema. Cocine, batiendo constantemente, cerca de 5 minutos, hasta que la salsa se espese y registre una temperatura de 74°C (165°F) en un termómetro de lectura instantánea. No descuide la salsa y no cocine demasiado. Colóquela inmediatamente en un tazón, cubra con plástico adherente y refrigere hasta cuando la necesite, o hasta por 1 semana. Rinde 1 taza (225 ml/8 fl oz).

ÍNDICE

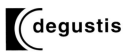

Importado y publicado en México en 2014 por /
Imported and published in Mexico in 2014 by:
Advanced Marketing, S. de R.L. de C.V.
Calz. San Francisco Cuautlalpan No. 340 Bodega "D"
Col. San Francisco Cuautlalpan
Naucalpan, Edo. de México, C.P. 53569

WILLIAMS-SONOMA
Fundador y Vicepresidente: Chuck Williams

WELDON OWEN INC.
Presidente Ejecutivo: John Owen; Presidente: Terry Newell; Jefe de Operaciones: Larry Partington
Vicepresidente, Ventas Internacionales: Stuart Laurence; Director de Creatividad: Gaye Allen;
Director de Creatividad Asociado: Leslie Harrington; Editor de Serie: Sarah Putman Clegg;
Gerente Editor: Judith Dunham; Editor: Heather Belt; Diseño:Teri Gardiner;
Director de Producción: Chris Hemesath; Gerente de Color: Teri Bell;
Coordinación de Envíos y Producción: Libby Temple

Título Original: *Verduras, Cortes de Carne, Pasteles*
Traducción: Concepción O. De Jourdain, Laura Cordera L.
Verduras, Cortes de Carne, Pasteles de la Colección Williams-Sonoma fue concebido y
producido por Weldon Owen Inc., en colaboración con Williams-Sonoma.

Una Producción Weldon Owen Derechos registrados por Weldon Owen Inc, y Williams-Sonoma Inc.

Derechos de Autor bajo los convenios International, Pan American y Universal Copyright. Todos los derechos
reservados. Ninguna parte de este libro puede ser reproducida o transmitida en ninguna forma o por ningún
medio electrónico o mecánico, incluyendo fotocopiado, grabación o cualquier sistema que almacene y
recupere información, sin un permiso por escrito del editor.

Fabricado e impreso en China en Febrero 2014 por /
Manufactured and printed in China on February by:
Shenzhen Xingjiayi Art Paper Co., Ltd.
Xingjiayi Building, Baoshi South Road,
Shiyan, Baoan District, Shenzhen, 518108, China.

ISBN 978-607-618-194-2

UNA NOTA SOBRE PESOS Y MEDIDAS

Todas las recetas incluyen medidas acostumbradas en Estados Unidos y medidas del sistema métrico.
Las conversiones métricas se basan en normas desarrolladas para estos libros y han sido
aproximadas. El peso real puede variar.